Paul Bowles

Un thé
au Sahara

Traduit de l'américain
par H. Robillot
et S. Martin-Chauffier

Gallimard

Titre original :

THE SHELTERING SKY

© *Éditions Gallimard, 1952.*

Pour Jane

UN THÉ AU SAHARA

La destinée de chaque homme ne lui est personnelle que dans la mesure où il lui arrive de ressembler à ce que sa mémoire contenait déjà.

Eduardo Mallea.

1

Il se réveilla, ouvrit les yeux. La chambre ne lui rappelait rien; il était encore trop plongé dans le non-être dont il émergeait à peine. Il n'avait ni le désir ni l'énergie de situer sa position dans l'espace et dans le temps. Il était quelque part; il revenait des vastes régions du néant. La certitude d'une tristesse infinie stagnait au cœur de sa conscience, mais cette tristesse était rassurante, parce qu'elle seule lui était familière. Il n'éprouvait nul besoin d'une autre consolation. Dans un bien-être parfait, une détente totale, il resta complètement immobile pendant un moment, puis de nouveau s'enfonça dans l'une de ces brèves et légères somnolences qui font suite à un long et profond sommeil. Soudain il rouvrit les yeux et jeta un coup d'œil sur sa montre-bracelet. C'était un pur réflexe, car, en voyant l'heure, il se sentit simplement perplexe. Il s'assit, examina la chambre aux couleurs criardes, posa une main sur son front, et, avec un profond soupir, retomba sur le lit. Mais cette fois, il était réveillé; encore quelques secondes, et il saurait où il était, il saurait que l'après-midi était sur son déclin et qu'il avait dormi depuis le déjeuner. Il entendait marcher dans la chambre voisine sa femme dont les mules claquaient sur le carrelage lisse, et maintenant qu'il avait atteint un autre niveau de conscience où la seule certitude d'être vivant ne lui suffisait plus, ce bruit le rassurait. Mais qu'il était difficile d'admettre cette haute pièce étroite avec son plafond à poutres apparentes, les vastes dessins informes aux couleurs vagues qui tapissaient les murs et la fenêtre fermée aux carreaux rouges et oranges. Il bâilla; il n'y avait pas d'air dans la chambre. Tout à l'heure, il descendrait du lit, ouvrirait la fenêtre en grand et, à ce moment précis, il se souviendrait de son rêve. Car, bien qu'il fût incapable de se rappeler le moindre détail, il savait qu'il avait rêvé. De l'autre côté de la fenêtre, il y aurait

11

de l'air, des toits, la ville, la mer. Le vent du soir lui rafraîchirait le visage tandis qu'il se tiendrait là, à regarder, et son rêve alors lui reviendrait.

Maintenant, il ne pouvait que rester allongé, respirant avec lenteur, sur le point de se rendormir, paralysé dans la chambre sans air, n'attendant pas le crépuscule, mais demeurant immobile jusqu'à sa venue.

2

Sur la terrasse du café d'Eckmuhl-Noiseux, quelques Arabes assis buvaient de l'eau minérale. Seuls, leurs fez aux diverses nuances de rouge les distinguaient du reste de la population du port. Leurs vêtements européens étaient gris et élimés; il eût été difficile de dire qu'elle en avait été la coupe à l'origine. Les petits cireurs de souliers, à demi nus, regardaient le trottoir, accroupis sur leurs boîtes, trop inertes pour avoir l'énergie de chasser les mouches qui grouillaient sur leurs visages. A l'intérieur du café, l'air était plus frais, mais immobile et chargé de relents d'urine et de vin suri.

A une table, dans le coin le plus sombre, étaient assis trois Américains : deux hommes et une jeune femme. Ils bavardaient tranquillement, à la façon de ces gens qui ont toute la vie devant eux.

L'un des hommes, mince avec un visage légèrement crispé et anxieux, repliait de vastes cartes multicolores qu'il avait étalées sur la table un moment plus tôt. Sa femme observait ses gestes méticuleux avec une exaspération amusée; les cartes la rasaient et il passait son temps à les consulter. Même durant les courtes périodes où ils avaient mené une existence sédentaire, ce qui avait été l'exception depuis leur mariage douze ans auparavant, il lui suffisait de voir une carte pour se mettre à l'étudier avec passion, puis, invariablement, il commençait à projeter quelque nouveau voyage impossible, qui, parfois, se transformait en réalité. Il ne se considérait pas

comme un touriste, mais comme un voyageur. La différence
tenait, entre autres, au facteur temps, expliquait-il. Alors
que le touriste se hâte, en général, de rentrer chez lui au
bout de quelques semaines ou de quelques mois, le voyageur,
toujours étranger à ses lieux de séjour successifs, se déplace
lentement, sur des périodes de plusieurs années, d'une contrée
de la terre à une autre. En fait, il aurait été bien en peine de
dire où, précisément, des nombreux endroits où il avait vécu,
il s'était senti le plus chez lui. Avant la guerre, ç'avait été
l'Europe et le Proche-Orient, pendant la guerre, les Antilles
et l'Amérique du Sud. Et elle l'avait accompagné sans renou-
veler ses plaintes trop souvent ou trop amèrement. Ils venaient
alors de traverser l'Atlantique pour la première fois depuis 1939,
avec quantité de bagages et l'intention de se tenir aussi loin
que possible des lieux qui avaient été touchés par la guerre.
Car, ainsi qu'il le déclarait, une autre différence notable entre
le touriste et le voyageur réside dans le fait que le premier
accepte sa propre civilisation sans objection, alors que le
voyageur, lui, la compare avec les autres et en rejette les
éléments qu'il désapprouve. Et la guerre était l'un des aspects
de l'ère mécanisée qu'il tenait à oublier. A New York, ils
avaient constaté que l'Afrique du Nord était l'un des rares
pays pour lequel ils pourraient trouver des places disponibles
sur un bateau. D'après les voyages antérieurs qu'il y avait
fait au temps de ses études à Paris et à Madrid, il semblait
qu'on put y passer une période d'un an environ; en tout
cas, c'était à proximité de l'Italie, et ils pourraient toujours
reprendre le bateau si leur entreprise se soldait par un échec.
Leur petit cargo les avait éjectés de sa panse confortable la
veille, sur le quai brûlant, le front plissé par l'anxiété, ruisse-
lants de sueur, et pendant un long moment, personne ne leur
avait prêté la moindre attention. Tandis qu'il se tenait planté
sous le soleil torride, il avait été tenté de remonter à bord et
de voir s'il était possible de continuer la traversée jusqu'à
Istamboul, mais il eût été difficile de faire ce geste sans
perdre la face, d'autant que c'était lui qui les avait persuadés
de venir en Afrique du Nord. Il avait donc promené un regard
détaché d'un bout à l'autre du quai, fait quelques remarques

13

désobligeantes sur l'endroit et s'en était tenu là, tout en décidant, à part lui, de pénétrer vers l'intérieur du pays aussi rapidement que possible. L'autre homme assis sur la table, quand il ne parlait pas, ne cessait de siffloter tout bas de petits airs sans suite.

Il était de quelques années plus jeune, plus solidement bâti et d'une beauté étonnante, conforme aux plus purs canons hollywoodiens, comme la jeune femme le lui disait souvent. Son visage lisse était, la plupart du temps, vide de toute espèce d'expression, mais ses traits étaient dessinés de telle sorte qu'à l'état de repos ils suggéraient une satisfaction sans mélange.

Ils regardèrent au dehors l'éclat poudreux de la lumière dans la rue.

— La guerre a certainement laissé des traces ici.

Petite, avec des cheveux blonds et un teint mat, elle échappait à la joliesse grâce à l'intensité de son regard. Dès que l'on avait vu ses yeux, le reste de son visage s'estompait et quand, plus tard, on essayait d'évoquer son image, seule demeurait l'âpre violence et l'avidité de ses yeux immenses.

— Bien entendu. Des troupes sont passées par ici pendant un an ou plus.

— Enfin, il doit bien exister quelque part dans le monde un endroit qu'ils n'ont pas touché, dit la jeune femme. Cette réflexion était destinée à faire plaisir à son mari. Elle regrettait l'agacement qu'elle avait éprouvé un instant plus tôt, à propos des cartes. Sensible à cette concession mais n'en comprenant pas le motif, il n'y prêta pas attention.

L'autre homme eut un rire condescendant et il l'imita.

— Pour ton bénéfice personnel, j'imagine? dit son mari.

— Pour nous. Tu sais très bien que tu détestes tout ça autant que moi.

— Tout ça? demanda-t-il, sur la défensive. Si tu veux parler de ce magma insipide qui prétend se donner pour une ville, d'accord. Mais j'aime encore fichtrement mieux me trouver ici que de rentrer aux États-Unis.

Elle se hâta d'acquiescer :

— Oh, naturellement ! Mais je ne faisais pas allusion à cet

14

endroit-ci ou à n'importe quel autre en particulier. Je parle de tout cet amas d'horreurs qui vient après chaque guerre, n'importe où...

— Voyons, Kit, dit l'autre homme. Vous ne vous souvenez d'aucune guerre.

Elle ne releva pas la remarque.

— Les habitants de chaque pays se mettent à ressembler de plus en plus à ceux des autres. Ils n'ont ni caractère, ni beauté, ni idéal, ni culture... rien, rien.

Son mari tendit le bras et se mit à lui caresser la main.

— Tu as raison, tu as raison, dit-il en souriant. Tout se ternit et deviendra de plus en plus terne. Mais certains endroits résisteront à la maladie plus longtemps que tu ne crois. Tu verras, au Sahara...

De l'autre côté de la rue, une radio projetait à pleine puissance les glapissements hystériques d'un soprano lyrique. Kit frissonna :

— Dépêchons-nous d'y filer, dit-elle. Nous pourrons peut-être échapper à ça.

Fascinés, ils écoutaient tandis que la mélodie, près de s'achever, amorçait les accords d'usage destinés à amener l'inévitable note aiguë de la fin.

Là-dessus, Kit déclara :

— Maintenant que c'est terminé, il faut que je prenne une autre bouteille d'Oulmès.

— Bon Dieu ! Encore ce truc gazeux ? Vous allez finir par vous envoler.

— Je sais, Tunner, dit-elle, mais je suis obsédée par l'idée de l'eau. Je peux regarder n'importe quoi. Ça me donne toujours soif. Pour une fois, j'ai l'impression que je pourrais me mettre pour de bon au régime sec. Je suis incapable de boire autre chose, avec cette chaleur.

— Un autre Pernod ? dit Tunner à Port.

Kit fronça les sourcils :

— Si c'est du vrai Pernod...

— Il n'est pas mauvais, dit Tunner tandis que le garçon posait une bouteille d'eau minérale sur la table.

— *Ce n'est pas du vrai Pernod ?*

15

— *Si, si, c'est du Pernod,* dit le garçon.

— Prenons une autre tournée, dit Port. Il regardait son verre d'un air morose. Puis ils se turent tandis que le garçon s'éloignait. Le soprano attaqua un autre air d'opéra.

— Elle remet ça, s'écria Tunner.

Le ferraillement d'un tramway qui passait devant la terrasse à grands coups de timbre noya un instant la musique.

Ils entrevirent sous la tenture le véhicule ouvert qui cahotait au soleil, bondé d'Arabes en guenilles.

— J'ai fait un rêve bizarre, hier, dit Port. J'ai longtemps essayé de le retrouver, et il vient juste de me revenir.

— Non ! s'écria Kit avec force. Les rêves sont tellement ennuyeux. Je t'en prie !

— Tu ne veux pas que je te le raconte, dit-il en riant. Mais tu vas m'écouter quand même ! Son ton s'était nuancé d'une férocité qui parut d'abord feinte à Kit, mais, en le regardant, elle se rendit compte qu'il dissimulait au contraire son irritation. Elle garda pour elle la réplique acerbe qu'elle avait sur le bout de la langue.

— J'irai très vite, dit-il avec un sourire. Je sais que vous me faites une faveur en m'écoutant, mais je ne peux pas m'en souvenir simplement en y pensant. C'était en plein jour et j'étais dans un train qui roulait de plus en plus vite. Je me disais : « Nous allons nous enfoncer dans un énorme lit, avec des draps comme des montagnes. »

— Consulte *La Clef des Songes* de Mme La Hiff, dit Tunner sèchement.

— Ferme ça... Et je pensais que si j'en avais envie, je pourrais revivre ma vie, recommencer au début et arriver jusqu'à présent, en menant exactement la même existence, jusqu'aux moindres détails.

Kit ferma les yeux avec lassitude.

— Qu'est-ce qui t'arrive ? demanda-t-il.

— Je trouve parfaitement égoïste et déplacé de ta part d'insister de cette façon quand tu sais à quel point tu nous rases.

— Mais ça me fait tellement plaisir. (Il prit un ait béat.) D'ailleurs, je parie que Tunner meurt d'envie de l'entendre, n'est-ce pas ?

— Les rêves, j'en fais mon ordinaire, dit Tunner en souriant. Je connais mon La Hiff sur le bout du doigt.

Kit le dévisagea, un œil mi-clos. Les consommations arrivèrent.

— Alors, je me suis dit : « Non ! Non ! » Je ne pouvais pas supporter l'idée de revivre toutes ces pensées et toutes ces souffrances, *en détail*. Sans raison, j'ai regardé les arbres par la fenêtre et je me suis dit : « Si ! » Parce que je savais que j'accepterais de repasser par toutes ces avanies simplement pour retrouver l'odeur du printemps que je respirais quand j'étais gosse. Mais je me suis rendu compte qu'il était trop tard, parce qu'au moment où je pensais : « Non ! », je m'étais arraché les incisives comme si elles avaient été en plâtre. Le train s'était arrêté et je tenais mes dents à la main, et je me suis mis à sangloter. Tu sais, ces espèces de sanglots horribles qui vous secouent dans les rêves ?

Pesamment, Kit se leva de la table et se dirigea vers une porte marquée « Dames ». Elle pleurait.

— Laisse ! dit Port à Tunner dont le visage exprimait une vive anxiété. Elle est éreintée. La chaleur la fiche en bas.

3

Il lisait, assis dans son lit. Il ne portait que son caleçon. La porte, entre leurs deux chambres, était ouverte, ainsi que les fenêtres.

Le faisceau d'un phare décrivait sur la ville et le port un cercle large et lent et, couvrant les bruits de la circulation intermittente, une sonnerie électrique stridente vibrait sans discontinuer.

— C'est le cinéma d'à côté ? cria Kit de sa chambre.

— Probablement, dit-il d'un ton absent sans cesser de lire.

— Je me demande ce qu'on y passe ?

— Quoi ? Il abaissa son livre : Ne me dis pas que tu as envie d'y aller !

— Non. Elle semblait indécise. Je me pose la question, c'est tout.

— Je vais te dire ce qu'on donne. C'est un film en arabe qui s'appelle : « Fiancée à louer », d'après le sous-titre.

— C'est incroyable !

— Je sais.

Elle se mit à tourner en rond dans la pièce, fumant une cigarette d'un air pensif. Au bout d'un instant, il leva les yeux :

— Qu'est-ce que tu as? demanda-t-il.

— Rien. Elle s'arrêta. Je suis un peu embêtée, c'est tout. Tu n'aurais pas dû raconter ce rêve devant Tunner.

Il n'osa pas demander : « Est-ce pour ça que tu t'es mise à pleurer ? » et dit :

— *Devant* lui ! Je l'ai raconté *à* lui, autant qu'à toi. Un rêve, qu'est-ce que c'est? Bon sang ! Ne prends donc pas tout tellement au sérieux ! Et pourquoi n'aurait-il pas pu l'entendre? Qu'est-ce que tu reproches à Tunner? Nous le connaissons depuis cinq ans.

— C'est un tel bavard ! Tu le sais bien. Je n'ai aucune confiance en lui. Il en a toujours des biens bonnes à raconter.

— Mais à qui veux-tu qu'il les raconte, ici? dit Port, exaspéré.

Kit fit à son tour une mine excédée.

— Oh ! pas ici, dit-elle. Tu as l'air d'oublier que nous rentrerons à New York un jour ou l'autre.

— Je sais, je sais. C'est difficile à croire, mais c'est sans doute ce qui nous arrivera. Et ensuite? En quoi est-ce si affreux s'il se souvient des détails et qu'il les répète à tous nos amis et connaissances?

— C'est un rêve tellement humiliant. Tu ne te rends pas compte?

— Oh, merde !

Il y eut un silence.

— Humiliant pour qui? Toi ou moi?

Elle ne répondit pas.

— Qu'est-ce que tu me chantes? reprit-il. Tu n'as pas confiance en Tunner? Comment ça?

— Oh! je suppose que je lui fais confiance, après tout. Mais je ne me suis jamais sentie vraiment à l'aise avec lui. Je ne l'ai jamais considéré comme un ami intime.

— Ça tombe bien, maintenant que nous sommes ici avec lui!

— Oh, ça ne fait rien. Je l'aime beaucoup. Ne vas pas te faire des idées...

— Mais tu en avais bien une en tête?

— Naturellement. Mais c'est sans importance.

Elle retourna dans sa chambre.

Il resta un moment à regarder le plafond, l'air intrigué, se remit à lire, puis s'arrêta.

— Tu es sûre que tu n'as pas envie de voir *Fiancée à louer* ?

— Absolument.

Il ferma son livre.

— Je crois que je vais aller faire un tour pendant une demi-heure.

Il se leva, passa une chemise de sport et un pantalon de toile, et se donna un coup de peigne. Dans sa chambre, assise près de la fenêtre ouverte, elle se limait les ongles. Il se pencha sur elle, et lui embrassa la nuque, où ses cheveux blonds et soyeux se retroussaient en boucles folles.

— C'est merveilleux, le truc que tu t'es mis. Tu l'as trouvé ici? Il eut un reniflement bruyant et approbateur. Puis, d'une voix changée : Mais qu'est-ce que tu voulais dire à propos de Tunner?

— Oh! Port, je t'en prie, ne me parles plus de ça!

— Très bien, mon petit, dit-il, docile, en la baisant à l'épaule. Et, avec une inflexion d'innocence feinte : Tu ne me donnes même pas le droit d'y penser?

Elle se tut jusqu'à ce qu'il eut atteint la porte. Alors, elle releva la tête et sur un ton de défi, lança :

— Après tout, c'est ton affaire beaucoup plus que la mienne!

— A bientôt, dit-il.

19

4

Il marchait, cherchant machinalement les rues les plus sombres, heureux d'être seul et de sentir l'air de la nuit sur son visage. Les rues étaient pleines de monde. Les gens le bousculaient en le croisant, l'observaient des fenêtres ou du seuil des portes, faisaient ouvertement entre eux des commentaires sur son compte, — hostiles ou non, il était incapable d'en juger d'après leurs visages, — et parfois s'arrêtaient simplement pour le dévisager.

« Jusqu'où peut aller leur sympathie? Leurs figures sont des masques. Ils semblent tous avoir mille ans. Le peu d'énergie qui les anime se réduit à leur aveugle instinct collectif de conservation, puisqu'aucun d'entre eux ne mange assez pour susciter en lui-même le sens de l'individu.

« Mais que pensent-ils de moi? Rien, sans doute. Un seul d'entre eux viendrait-il à mon aide, s'il m'arrivait un accident? Ou bien resterais-je étendu au milieu de la rue jusqu'à ce que la police m'y trouve? Quelle raison l'un d'eux pourrait-il avoir de me secourir? Ils ont perdu toute religion. Sont-ils musulmans ou chrétiens? Ils n'en savent rien. Ils connaissent l'argent et quand ils en ont, ils n'ont qu'un désir : manger. Mais qu'y a-t-il de mal à cela? Pourquoi prendrais-je cette position vis-à-vis d'eux?

« Sentiment de culpabilité, de me trouver au milieu d'eux, riche et bien nourri. Mais la souffrance est également répartie entre les hommes; chacun a le même fardeau à porter... »

Il sentit aussitôt la fausseté de cette dernière idée, mais à ce moment précis, il lui fallait y croire : il n'est pas toujours facile de soutenir les regards d'êtres affamés. En admettant ce point de vue, il pouvait continuer à marcher le long des rues. Il avait l'impression que lui ou les autres n'existaient pas. Les deux suppositions étaient possibles.

A l'hôtel, la femme de chambre espagnole lui avait dit le jour même à midi : *La vida es pena*. Bien sûr, avait-il répondu, avec le sentiment de mentir, se demandant si un Américain, quel qu'il fût, pouvait sincèrement accepter une définition de la vie qui en faisait un synonyme de souffrance. Mais à ce moment, il l'avait approuvée, parce qu'elle était vieille, racornie, et si totalement peuple.

Pendant des années, l'une de ses superstitions avait consisté à croire que l'expression du réel, de l'authentique ne pouvait surgir que de la conversation des classes laborieuses. Il était maintenant convaincu que leur mode de pensée et de langage était aussi étriqué et tout fait, et par conséquent aussi éloigné de toute vérité profonde, que ceux de n'importe quelle autre classe sociale; pourtant, il se surprenait à attendre, absurdement, que le miel de la sagesse se mît à couler de leurs lèvres.

Tandis qu'il marchait, il prit soudain conscience de sa nervosité en s'apercevant que l'index de sa main droite ne cessait de tracer dans le vide des huits rapides. Il soupira et se força à s'arrêter. Comme il venait de déboucher sur une place relativement illuminée, son moral se raffermit. Aux terrasses des cafés, sur les quatre côtés de la place, s'étalaient jusqu'au milieu de la rue des tables et des chaises, au point qu'il eût été impossible à un véhicule quelconque de passer sans les bousculer. Au centre de la place se trouvait un petit square planté de quatre platanes taillés en parasol. Sous les arbres une douzaine de chiens de tailles variées, engagés dans une mêlée confuse, aboyaient avec frénésie. Il traversa lentement le square en tâchant d'éviter les chiens. Tandis qu'il avançait avec précaution sous les arbres, il constata qu'à chaque pas il écrasait quelque chose sous ses pieds. Le sol était couvert de gros insectes. Leurs carapaces éclataient avec des petites explosions clairement perceptibles au milieu des glapissements des chiens. Il savait que cette sensation aurait dû provoquer en lui un frisson de dégoût, mais, ce soir-là, bizarrement, il éprouvait une sorte de triomphe enfantin. « Je déraille complètement, pensa-t-il. Et après ! »

Les quelques consommateurs disséminés aux tables ne parlaient guère, mais il reconnut dans les rares bribes de conversation les trois langues utilisées dans la ville : l'arabe, l'espagnol et le français.

Peu à peu, la rue commença à descendre. Il en fut surpris,

car il imaginait que la ville entière était construite sur le flanc de la colline qui regardait le port, et il avait délibérément choisi de se diriger vers l'intérieur des terres et non du côté de la mer. L'air se chargeait d'odeurs pénétrantes, mais toutes plus ou moins évocatrices d'ordures variées.

Cette proximité d'un univers pour ainsi dire interdit contribua à le détendre. Il s'abandonna au plaisir pervers de placer mécaniquement un pied devant l'autre, bien qu'il éprouvât une fatigue très nette. « Je vais me retrouver tout à coup en train de rentrer après avoir fait demi-tour», pensa-t-il. Mais pas avant, car il se refusait à en prendre la décision. Son envie de revenir en arrière s'atténuait peu à peu. Finalement, sa surprise s'estompa. Une vision imprécise se mit à l'obséder. C'était Kit, assise près de la fenêtre ouverte, en train de se limer les ongles en regardant la ville. Son esprit revenait par intervalles de plus en plus fréquents à cette scène, et il finit inconsciemment par s'en considérer comme l'acteur, Kit en devenant la spectatrice. La réalité de son existence, à ce moment précis, reposait pour lui sur la présomption qu'elle n'avait pas bougé, qu'elle se trouvait toujours assise à la même place. Il avait l'impression qu'elle pouvait le voir encore de la fenêtre minuscule dans le lointain, montant et descendant d'un pas machinal dans l'ombre et dans la lumière; qu'elle seule savait quand il ferait demi-tour et reviendrait en arrière.

Les lampadaires étaient maintenant très espacés, et le sol n'était plus pavé. Des gamins braillards jouaient dans les ruisseaux avec les ordures. Soudain, il reçut dans le dos un petit caillou. Il pivota sur lui-même, mais il faisait trop sombre pour voir d'où venait le projectile. L'instant d'après, une autre pierre, lancée de devant lui, l'atteignit au genou. Dans la pénombre, il vit un groupe de gamins qui s'égaillaient. De l'autre direction sifflèrent encore des cailloux qui, cette fois, ne le touchèrent pas. Une fois hors de portée, il s'arrêta sous un lampadaire pour essayer d'observer les deux bandes en train de se battre. Mais ils se sauvèrent tous dans l'obscurité, et il se remit en marche toujours du même pas d'automate. La nuit lui souffla en plein visage une bouffée de vent sec et chaud.

Il en aspira les effluves mystérieux et de nouveau se sentit étrangement exalté.

La rue se transformait peu à peu en chemin de campagne, mais comme à contre-cœur. Des huttes s'alignaient toujours des deux côtés. Au delà d'un certain point, tout éclairage cessait. Les habitations même étaient plongées dans l'obscurité. Le vent du sud qui soufflait des montagnes nues, invisibles à l'horizon, jusqu'aux abords de la ville en passant par-dessus l'immense étendue plate de la sebkha, soulevait des nuages de poussière qui roulaient jusqu'au sommet de la colline et se perdaient dans le ciel au-dessus du port. Il s'arrêta. Les derniers faubourgs s'étiraient derrière lui, le long de la route. Au delà de l'ultime cabane, les terrains de décharge et la route caillouteuse dévalaient dans trois directions. Dans l'obscurité au-dessous, le sol était creusé de rigoles sinueuses, semblables à de minuscules cañons. Port leva les yeux. L'arc poudreux de la voie lactée faisait dans le ciel comme une gigantesque déchirure par où filtrait une pâle lumière blanche. Il entendit dans le lointain une motocyclette, puis le bruit du moteur s'évanouit; il n'y eut plus pour rompre le silence que le chant intermittent d'un coq, semblable aux notes les plus hautes d'une mélodie répétée dont le reste demeure inaudible. Il se mit à descendre vers la droite, glissant dans la terre meuble parmi des arêtes de poissons. Une fois en bas, il tâta de la main une pierre qui lui parut propre et s'assit dessus. La puanteur était suffocante. Il gratta une allumette et vit le sol couvert de plumes de poulet et d'écorces de melon. Il allait se redresser quand il entendit des pas, au-dessus de lui, à l'extrémité de la rue. Une silhouette se dressa au sommet du talus. Elle ne dit pas un mot, mais Port était certain qu'il avait été repéré et suivi, et qu'on le savait assis en bas. La silhouette alluma une cigarette, et, pendant un instant, il entrevit un Arabe coiffé d'un fez. L'allumette lancée en l'air décrivit une parabole, le visage disparut et seul demeura visible le bout incandescent de la cigarette. Le coq chanta à plusieurs reprises. Finalement, l'homme cria :

— *Qu'est-ce ti cherches là?*

« Voilà les ennuis qui commencent », pensa Port. Il ne bougea pas. L'Arabe attendit un instant, puis s'approcha de l'extrême bord de la pente. Une boîte de conserves dégringola bruyamment vers Port.

— *Hé! M'sieu! Qu'est-ce ti vo ?*

Il se décida à répondre. Il parlait bien français :

— Qui? Moi? Rien.

L'Arabe dévala le remblai et vint se planter devant lui. Avec des gestes typiques d'impatience et presque d'indignation, il poursuivit son enquête :

— Qu'est-ce que tu fais ici tout seul? D'où viens-tu? Qu'est-ce que tu veux? Tu cherches quelque chose? Et Port répondit d'un ton morne : « Rien. De là-bas. Rien. Non. »

L'Arabe se tut, se demandant un moment dans quel sens aiguiller la conversation. Il aspira plusieurs profondes bouffées de sa cigarette, jusqu'à ce que le bout en fut devenu d'un rouge intense. Puis il la jeta et souffla la fumée.

— Tu veux faire une promenade? dit-il.

— Quoi? Une promenade? Où ça?

— Par là. Il agita le bras du côté des montagnes.

— Qu'est-ce qu'il y a par là?

— Rien.

Il y eut un nouveau silence.

— Je te paierai à boire, dit l'Arabe. Puis il ajouta aussitôt : Comment tu t'appelles?

— Jean, dit Port.

L'Arabe répéta le nom deux fois, comme pour en soupeser les mérites.

— Moi, dit-il en se frappant la poitrine, Smaïl. Alors, on va boire un verre.

— Non.

— Pourquoi non?

— Je n'en ai pas envie.

— Tu n'en as pas envie? De quoi as-tu envie?

— De rien.

Là-dessus, la conversation revint à son point de départ. Seul, le ton sincèrement outragé de l'Arabe soulignait la différence.

— *Qu'est-ce ti fis là ? Qu'est-ce ti cherches ?*

24

Port se leva et commença à remonter le remblai. Mais il avait du mal à progresser et glissait en arrière. L'Arabe le rejoignit aussitôt et lui prit le bras.

— Où vas-tu, Jean?

Sans répondre, Port fit un dernier effort et atteignit le sommet.

— Au revoir, lança-t-il, en gagnant rapidement le milieu de la rue. Il entendit un raclement de pieds frénétique derrière lui. L'instant d'après, l'homme l'avait rattrapé.

— Tu ne m'as pas attendu, dit-il d'un ton offensé.

— Non. Je t'ai dit au revoir.

— Je vais avec toi.

Port ne répondit pas. Ils marchèrent un bon moment sans parler. Comme ils arrivaient au premier lampadaire, l'Arabe plongea la main dans la poche et en sortit un portefeuille éculé. Port lui jeta un coup d'œil sans s'arrêter.

— Regarde ! cria l'Arabe en lui brandissant l'objet sous le nez.

Port ne détourna pas les yeux.

— Qu'est-ce que c'est? demanda-t-il d'un ton brusque.

— J'étais au 5e Bataillon de Tirailleurs. Regarde le papier. Regarde, tu verras.

Port hâta le pas. Bientôt, des passants apparurent dans la rue. Personne ne les regardait. On eût dit que la présence de l'Arabe à ses côtés le rendait invisible. Mais il n'était plus très sûr de son chemin. Il valait mieux ne pas le laisser voir et il continua à marcher droit devant lui avec assurance. Monter jusqu'en haut de la colline et redescendre de l'autre côté, pensa-t-il. Impossible de se tromper. Il ne reconnaissait plus rien : les maisons, les rues, les cafés, l'orientation même de la ville par rapport à la colline. Au lieu de se retrouver sur une éminence d'où il pourrait redescendre, il constata, de quelque côté qu'il se tournât, que les rues continuaient toutes à monter légèrement. Pour descendre, il eût fallu rebrousser chemin. L'Arabe l'escortait toujours, tantôt à sa hauteur, tantôt en s'effaçant derrière lui quand ils n'avaient pas la place de passer de front. Il avait renoncé à engager la conversation et Port remarqua avec soulagement qu'il s'était mis à souffler. « Je peux continuer comme ça toute la nuit s'il le faut, pensa-t-il, mais comment diable retrouverai-je l'hôtel? »

Brusquement, ils se trouvèrent dans une étroite venelle. Au-dessus de leurs têtes, les murs surplombants se touchaient presque. Port hésita une minute. Il n'avait guère envie de s'aventurer dans un passage de ce genre; de plus, il était bien évident qu'il ne menait pas vers l'hôtel. Pendant ce court instant, l'Arabe prit l'initiative :

— Tu ne connais pas cette rue, dit-il. C'est la rue de la Mer Rouge. Tu la connais? Allons-y. Il y a des *cafés arabes*, par là. Un petit peu plus loin. Viens donc !

Port réfléchissait. Il voulait à tout prix continuer à feindre une parfaite connaissance de la ville.

— *Je ne sais pas si je veux y aller ce soir*, déclara-t-il songeur.

L'Arabe, dans son agitation, s'était remis à tirer Port par la manche.

— *Si, si !* s'écria-t-il. *Viens.* Je te paye à boire.

— Je ne bois pas. Et il est très tard.

Tout près, deux chats se mirent à se battre. L'Arabe siffla en tapant du pied, et ils filèrent chacun de leur côté.

— Alors, on prendra du thé, poursuivit-il.

Port soupira.

— *Bien*, dit-il.

Le café avait une entrée compliquée. Ils franchirent une porte basse et voûtée, longèrent un couloir sombre et débouchèrent dans un petit jardin. Il y flottait une odeur de lis à laquelle se mêlaient d'âcres relents d'égout. Dans l'obscurité, ils traversèrent le jardin et grimpèrent un long escalier de pierre. Un martèlement de tam-tam leur parvenait du haut, esquissant d'indolentes arabesques sur le brouhaha des conversations.

— On s'assied dedans ou dehors? demanda l'Arabe.

— Dehors, répondit Port. Il renifla le parfum pénétrant du haschisch et, machinalement, lissa ses cheveux en arrivant en haut de l'escalier. Ce geste furtif n'échappa pas à l'Arabe.

— Il n'y a pas de femmes, ici, tu sais, dit-il.

— Oh, je sais !

De l'entrée, il entrevit une interminable enfilade de minuscules boxes illuminés et des hommes assis un peu partout sur les nattes rouges qui tapissaient le sol. Ils étaient tous coiffés de turbans blancs ou de fez rouges, et ce détail conférait à la scène une telle unité que Port ne put retenir un léger cri de surprise, en franchissant le seuil. Ils débouchèrent sur la terrasse, sous le ciel étoilé. Tout près, dans l'obscurité, un musicien grattait paresseusement les cordes de son oud.

— Je n'imaginais pas qu'on puisse encore trouver un endroit pareil dans cette ville, dit Port à son compagnon.

L'Arabe ne comprenait pas.

— Un endroit pareil? répéta-t-il. Comment?

— Où il n'y ait que des Arabes, comme ici, à l'intérieur. Je croyais que tous les cafés ressemblaient à ceux des rues, que tout le monde s'y trouvait mélangé : Juifs, Français, Espagnols, Arabes. Tous ensemble. Je pensais que la guerre avait tout changé.

L'Arabe se mit à rire.

— La guerre était mauvaise. Il y a eu beaucoup de morts. Il n'y avait rien à manger. C'est tout. Pourquoi est-ce que les cafés auraient changé? Oh, non, mon ami, tout est toujours pareil.

Puis, un moment après :

— Alors, tu n'es pas venu ici depuis la guerre? Mais tu es déjà venu avant?

— Oui, dit Port. Il ne mentait pas. Il avait une fois passé un après-midi dans la ville pendant une brève escale. Le thé arriva. Ils burent en bavardant.

Lentement, l'image de Kit assise à la fenêtre se reformait dans l'esprit de Port. Comme il en prenait conscience, il éprouva d'abord un vif sentiment de culpabilité. Puis son imagination se donna libre cours; il vit son visage, ses lèvres pincées de fureur, tandis qu'elle se déshabillait et lançait ses légers vêtements sur les meubles à travers la pièce. Maintenant, elle avait certainement renoncé à attendre et s'était couchée. Il haussa les épaules et, pensif, se mit à faire tourner le thé au fond de son verre, suivant des yeux ce mouvement circulaire.

— Tu es triste, dit Smaïl.

— Non, non. Il leva les yeux, eut un sourire nostalgique et se replongea dans la contemplation de son verre.

— La vie est courte. *Il faut rigoler.*

Port s'impatientait. Il n'était pas d'humeur à philosopher.

— Oui, je sais, dit-il d'un ton bref, et il soupira.

Smaïl lui pinça le bras. Ses yeux brillaient.

— En sortant d'ici, je t'emmènerai chez une amie.

— Je ne tiens pas à le voir, dit Port, puis il ajouta : Merci quand même.

— Ah ! tu es vraiment triste, dit Smaïl en riant. C'est une femme... Aussi belle que la lune.

Port ressentit un coup au cœur.

— Une femme, répéta-t-il automatiquement sans lever les yeux de son verre. Il constatait avec anxiété sa subite excitation intérieure. Une femme? dit-il en regardant Smaïl. Tu veux dire une putain?

Smaïl parut choqué.

— Une putain? Ah ! mon ami, tu ne me connais pas. Je ne te présenterais pas à ça. *C'est de la saloperie, ça !* Celle-là, c'est une amie à moi, très élégante, très gentille; quand tu feras sa connaissance, tu verras.

Le musicien s'arrêta de gratter de l'oud. Dans le café, on entendait les joueurs de loto annoncer les numéros.

Ouahad aou tletine ! Arbaïne !

— Quel âge a-t-elle? demanda Port.

Smaïl hésita :

— A peu près seize ans. Seize ou dix-sept.

— Ou bien vingt ou vingt-cinq, suggéra Port, ironique.

Smaïl s'indigna de nouveau :

— Comment ça ! Vingt ou vingt-cinq ? Je te dis qu'elle a seize ou dix-sept ans. Tu ne me crois pas? Écoute. Tu vas venir la voir. Si elle ne te plaît pas, tu paieras seulement pour le thé et on repartira. Ça te va comme ça?

— Et si elle me plaît?

— Et bien, tu feras ce que tu voudras.

— Mais je la paierai.

— Bien sûr que tu la paieras.

Port se mit à rire.

— Et tu dis que ce n'est pas une putain?

Smaïl se pencha vers lui par-dessus la table et lui déclara en affectant la plus grande patience :

— Écoute, Jean. C'est une danseuse. Elle est arrivée de son bled dans le désert il y a seulement quelques semaines. Comment pourrait-elle être une putain? Elle n'est pas en carte et ne vit pas dans le quartier réservé. Hein? Dis-moi, tu la paies parce que tu lui prends du temps. Elle danse dans le quartier réservé, mais elle n'a pas de chambre, pas de lit là-bas. Ce n'est pas une putain. Alors, maintenant, on y va?

Port réfléchit un long moment, regarda le ciel, le jardin, puis la terrasse autour de lui, et répondit enfin :

— Oui, allons-y. Tout de suite.

5

Lorsqu'ils sortirent du café, il lui sembla qu'ils reprenaient à peu près la direction d'où ils étaient venus. Il y avait moins de monde dehors et l'air était plus frais. Ils marchèrent assez longtemps dans les rues de la Casbah et, soudain, après avoir franchi une des portes de la ville, ils se trouvèrent hors de l'enceinte, sur un plateau désert. Il y régnait un silence absolu, sous un ciel brillant d'étoiles. Le plaisir qu'il ressentit à la fraîcheur inattendue de l'air et le soulagement de respirer librement, loin des maisons en surplomb, lui firent retenir la question qu'il avait sur les lèvres : « Où allons-nous? » Mais comme ils longeaient une sorte de parapet en bordure d'une profonde douve à sec, il finit par la poser. Smaïl répondit vaguement que la fille habitait à la sortie de la ville avec des amies.

— Mais nous sommes déjà dans la campagne, objecta Port.

— Oui, c'est la campagne, dit Smaïl.

Sans aucun doute, il se faisait évasif. Son caractère semblait avoir changé une fois de plus, et il ne restait rien de leur début d'intimité. Il était redevenu le sombre personnage anonyme, à la cigarette brasillante, qui avait surgi devant Port au haut de la rue, parmi les ordures. *Tu peux encore en rester là. Arrête-toi. Maintenant.* Mais la cadence régulière de leurs pas combinés avait trop de puissance. Le parapet décrivait une large courbe; le terrain s'enfonçait dans un profond trou d'ombre. La douve avait disparu depuis une centaine de mètres. Ils dominaient maintenant l'extrême pointe d'une vallée largement ouverte.

— La forteresse turque, observa Smaïl en frappant les pierres du talon.

— Écoute-moi, commença Port avec colère, où allons-nous?

Il regardait la ligne inégale des montagnes qui se détachaient devant eux sur l'horizon.

— Là, en bas.

Smaïl montra du doigt la vallée. Peu après, il s'arrêta.

— Voilà les marches, dit-il.

Un étroit escalier de fer était scellé à la crête du mur. Il n'avait pas de rampe et descendait tout droit jusqu'en bas, presque à la verticale.

— C'est loin, dit Port.

— Ah! oui, c'est la forteresse turque. Tu vois cette lumière? (Il montrait une faible lueur qui apparaissait et disparaissait au-dessous d'eux.) C'est la tente où elle habite.

— La tente!

— Il n'y a pas de maisons là-bas. Seulement des tentes. Il y en a beaucoup. *On descend?*

Smaïl passa le premier en se plaquant au mur.

— Tiens-toi contre les pierres, dit-il.

Comme ils approchaient du bas, il reconnut dans la faible lueur aperçue plus tôt un feu de veillée qui mourait entre deux vastes tentes de nomades. Smaïl s'arrêta et tendit l'oreille. On entendait un murmure confus de voix d'hommes.

— *Allons-y*, murmura-t-il d'un ton satisfait.

Ils descendirent encore quelques marches et touchèrent le sol dur. Port vit, à sa gauche, la silhouette noire d'un énorme aloès en fleur.

— Attends-moi là, chuchota Smaïl.

Port voulut allumer une cigarette; l'autre l'arrêta d'un coup sec sur le bras.

— Non!

— Mais enfin !... commença Port exaspéré de ces façons de conspirateur.

Smaïl disparut.

Adossé au froid mur de pierre, Port guetta une rupture dans l'entretien monotone et sourd, un échange de salutations, mais rien ne vint. Le murmure se poursuivit, flot ininterrompu de sons incompréhensibles. « Il a dû entrer dans l'autre tente », se dit-il. L'un des pans de cette tente rougeoyait au reflet du feu; au delà, c'était la nuit. Il fit quelques pas en longeant le mur pour essayer d'en voir l'ouverture, mais elle donnait sur l'autre côté. Il chercha en vain à saisir des bruits de voix. Sans aucune raison, il entendit alors la dernière phrase de Kit, celle qu'elle lui avait lancée lorsqu'il quittait la chambre : « Après tout cela te regarde plus que moi. » Maintenant encore, ces mots ne signifiaient rien pour lui, mais il se rappelait de quel ton elle les avait prononcés : elle semblait agressive et blessée. Et tout cela pour Tunner. Il se dressa d'un bond. « Il lui court après ! » prononça-t-il presque à voix haute. Il fit volte-face, alla vers l'escalier, entreprit de le monter. A la sixième marche, il s'arrêta et regarda de droite et de gauche. « Qu'est-ce que je pourrais faire, cette nuit? pensa-t-il. C'est une excuse que je me donne pour m'en aller d'ici, parce que j'ai peur. Que diable, il ne l'aura jamais ! »

Une ombre surgit entre les deux tentes et courut rapidement vers l'escalier.

— Jean ! appela-t-elle tout bas.

Port ne bougea pas.

— Ah ! *Ti es là !* Qu'est-ce que ti fais là? Viens !

Il redescendit lentement les six marches. Smaïl s'avança, lui prit le bras.

— Pourquoi ne pouvons-nous pas parler tout haut? chuchota Port.

— Chut ! dit Smaïl en lui pinçant le bras.

Ils longèrent la première tente, frôlés au passage par un buisson de chardons géants et, butant sur des pierres, atteignirent la seconde tente.

— Enlève tes souliers, ordonna Smaïl en retirant lui-même ses sandales.

« Ce n'est pas à faire », pensa Port.

— Non, dit-il tout haut.

— Chut !

Smaïl le poussa à l'intérieur, les souliers toujours aux pieds.

La partie centrale de la tente était assez haute pour qu'on pût s'y tenir debout. Une bougie à demi consumée, fichée sur une caisse près de l'entrée, constituait tout l'éclairage et laissait le bas de la tente dans la pénombre. Des nattes de paille avaient été jetées au hasard sur le sol, des objets hétéroclites étaient dispersés un peu partout dans le plus grand désordre. Personne n'était là pour les accueillir.

— Assieds-toi, dit Smaïl, en faisant les honneurs.

Il débarrassa la plus grande natte d'un réveil, d'une boîte à sardines et d'un vieux bleu de mécanicien prodigieusement taché de graisse. Port s'assit et posa les coudes sur ses genoux. Près de lui se trouvait un bassin en émail ébréché, à demi plein d'un liquide brunâtre. Partout traînaient des croûtons de pains rassis. Il alluma une cigarette sans en offrir à Smaïl qui retourna près de l'entrée, et regarda au dehors.

Et soudain, elle entra. Une fille mince, à l'air farouche, avec de grands yeux noirs. Elle était vêtue de blanc immaculé; un bandeau blanc maintenait à la façon d'un turban ses cheveux tirés en arrière et dégageait les tatouages bleus de son front. Elle se tint parfaitement immobile en regardant Port avec une expression qui rappelait celle des jeunes taureaux, lorsqu'ils font leurs premiers pas dans l'éblouissement de l'arène. Son visage trahissait le trouble, la peur et l'attente passive.

— Ah, la voilà ! dit Smaïl, d'une voix toujours étouffée. Elle s'appelle Marhnia.

Il attendit. Port se leva et s'avança en tendant la main.

— Elle ne parle pas français, expliqua Smaïl.

Sans un sourire, elle toucha la main de Port, puis se baisa les doigts. En s'inclinant, elle dit, dans un murmure :

— *Ya sidi, la bess âlik? Eglès, baraka ' laou ' fik.*

Avec une dignité gracieuse et une singulière simplicité de mouvements, elle décolla la bougie qui brûlait sur la caisse et la porta vers le fond de la tente où une couverture, pendant du plafond, formait une espèce d'alcôve. Avant de disparaître derrière la couverture, elle tourna la tête vers les deux hommes et les appela d'un geste en disant :

— *Agi ! Agi menah !*

Ils la suivirent dans l'alcôve qu'un vieux matelas disposé sur quelques caisses plates transformait en boudoir. Près du divan improvisé se trouvaient une minuscule table à thé et, par terre, une pile de petits coussins ronds. La fille posa la chandelle à même le sol et disposa les coussins le long du matelas.

— *Essmah !* dit-elle à Port, puis à Smaïl : *Tsekellem bellatsi.*

Elle sortit. Smaïl s'esclaffa et lança dans sa direction à voix basse :

— *Fhemtek.*

Port était intrigué par cette fille, mais la barrière des langues l'agaçait et il était encore plus irrité de l'entendre parler avec Smaïl en sa présence.

— Elle est allée chercher du feu, dit Smaïl.

— Oui, oui, fit Port, mais pourquoi faut-il parler tout bas?

Smaïl roula des yeux.

— Les hommes dans l'autre tente, dit-il.

Elle revint bientôt avec un pot de terre rempli de braises. Tandis qu'elle faisait bouillir l'eau et préparait le thé, Smaïl bavardait avec elle. Ses réponses étaient toujours graves, mais sa voix assourdie avait de belles inflexions. Aux yeux de Port, elle ressemblait beaucoup plus à une jeune religieuse qu'à une danseuse de cabaret. En même temps, il ne la désirait pas du tout, se contentant pour son plaisir d'admirer les mouvements délicats et agiles de ses doigts teints au henné qui brisaient les tiges de menthe pour les entasser dans la petite théière.

Lorsqu'elle eut goûté le thé à plusieurs reprises et qu'elle eut semblé enfin le trouver à son goût, elle leur en offrit à chacun un verre, puis, s'adossant aux coussins d'un air solennel, commença de boire le sien.

— Assieds-toi ici, dit Port en tapotant le divan.

Elle fit signe qu'elle se trouvait parfaitement bien où elle était, et le remercia poliment. Puis, elle se tourna vers Smaïl et engagea avec lui une longue conversation, tandis que Port buvait son thé à petits coups en s'efforçant de se détendre. Il était angoissé à l'idée que le jour allait se lever — dans une heure ou deux, tout au plus — et que c'était là du temps perdu. Il regarda sa montre avec inquiétude; elle s'était arrêtée à deux heures moins cinq. En fait, elle marchait toujours, mais il était certainement beaucoup plus tard. Mahrnia posa à Smaïl une question qui semblait concerner Port.

— Elle demande si tu connais l'histoire d'Outka, Mimouna et Aïcha, dit Smaïl.

— Non.

— *Goul lou, goul lou,* dit Mahrnia à Smaïl d'un ton pressant.

— Il y a trois filles des montagnes, près du bled de Mahrnia, et elles s'appellent Outka, Mimouna et Aïcha. (Ses grands yeux doux fixés sur Port, Mahrnia approuvait de la tête.) Elles vont chercher fortune dans le Mzab. Presque toutes les filles des montagnes vont à Alger, à Tunis, ici, pour gagner de l'argent, mais, ces filles-là, elles veulent une chose plus que tout. Elles veulent boire le thé dans le Sahara.

Mahrnia continuait à approuver de la tête; elle ne pouvait suivre l'histoire que par les noms propres que prononçait Smaïl.

— Je vois, dit Port, qui se demandait si l'histoire serait tragique ou cocasse et qui était décidé à paraître aussi intéressé que Mahrnia désirait visiblement qu'il le fût. Il souhaitait seulement que l'histoire ne traînât pas en longueur.

— Dans le Mzab, tous les hommes sont laids. Les filles dansent dans les cafés de Ghardaïa, mais elles sont toujours tristes. Elles veulent toujours boire le thé dans le Sahara. (Port regarda Mahrnia de nouveau. Son expression était profondément grave. Il hocha la tête.) Beaucoup de mois passent comme ça, et elles sont toujours dans le Mzab et elles sont très, très tristes, parce que tous les hommes sont si laids. Ils sont très laids là-bas, comme des porcs. Et ils ne paient pas assez, et les pauvres filles ne peuvent pas aller prendre le thé dans le Sahara. (Chaque fois qu'il disait « Sahara » — et

il prononçait le mot à l'arabe avec un fort accent sur la première syllabe — il s'interrompait un instant.) Un jour, un
Targui arrive. Il est grand et beau, sur un superbe méhari.
Il cause avec Outka, Mimouna et Aïcha, il leur parle du désert,
là-bas où il vit, de son bled, et elles écoutent, et ouvrent de
grands yeux. Alors il dit : « Dansez pour moi », et elles dansent.
Alors il fait l'amour avec les trois, et il donne une pièce d'argent
à Outka, une pièce d'argent à Mimouna, et une pièce d'argent
à Aïcha. Au lever du jour, il remonte sur son méhari et s'en
va vers le sud. Après cela, elles sont très tristes, les Mzabites
leur semblent encore plus laids, et elles ne font que penser
au grand Targui qui vit dans le Sahara.

Port alluma une cigarette; puis il remarqua que Mahrnia
le regardait avec envie et il lui passa le paquet. Elle en mit
une entre ses lèvres et, d'un geste gracieux, en approcha un
chârbon ardent cueilli au bout de pincettes rudimentaires.
La cigarette s'alluma aussitôt; Mahrnia la passa à Port et
lui prit la sienne. Il lui sourit. Elle s'inclina presque imperceptiblement.

— Beaucoup de mois passent et elles ne peuvent toujours
pas gagner assez d'argent pour aller au Sahara. Elles ont gardé
les pièces d'argent parce qu'elles sont toutes les trois amou-
reuses du Targui. Et elles sont toujours tristes. Un jour,
elles disent : « Nous allons finir comme ça, toujours tristes,
sans jamais boire le thé dans le Sahara. Il faut y aller tout de
suite, n'importe comment, même sans argent. » Elles mettent
tout ce qu'elles ont ensemble, et aussi les trois pièces d'argent,
et elles achètent une théière, et un plateau, et trois verres.
Et elles achètent aussi des billets de car pour El Goléa. Et
là, il ne leur reste presque plus rien et elles le donnent à un
bachamar qui conduit sa caravane vers le sud. Il les emmène
donc avec la caravane. Et, un soir, quand le soleil va se coucher,
elles arrivent aux grandes dunes de sable, et elles pensent :
« Ah ! maintenant nous sommes au Sahara; nous allons faire
le thé. » La lune se lève et tous les hommes sont endormis,
sauf le veilleur. Il est assis près des chameaux et il joue de la
flûte. (Smaïl agita les doigts devant sa bouche.) Outka,
Mimouna et Aïcha s'éloignent sans bruit de la caravane

avec leur plateau, et leur théière, et leurs verres. Elles vont chercher la dune la plus haute pour voir tout le Sahara. Et alors elles feront le thé. Elles marchent longtemps. Outka dit : « Je vois une dune très haute », et elles y vont et elles grimpent en haut. Alors, Mimouna dit : « Je vois une dune là-bas. Elle est beaucoup plus haute et nous pourrons voir jusqu'à In Sahah. » Elles y vont et elle est beaucoup plus haute. Mais quand elles sont en haut, Aïcha dit : « Regardez ! Voilà la plus haute de toutes. Nous pourrons voir jusqu'à Tamanrasset. C'est là qu'habite le Targui. » Le soleil se lève et elles continuent à marcher. A midi, elles ont très chaud. Mais elles arrivent à la dune, et elles grimpent et grimpent. Quand elles sont en haut, elles sont très fatiguées et elles disent : « Reposons-nous un peu, et, après, nous ferons le thé. » Mais d'abord elles arrangent le plateau, et la théière, et les verres. Alors elles s'étendent et dorment. Et alors... (Smaïl se tut et regarda Port.) Beaucoup de jours plus tard, une autre caravane passe et un homme voit quelque chose sur le haut de la plus haute dune. Et quand ils montent voir, ils trouvent Outka, Mimouna et Aïcha qui sont toujours là dans la même position. Et les trois verres (il éleva le sien) sont pleins de sable. C'est comme ça qu'elles ont pris leur thé au Sahara.

Il y eut un long silence. C'était manifestement la fin de l'histoire. Port regarda Mahrnia, elle hochait toujours la tête, les yeux fixés sur lui. Il se décida à hasarder une remarque :

— C'est très triste.

Elle demanda immédiatement à Smaïl ce qu'il venait de dire.

— *Gallik merhmoum bzef*, traduisit Smaïl.

Elle ferma lentement les paupières sans interrompre son mouvement de tête.

— *Ei oua!* dit-elle en ouvrant de nouveau les yeux.

Port se tourna d'un coup vers Smaïl.

— Écoute, il est très tard. Je veux que nous arrangions le prix. Combien dois-je lui donner?

Smaïl parut scandalisé.

— Tu ne peux pas faire ça comme avec une putain ! *Ci pas une putain, je t'ai dit !*
— Mais je la paierai si je reste avec elle ?
— Bien sûr.
— Alors, je veux arranger ça tout de suite.
— Je ne peux pas le faire pour toi, mon ami.

Port haussa les épaules et se leva.

— Il faut que je parte. Il est tard.

Le regard de Mahrnia allait rapidement de l'un à l'autre. Elle dit un mot ou deux d'une voix très douce à Smaïl, qui fronça le sourcil mais sortit d'un air digne en bâillant.

Ils s'étendirent l'un près de l'autre sur la couche. Elle était très belle, très docile, très compréhensive, et pourtant il ne la désirait toujours pas. Elle refusa de se déshabiller complètement, mais dans ses gestes délicats de refus il entrevoyait un dernier abandon, qui ne dépendait que du temps. Avec du temps il pourrait gagner sa confiance : ce soir, il n'obtiendrait que ce qui, dès le début, était tacitement accordé. Port y songeait en considérant le visage impassible, puis il se rappela qu'il partait pour le Sud le lendemain ou le surlendemain, maudit intérieurement sa malchance et se dit : « Mieux vaut un peu que pas du tout. » Mahrnia se pencha et étouffa la mèche de la bougie entre ses doigts. Pendant une seconde, ce fut le silence total, la nuit complète. Puis il sentit deux bras souples lui entourer doucement le cou, et des lèvres se poser sur son front.

Presque en même temps, un chien se mit à hurler au loin. Il ne l'entendit d'abord pas ; mais quand il en eut pris conscience, il en fut troublé. C'était un accompagnement fâcheux. Il se surprit bientôt à imaginer que Kit les observait sans rien dire. Cette pensée le stimula, le hurlement lugubre ne le dérangea plus.

A peine un quart d'heure plus tard, il se leva, écarta la couverture et jeta un coup d'œil vers l'entrée de la tente. C'était toujours la nuit. Il fut saisi d'un brusque désir de s'en aller. Il s'assit sur le divan pour remettre de l'ordre dans ses vêtements. Les deux bras se levèrent de nouveau et lui enlacèrent le cou. Il les écarta d'un mouvement décidé, accompagné de quelques tapes légères. Cette fois, un seul bras remonta; l'autre se glissa sous son veston et il sentit une main lui caresser la poitrine. Un faux mouvement indéfinissable le poussa à chercher lui-même cette main. Elle s'était refermée sur son portefeuille. Il l'arracha à la fille qu'il repoussa sur le matelas.

— Ah ! cria-t-elle très fort.

Il se leva et trébucha bruyamment sur l'amas d'objets qui le séparaient de la sortie. Elle poussa un hurlement aigu. Des voix se firent entendre dans l'autre tente. Le portefeuille toujours à la main, il se précipita dehors, tourna vivement à gauche et courut vers le mur. Il tomba deux fois, la première en heurtant un rocher, la deuxième parce que le terrain s'affaissait brusquement. En se relevant, il aperçut un homme qui accourait de côté pour lui couper le passage. Port boîtait, mais il avait presque rejoint l'escalier. Il l'atteignit. En montant, il croyait sentir sur ses talons quelqu'un qui allait le tirer par la jambe. Ses poumons n'étaient qu'une énorme poche douloureuse tout près d'éclater. Il haletait, la bouche entrouverte, tirée par en bas aux commissures des lèvres; à chaque respiration l'air sifflait entre ses dents serrées. Arrivé au faîte, il se retourna, saisit une énorme pierre qu'il ne put soulever tout d'abord, la souleva quand même et la projeta dans l'escalier. Puis il respira profondément et se mit à courir le long du parapet. Le ciel était nettement moins sombre, une clarté grise immaculée montait à l'est derrière les collines basses. Il ne pourrait plus courir longtemps. Son cœur lui cognait dans la tête et le cou. Il savait qu'il n'atteindrait jamais la ville. En bordure de la route qui s'éloignait de la vallée s'élevait un mur trop haut pour être escaladé. Mais, une centaine de mètres plus loin, la crête s'en était éboulée sur une faible longueur et l'amoncellement des pierres et des gravats permit à Port de le franchir. Une fois derrière le mur, il se remit à courir dans la direction d'où il venait. Il gravit à bout de souffle une colline en gradins parsemée des lits de pierres plates qui sont les tombes des musulmans. Il s'assit enfin un moment, le front dans les mains, et conscient de plusieurs choses à la fois : sa douleur dans la tête et la poitrine, son portefeuille qu'il avait cessé de tenir, et le lourd battement de son cœur, à travers lequel il croyait encore entendre les voix excitées de ses poursuivants comme tout à l'heure sur la route. Il se leva et, chancelant, gagna entre les tombes le sommet de la colline. Arrivé sur l'autre versant, il se sentit un peu plus en sûreté. Mais la clarté du jour approchait de minute en minute; il serait bientôt facile de repérer sa silhouette isolée, errante sur la colline. Il se remit à courir en descendant toujours dans la même direction, les jambes molles, sans lever les yeux de peur de tomber. Cela dura longtemps, et le cimetière était maintenant loin derrière lui. Il parvint enfin à un monticule couvert de buissons et de cactus d'où il dominait la campagne voisine. Il s'assit parmi les arbustes. Tout était parfaitement calme. Le ciel était blanc. A plusieurs reprises, il se leva pour inspecter l'horizon. Et c'est ainsi que, lorsque surgit le soleil, il regarda entre deux lauriers-roses et vit son reflet rouge embraser l'immense sebkha salée qui s'étendait à ses pieds jusqu'aux montagnes.

6

Kit s'éveilla en sueur, son lit baigné par le chaud soleil du matin. Elle se leva encore tout endormie, alla fermer les rideaux, puis retomba sur les draps. Ils étaient humides là où elle avait été couchée. L'idée du petit déjeuner lui donna un haut-le-cœur. Il y avait des jours où, en sortant du sommeil, elle sentait le destin peser sur sa tête comme un lourd nuage de pluie. Des jours difficiles à vivre, non pas tant à cause de la sensation de désastre imminent qu'elle éprouvait alors d'une façon aiguë, mais parce que son système de présages s'en trouvait complètement bouleversé. Si, aux jours ordinaires, elle se tordait la cheville ou s'écorchait le menton contre un meuble en partant faire ses courses, il lui était facile de conclure que ses achats seraient manqués pour une raison ou pour une autre, ou qu'il pourrait être visiblement dangereux pour elle de s'obstiner à vouloir sortir. Ces jour-là, au moins, elle savait distinguer un bon présage d'un mauvais. Mais les autres jours étaient des traîtres, car le sentiment du destin y devenait si fort qu'il se transformait, en elle ou à ses côtés, en un esprit hostile capable de deviner les précautions qu'elle prenait pour se garder des mauvais présages, capable donc de lui tendre des pièges. Ainsi, ce qui paraissait à première vue un signe heureux pouvait bien n'être, en somme, qu'une embûche à éviter. Et dans ce cas, il ne fallait pas tenir compte de la cheville tordue qui ne lui avait été imposée que pour l'empêcher de sortir quand la chaudière exploserait, quand la maison prendrait feu, ou qu'une personne particulièrement indésirable entrerait en passant pour la voir. Dans sa vie privée, dans ses rapports avec ses amis, de telles considérations atteignaient des proportions gigantesques. Elle pouvait demeurer assise une matinée entière à s'efforcer de se rappeler par le détail une brève scène ou un entretien pour recomposer en esprit toutes les interprétations possibles de chaque geste ou de chaque phrase, de chaque expression du visage ou de chaque inflexion de la voix, et de juxtaposer ensuite les faits et les interprétations. Elle consacrait une grande partie de sa vie à classer les présages. Si bien qu'il n'était pas surprenant, lorsqu'elle se trouvait dans l'incapacité de se livrer à cet exercice, que ses gestes quotidiens fussent réduits au minimum. Elle semblait alors frappée d'une étrange paralysie : sans réactions, sans personnalité, le regard halluciné. Ces jours-là, les amis qui la connaissaient bien disaient : « Kit est dans un de ses *jours.* » Quand elle se maîtrisait et paraissait plus raisonnable, ce n'était que parce qu'elle se pliait machinalement aux règles établies. L'un des motifs de sa répugnance à entendre raconter des rêves venait de ce qu'ils ramenaient au premier plan de son attention le combat qui faisait rage en elle — cette lutte de l'atavisme et de la raison. Dans les discussions intellectuelles, elle prenait toujours parti pour la méthode scientifique; en même temps elle ne pouvait s'empêcher de considérer le rêve comme un présage.

La situation était encore compliquée par le fait qu'elle vivait d'autres jours où une vengeance surnaturelle semblait la plus lointaine des éventualités. Tout signe était favorable; une bienveillante émanait de chaque personne, de chaque objet, de chaque circonstance. Ces jours-là, si elle se laissait aller à ses sentiments, Kit pouvait être très heureuse. Mais, depuis peu, elle s'était mise à croire que de tels jours, à vrai dire assez rares, ne lui étaient donnés que pour lui faire relâcher sa surveillance et la mettre en état d'infériorité devant les présages. Son euphorie naturelle se transformait alors en une maussaderie nerveuse et presque hystérique. Elle se reprenait souvent, en s'efforçant de prétendre que ses remarques étaient des plaisanteries, quand elle y avait versé tout le venin de sa méchante humeur.

Elle n'était pas plus dérangée par ses semblables, pris en eux-mêmes, qu'une statue de marbre par les mouches; mais, comme annonciateurs possibles d'événements indésirables ou comme porteurs d'influences néfastes à sa propre existence, elle leur accordait une valeur extrême. Elle disait fréquemment : « Ce sont les autres qui dirigent ma vie », et c'était vrai. Mais elle ne leur prêtait ce rôle que parce que ses craintes superstitieuses les avaient investis d'un pouvoir magique pour tout ce qui concernait son destin, jamais parce que leurs personnalités éveillaient en elle de la compréhension ou une sympathie profonde.

Elle était demeurée une bonne partie de la nuit sans dormir. Son instinct l'avertissait généralement quand Port préparait quelque coup. Elle se disait toujours que ce qu'il faisait importait peu, mais elle se l'était si souvent répété qu'elle en venait à mettre en doute la vérité de ce principe. Ce n'avait pas été facile d'admettre qu'elle n'était pas indifférente. A contre-cœur elle avait dû reconnaître qu'elle appartenait encore à Port, même s'il ne venait pas la revendiquer — et qu'elle vivait toujours dans un monde illuminé par la lueur lointaine d'un miracle possible : il pourrait, un jour, lui revenir. Elle se trouvait méprisable, et, par conséquent, se haïssait de penser que tout dépendait de lui, qu'elle n'attendait qu'un caprice improbable de sa part ou quelque événement imprévisible qui le lui ramènerait. Elle était beaucoup trop intelligente pour faire elle-même le plus léger effort dans ce sens : les moyens les plus subtils échoueraient et ce serait bien pire que de n'avoir jamais essayé. Il ne s'agissait que de tenir, d'être là. Un jour peut-être s'apercevrait-il de sa présence. Mais, en attendant, que de mois précieux s'écoulaient, perdus !

Tunner lui pesait, car, si sa présence et ses assiduités lui offraient l'occasion classique qui pouvait, moyennant un peu d'adresse, la mener à ses propres fins, quand le reste avait échoué, elle se sentait incapable de jouer son rôle vis-à-vis de lui. Il l'assommait; malgré elle, elle le comparait à Port et toujours à son désavantage. Au cours de la nuit — c'est ce qui l'avait tenue éveillée — elle avait essayé de se représenter Tunner sous divers aspects susceptibles de le lui rendre agréable. Naturellement sans résultat. Elle avait pris néanmoins une résolution : elle tenterait d'établir avec lui des relations plus intimes. Mais elle ne se dissimulait pas que ce serait une corvée insupportable et, d'abord, comme tout ce qui lui demandait un effort soutenu, qu'elle ne le ferait que pour Port.

On frappa à la porte qui donnait sur le hall.

— Mon, Dieu ! fit-elle, qui est là ?.

— C'est moi, dit la voix de Tunner. Êtes-vous réveillée? ajouta-t-il du ton de persiflage agressif qui lui était habituel.

Elle se retourna dans le lit et il entendit un bruit de soupirs, de draps rejetés et de craquements de sommier.

— Pas très, grogna-t-elle enfin.

— C'est le meilleur moment de la journée. Vous ne devriez pas le manquer ! cria-t-il.

Il y eut un silence, pendant lequel Kit se rappela sa résolution. D'une voix de martyre, elle dit :

— Attendez une minute, Tunner !

— Bon !

Une minute, une heure — il attendrait, et, quand finalement elle irait lui ouvrir, il arborerait son éternel sourire de bonne humeur (son sourire faux, pensait-elle). Elle s'aspergea le visage d'eau froide, s'essuya avec une mince serviette, mit du rouge à lèvres et se donna un coup de peigne. Soudain énervée, elle chercha autour d'elle le déshabillé qui convenait à la situation. Par la porte entrouverte, elle aperçut dans la chambre de Port l'épais peignoir de bain blanc accroché au mur. Elle entra sans presque frapper, vit qu'il n'était pas là, attrapa le peignoir. Elle en noua la ceinture devant la glace et pensa avec satisfaction que personne ne pourrait l'accuser de coquetterie pour ce choix. Il lui tombait jusqu'aux pieds et elle avait dû rouler deux fois les manches pour dégager ses mains.

Elle ouvrit la porte.

— Salut!

Il avait bien son sourire.

— Entrez, Tunner, dit-elle d'une voix morne.

Il lui ébouriffa les cheveux de la main gauche en passant devant elle pour se diriger vers la fenêtre dont il écarta les rideaux.

— Vous faites du cinéma ici? Ah! maintenant je vous vois.

La lumière crue du matin emplit la chambre, le carrelage verni renvoyait le soleil au plafond comme un miroir d'eau.

— Comment allez-vous? dit-elle, l'air absent, en peignant de nouveau devant la glace ses cheveux dérangés.

— Merveilleusement.

Il lui présentait dans la glace un visage illuminé, des yeux étincelants et même, comme elle le nota avec dégoût, des fossettes adroitement soulignées par le jeu des muscles. « Quel cabotin! pensa-t-elle. Et qu'est-ce qu'il fait ici avec nous? Ça aussi, c'est la faute de Port. C'est lui qui l'a poussé à nous suivre. »

— Qu'est-il arrivé à Port hier soir? disait Tunner. Je l'ai attendu à peu près toute la nuit, mais il ne s'est pas montré.

Kit le regarda.

— Vous l'avez attendu toute la nuit? répéta-t-elle incrédule.

— Oui, il était plus ou moins entendu que nous nous retrouverions au café, celui où nous allons, vous savez. Histoire de prendre un dernier verre. Mais je n'ai vu ni plume ni poil. Je suis allé me coucher et j'ai lu très tard. A trois heures, il n'était toujours pas là.

Tunner mentait. En réalité, il avait dit : « Si tu sors, regarde à l'Eckmuhl, j'y serai probablement. » Il était parti peu après Port, avait ramassé une Française, et ils étaient restés ensemble à son hôtel jusqu'à cinq heures. En rentrant à l'aube, il avait jeté un coup d'œil dans leurs deux chambres par les impostes entrebâillées, et il avait aperçu le lit vide de Port dans l'une et Kit dormant dans l'autre.

— Vraiment? dit-elle en se retournant vers le miroir. Il ne doit pas avoir beaucoup dormi, alors, car il est déjà sorti.

— Dites plutôt qu'il n'est pas encore ·rentré, dit Tunner avec un regard appuyé.

Elle ne répondit pas.

— Voulez-vous sonner, s'il vous plaît? dit-elle bientôt. Je vais prendre une tasse de leur chicorée avec un de ces croissants de plâtre.

Lorsqu'elle jugea qu'il s'était écoulé un temps suffisant, elle alla chez Port et regarda le lit. Il avait été préparé pour la nuit, mais n'avait pas servi. Sans savoir précisément pourquoi, elle tira les draps, s'assit sur le lit et creusa des deux mains l'oreiller. Puis elle déplia le pyjama et le jeta par terre. Le domestique frappa à la porte; elle revint dans sa chambre et commanda le petit déjeuner. Quand le domestique fut parti, elle s'assit sur le fauteuil près de la fenêtre sans jeter un regard au dehors.

— Vous savez, dit Tunner, j'y ai beaucoup songé ces derniers temps. Vous êtes une curieuse personne. Il est difficile de vous comprendre.

Kit fit claquer sa langue, exaspérée.

— Oh, Tunner! Cessez donc de faire l'intéressant. (Elle s'en voulut aussitôt d'avoir montré sa nervosité et se reprit avec un sourire.) Cela vous va si mal.

Il avait paru blessé, et se détendit.

— Non, je ne plaisante pas. Vous êtes un cas passionnant.

Kit pinça les lèvres; elle était furieuse, non pas tant de ce qu'il disait — bien que ce fût idiot — mais parce que le seul fait de bavarder avec lui, à ce moment-là, était plus qu'elle n'en pouvait supporter.

— C'est possible, dit-elle.

On apporta le petit déjeuner. Il la regarda boire son café et manger son croissant. Les yeux de Kit avaient pris une expression lointaine et il avait le sentiment d'être tout à fait

44

oublié. Quand elle eut presque fini, elle se tourna vers lui et dit poliment :

— Vous voulez bien m'excuser de manger ainsi devant vous?

Il se mit à rire. Elle eut l'air surprise.

— Dépêchez-vous! dit-il. Je voudrais vous emmener faire un tour avant qu'il ne fasse trop chaud. D'ailleurs, vous aviez des tas de choses à faire.

— Oh! gémit-elle, je n'ai pas envie...

Mais il l'interrompit.

— Allons, allons, habillez-vous. Je vais vous attendre dans la chambre à côté. Je vais même fermer la porte.

Elle ne trouva rien à dire. Port ne lui donnait jamais d'ordres, il ne se prononçait jamais, dans l'espoir de découvrir ce qu'elle souhaitait vraiment. Ce procédé ne simplifiait rien, puisqu'elle agissait presque toujours, non selon ses propres désirs, mais d'après un système complexe de choix entre les présages importants et les présages négligeables.

Tunner était déjà passé dans la chambre voisine dont il avait fermé la porte. Kit se réjouit, songeant au lit défait. Pendant qu'elle s'habillait, elle l'entendit siffler. « Quelle barbe! quelle barbe! quelle barbe! » A ce moment, l'autre porte s'ouvrit. Planté dans le couloir, Port se passait une main dans les cheveux.

— Je peux entrer? demanda-t-il.

Elle le regardait, étonnée.

— Évidemment. Qu'est-ce qui t'arrive?

Il ne bougea pas.

— Pour l'amour du Ciel, qu'est-ce que tu as? répéta-t-elle impatientée.

— Rien. (Sa voix était rauque. Il s'avança à grands pas jusqu'au milieu de la chambre et montra la porte de communication.) Qui est là?

— Tunner, dit-elle avec une innocence sincère, comme si c'était la chose la plus naturelle. Il m'attend pendant que je m'habille.

— Mais qu'est-ce qui se passe ici, bon Dieu!

Elle rougit et se détourna violemment.

45

— Rien, rien, dit-elle précipitamment. Ne sois pas idiot. Et qu'est-ce que tu *crois* qu'il se passe?

Il ne baissa pas la voix.

— Je ne sais pas. C'est *moi* qui te le demande.

Elle le repoussa des deux mains et alla à la porte pour l'ouvrir, mais il lui saisit le bras et la fit pivoter.

— En voilà assez! souffla-t-elle furieuse.

— Très bien, très bien, j'ouvrirai moi-même, dit-il comme s'il courait un trop grand risque en la laissant faire.

Il entra dans sa chambre. Tunner était penché à la fenêtre. Il se retourna, avec un large sourire.

— Eh bien! eh bien!... commença-t-il.

Port considérait son lit. Il demanda :

— Qu'est-ce que cela veut dire? Qu'est-ce qui est arrivé à ta chambre pour que tu aies eu besoin de venir ici?

Mais Tunner ne semblait pas comprendre la situation, à moins qu'il ne refusât tout simplement d'y trouver quoi que ce fût d'anormal.

— Et alors! Voilà notre héros de retour! cria-t-il. Et, à te voir, après quelles batailles! Kit et moi nous allons faire un tour. Tu as sans doute besoin de dormir. (Il attira Port vers la glace.) Regarde-toi! ordonna-t-il.

En voyant son visage sale et ses yeux rouges, Port perdit son assurance.

— Je veux du café noir, grommela-t-il, et je veux aller me faire raser. (Il éleva de nouveau la voix.) Et je veux surtout que vous fichiez le camp d'ici tous les deux et que vous alliez vous promener.

Il pressa le bouton de sonnette avec fureur. Tunner lui donna sur le dos une tape amicale.

— A bientôt, vieux, tâche de dormir.

Port suivit sa sortie d'un regard furieux, puis s'assit sur le lit. Un grand bateau venait d'entrer dans le port; le mugissement de la sirène accompagna les bruits de la rue. Il se laissa tomber en arrière, haletant un peu. Lorsqu'on frappa à la porte, il n'entendit rien. Le domestique passa la tête dans la chambre, dit *Monsieur*, attendit quelques secondes, referma la porte et s'en alla.

7

Il dormit toute la journée. Kit revint à midi. Elle entra sans bruit, toussa légèrement pour voir s'il s'éveillerait, et s'en fut déjeuner sans lui. Il ouvrit les yeux un peu avant le crépuscule, beaucoup plus dispos. Il se leva et se dévêtit sans hâte. Dans la salle de bains, il prit une douche très chaude, se baigna longuement, se rasa, et chercha son peignoir blanc. Il le trouva dans la chambre de Kit; elle n'était pas là. Sur sa table s'étalaient des provisions qu'elle avait achetées pour le voyage. La plupart étaient des produits anglais vendus au marché noir et qui, d'après leur étiquette, avaient été fabriqués par des « fournisseurs attitrés de S. M. le Roi George VI ». Il ouvrit un paquet de biscuits et se mit à les croquer l'un après l'autre avec voracité. Dans le cadre de la fenêtre, la ville s'assombrissait. C'était le moment du soir où certains objets brillent d'une clarté extraordinaire quand d'autres reposent déjà dans l'ombre. Les rues n'étaient pas encore éclairées et il n'y avait d'autres lumières que celles des rares bateaux au mouillage dans le port, qui lui-même n'était ni clair ni sombre — simple espace vide entre les maisons et le ciel. Sur la droite se dressaient les montagnes. La plus proche, surgissant de la mer, le fit songer à deux genoux levés sous un immense drap. Une fraction de seconde, mais avec une telle force qu'il sentit le choc du déplacement comme une sensation physique, il se trouva transporté ailleurs, dans un passé lointain. Puis il vit de nouveau la montagne. Il sortit et descendit lentement l'escalier.

D'un commun accord, ils ne fréquentaient pas le bar de l'hôtel, toujours désert. Aussi, en entrant dans la petite salle obscure, fut-il un peu surpris de distinguer, assis au comptoir, un adolescent boursouflé dont le visage informe n'était sauvé de l'inexistence absolue que par une vague barbe noire. Tandis qu'il s'installait à l'autre extrémité du comptoir, le jeune homme dit avec un fort accent anglais : *Otro Tio Pepe*, en poussant son verre devant lui.

Port se souvint de la fraîcheur des caveaux de Jerez où on lui avait offert du Tio Pepe de 1842, et il commanda la même chose. Le jeune homme le regarda avec une certaine curiosité, mais ne dit rien. Bientôt après, une femme corpulente, au teint jaune, aux cheveux teints d'un rouge ardent, apparut en vociférant sur le seuil. Elle avait les yeux noirs vitreux des poupées, et leur absence d'expression était encore soulignée par un maquillage excessif. Le jeune homme se tourna vers elle.

— Alors, rien? Viens t'asseoir.

La femme s'approcha de lui, mais resta debout. Dans sa fureur et son indignation, elle ne semblait pas avoir remarqué Port. Sa voix était très aiguë.

— Eric, sale petite bête! criait-elle. Est-ce que tu te rends compte que je t'ai cherché partout? Je n'ai jamais vu personne se conduire comme toi. Et qu'est-ce que tu bois? Qu'est-ce qui te prend de boire après ce que t'a dit le Dr Lévy? Tu es infernal!

Le jeune homme ne la regardait pas.

— Ne crie pas comme cela, mère.

Elle tourna la tête et aperçut Port.

— Qu'est-ce que tu bois, Eric? demanda-t-elle de nouveau, d'une voix plus calme mais sans baisser le ton.

— Rien que du sherry, et il est délicieux. Ne t'énerve donc pas tant!

— Et qui paiera ensuite tes caprices?

Elle s'assit près de lui sur un tabouret et se mit à fouiller dans son sac.

— Oh, flûte! Je suis sortie sans ma clef. A cause de ton manque de cervelle, naturellement. Il faudra que tu me laisses passer par ta chambre. J'ai découvert une mosquée adorable, mais elle était pleine de gosses qui braillaient comme des ânes. De sales petits morveux! Je te la montrerai demain. Demande-moi un verre de sherry, s'il est sec. Je crois que cela me fera du bien. Je me suis sentie mal fichue toute la journée. Je suis sûre que c'est la malaria qui me reprend. C'est à peu près l'époque.

— *Otro Tio Pepe*, dit l'adolescent, imperturbable.

48

Port les observait, fasciné, comme il l'était toujours, par le spectacle d'êtres humains rabaissés au rang d'automates ou de caricatures. Quelles que fussent les circonstances de leur avilissement, et de quelque manière qu'il se manifestât, de tels êtres, horribles ou grotesques, l'enchantaient.

La salle à manger avait ce caractère officiel et froid que la qualité du service peut seul rendre acceptable; ce n'était pas le cas ici. Les garçons impassibles se déplaçaient avec lenteur. Ils semblaient éprouver de la difficulté à comprendre les commandes des Français eux-mêmes et ne montraient pas le moindre désir de satisfaire qui que ce fût. On donna aux deux Anglais une table près du coin où dînaient Port et Kit; Tunner était sorti avec sa Française.

— Les voilà, chuchota Port. Ne fais semblant de rien, mais écoute-les.

— Il ressemble à Vacher en plus jeune, dit Kit penchée vers Port, ce type qui se promenait à travers la France en découpant les gosses en morceaux, tu te rappelles?

Ils demeurèrent silencieux quelques minutes, dans l'espoir d'être distraits par l'autre table, mais la mère et le fils ne semblaient rien avoir à se dire. Finalement, Port se tourna vers Kit et murmura :

— Ah! pendant que j'y pense, qu'est-ce que c'était que toute cette histoire, ce matin?

— Faut-il vraiment que nous en parlions maintenant?

— Non, ce n'était qu'une question. Je pensais que tu pourrais y répondre.

— Tu as vu tout ce qu'il y avait à voir.

— Je ne te le demanderais pas si je le croyais.

— Oh! Tu ne comprends pas..., commença Kit sur un ton exaspéré.

Elle allait dire : « Tu ne comprends pas que je ne voulais pas que Tunner sache que tu n'étais pas rentré de la nuit? Tu ne comprends pas que ça l'aurait beaucoup intéressé? Tu ne compredns pas que ça lui aurait donné justement le prétexte qu'il cherche? » Au lieu de cela, elle dit :

— Faut-il en parler vraiment? Je t'ai raconté toute

l'histoire quand tu es rentré. Il est arrivé pendant que je prenais mon petit déjeuner et je l'ai envoyé dans ta chambre pendant que je m'habillais. Qu'y a-t-il là d'inconvenant?

— Cela dépend de ta conception des convenances, mon petit.

— Oui, certainement, dit-elle d'un ton acide. Tu remarqueras que je ne t'ai pas parlé de ce que tu avais fait la nuit dernière.

Port sourit et répondit avec calme :

— Cela t'aurait été assez difficile puisque tu ne le sais pas.

— Et je ne veux pas le savoir. (Elle laissait percer sa colère malgré elle.) Tu peux penser ce que tu veux. Je m'en fiche éperdument.

Elle jeta un coup d'œil à l'autre table et remarqua que la petite bonne femme au regard brillant essayait, avec un intérêt passionné, de suivre leur conversation. En constatant que Kit s'en était aperçue, elle se retourna vers l'adolescent et entama un monologue de son cru.

— Cet hôtel a la plus invraisemblable installation d'eau; on a beau fermer les robinets autant qu'on peut, ils n'arrêtent pas de soupirer et de gargouiller. La stupidité des Français est incroyable! Ce sont tous des débiles mentaux. Mme Gautier m'a dit elle-même qu'aucun peuple n'a une moyenne d'intelligence aussi basse. Bien sûr, leur sang est pourri; ce sont des dégénérés, tous à moitié juifs ou nègres. Regarde-les !

Elle fit un grand geste qui englobait toute la salle.

— Oh ! ici, peut-être, fit le jeune homme.

Il tenait son verre d'eau devant la lumière et l'étudiait soigneusement.

— En France ! cria la femme qui s'excitait. Mme Gautier me l'a dit elle-même, et je l'ai toujours lu un peu partout.

— Quelle eau dégoûtante ! murmura-t-il, et il posa son verre sur la table. Je ne pourrai jamais boire ça !

— Tu en fais, des chichis ! Cesse de te plaindre ! Je ne veux plus t'entendre ! Je ne peux plus supporter tes histoires sur la saleté et les vers ! Eh bien ! ne la bois pas, ton eau. Personne

ıe t'y force. D'ailleurs, c'est effrayant de te voir noyer tout
ce que tu manges! Tâche de te conduire en homme! As-tu
pensé au pétrole du réchaud, ou l'as-tu oublié en même temps
que l'eau de Vittel?

Le jeune homme sourit avec une condescendance insolente
et articula lentement, comme s'il s'adressait à un enfant
arriéré :

— Non, je n'ai pas oublié le pétrole en même temps que
l'eau de Vittel. Le bidon est dans le coffre arrière. Maintenant,
si tu permets, j'aimerais faire un petit tour.

Il se leva, en souriant toujours du même sourire désagréable,
et se dirigea vers la porte.

— Espèce de petit mufle! Je vais te tirer les oreilles!
cria la femme tandis qu'il s'éloignait.

Il ne se retourna pas.

— Quels phénomènes, tu ne trouves pas? murmura Port.

— Très amusants, dit Kit. (Elle était toujours en colère.)
Pourquoi ne leur demandes-tu pas de nous accompagner
dans notre voyage? C'est exactement ce qu'il nous faudrait.

Ils mangèrent leurs fruits en silence.

Après le dîner, lorsque Kit fut montée dans sa chambre,
Port erra dans le rez-de-chaussée désert de l'hôtel, dans le
salon de lecture à l'éclairage impossible avec ses misérables
lampes au plafond, dans le hall encombré de palmiers où deux
vieilles Françaises en noir, assises sur le bord de leurs chaises,
bavardaient ensemble à voix basse. Il se tint une seconde à
l'entrée principale devant laquelle était arrêtée une grosse
Mercédès de tourisme, puis revint dans le salon de lecture. La
mauvaise lumière qui tombait d'en haut éclairait à peine sur
les murs les affiches de voyage : *Fès la Mystérieuse*, *Air France*,
Visitez l'Espagne. D'une fenêtre à barreaux, au-dessus de sa
tête, parvenaient des voix criardes de femmes et des bruits
métalliques de cuisine, amplifiés par la pierre des murs et le
carrelage du sol. Plus encore que les autres, cette pièce le
faisait songer à un cachot. La sonnerie électrique du cinéma
dominait les autres sons, ajoutait au décor un élément
insupportable pour les nerfs. Il alla vers les tables, souleva
les buvards, ouvrit les tiroirs, à la recherche de papier à

51

lettres; il n'y en avait pas. Il secoua les encriers; ils étaient
vides. Une discussion violente avait éclaté dans la cuisine.
En se grattant les mains que des moustiques venaient de
piquer, il sortit lentement de la pièce, traversa le hall et
longea le couloir jusqu'au bar. Là aussi, la lumière était faible
et lointaine, mais les rangées de bouteilles constituaient
derrière le comptoir une attraction pour les yeux. Son dîner
passait mal; il n'éprouvait pas de nausée précise, mais l'an-
nonce d'une douleur qui n'était encore qu'un petit malaise
impossible à localiser. Le barman à la peau bronzée attendait,
tourné vers lui. Il n'y avait personne d'autre dans la pièce.
Il commanda un whisky et s'assit pour le savourer lentement,
à petits coups. Quelque part dans l'hôtel, le déclenchement
d'une chasse d'eau s'accompagna de bruyants gargouillements.

La tension désagréable se relâchait en lui; il eut l'impression
de se réveiller tout à fait. Le bar était étouffant et sinistre.
Il était plein de la mélancolie des choses déracinées. « Depuis
le jour où le premier verre a été servi sur ce comptoir, pensa
Port, combien de moments heureux se sont-ils écoulés ? » Le
bonheur, s'il s'en trouvait encore, existait ailleurs : dans les
chambres écartées donnant sur des ruelles claires où les chats
viennent dévorer des têtes de poissons; dans l'ombre des
cafés tapissés de nattes, où la fumée du haschisch se mêle aux
vapeurs de menthe ou de thé chaud; en bas sur les docks,
dans les tentes à la lisière de la sebkha (il ne s'attarda pas
au souvenir de Mahrnia, toute blanche, avec son visage
impassible); au delà des montagnes, dans le grand Sahara,
dans ces régions sans fin qui sont bien l'Afrique. Mais pas ici,
dans cette pièce tristement coloniale où chaque rappel de
l'Europe ne faisait qu'ajouter une touche de laideur, en souli-
gnant mieux l'isolement. La mère-patrie n'avait jamais paru
si loin que dans ce bar.

Comme il avalait son whisky à petites gorgées régulières,
il entendit dans le couloir des pas qui approchaient. Le jeune
Anglais entra et, sans un regard, s'assit à l'une des petites
tables. Port l'observa tandis qu'il commandait une liqueur.
Quand le barman eut repris sa place derrière le comptoir,
il se dirigea vers lui.

— *Pardon, monsieur*, dit-il, *vous parlez français?*

— *Oui, oui*, fit le jeune homme en sursautant.

— Mais vous parlez aussi anglais? poursuivit Port rapidement.

— Oui, répondit-il en posant son verre et en regardant Port d'une façon qui lui parut affectée et théâtrale. (Port eut l'impression que la flatterie était ici le plus sûr moyen d'approche.) Alors peut-être pourrez-vous me donner un conseil?

Le jeune homme eut un léger sourire.

— S'il s'agit de l'Afrique, il y a bien des chances que oui. Je m'y trimbale depuis cinq ans. Un pays formidable, bien sûr.

— Magnifique, oui.

— Vous le connaissez?

Il parut contrarié; il désirait tant être le voyageur unique. Port le rassura.

— Certaines régions seulement. J'ai beaucoup circulé dans le nord et l'ouest. En gros, de Tripoli à Dakar.

— Dakar est un trou infect.

— Comme tous les ports du monde. C'est sur le change que je voulais vous consulter. Quelle banque vous paraît la meilleure? J'ai des dollars à changer.

L'Anglais sourit.

— Je crois que vous pourriez trouver mieux que moi pour ce genre de renseignements. Je suis Australien, mais ma mère et moi usons surtout de dollars américains.

Il entreprit d'exposer à Port tout le système bancaire français en Afrique du Nord. Sa voix prit les inflexions d'un vieux professeur; Port jugeait sa façon de s'exprimer d'un pédantisme insupportable. Il y avait en même temps dans ses yeux une lueur qui non seulement démentait sa voix et ses gestes, mais leur ôtait tout poids. Port eut l'impression que le jeune homme lui parlait comme s'il croyait avoir affaire à un fou, et que le sujet de conversation avait été choisi pour la circonstance comme le plus propre à être étiré aussi longtemps que le malade ne serait pas calmé.

Port le laissa poursuivre son discours qui s'écarta des questions bancaires pour aborder des considérations plus personnelles. Ce terrain était plus fertile; le jeune homme, de toute évidence, y tendait depuis le début. Sauf à de rares moments où, par une exclamation polie, il tâchait de donner au monologue une allure de dialogue. Port ne fit pas de commentaires. Il apprit qu'avant leur arrivée à Mombasa, le jeune homme et sa mère — qui écrivait des livres de voyages et les illustrait de photos qu'elle prenait elle-même — avaient vécu trois ans aux Indes où un frère plus âgé était mort; que leurs cinq années d'Afrique à travers tout le continent leur avaient valu une liste incroyable de maladies dont la plupart les faisaient souffrir encore par intermittence. Il était difficile néanmoins de savoir ce qu'il fallait croire ou non, car le récit était agrémenté de remarques telles que : « A cette époque, je dirigeais à Durban une grosse affaire d'importation-exportation », « le gouvernement me donna la charge de trois mille Zoulous », « à Lagos, j'ai acheté une voiture officielle et j'ai poussé jusqu'à Casamance », « nous étions les premiers blancs à pénétrer dans cette région », « ils voulaient que je les accompagne comme opérateur dans leur expédition, mais il n'y avait personne au Cap à qui j'aurais pu confier les studios en toute tranquillité, et nous tournions quatre films à cette époque ». Port commençait à lui en vouloir de tenir pour rien l'esprit critique de son auditeur, mais il ne fit aucune remarque et savoura pleinement la joie malsaine avec laquelle le jeune homme décrivit les cadavres dans le fleuve, à Douala, les meurtres de Takoradi, le fou qui s'était immolé lui-même sur le marché de Gao. A la fin, l'orateur se renversa en arrière, fit signe au barman de lui apporter un autre verre, et dit :

— Ah ! oui, l'Afrique est une grande chose. Je ne voudrais pas vivre ailleurs en ce moment.

— Et votre mère? Pense-t-elle comme vous?

— Oh ! elle en est amoureuse. Elle ne saurait pas quoi faire si on la ramenait dans un pays civilisé.

— Elle écrit tout le temps?

— Tout le temps. Chaque jour. Principalement sur des endroits perdus. Nous devons descendre maintenant vers Fort-Charlet. Vous connaissez?

Il ne semblait pas imaginer que Port pût connaître Fort-Charlet.

— Non, dit Port, mais je sais où c'est. Comment y allez-vous? C'est le plein bled, n'est-ce pas?

— Oh! nous y arriverons bien. Les Touareg, c'est tout à fait ce qu'il faut pour ma mère. J'ai toute une collection de cartes, militaires ou autres, que j'étudie soigneusement chaque matin avant que nous ne nous mettions en route. Et ensuite, je n'ai plus qu'à les suivre. Nous avons une voiture, ajouta-t-il en voyant l'étonnement de Port. Une Mercédès ancien modèle. Un fameux engin.

Port murmura :

— Ah! oui, je l'ai vue dehors.

— Oui, poursuivit le jeune homme d'un ton suffisant; on finit toujours par arriver.

— Votre mère doit être une femme très intéressante.

Le jeune homme déborda d'enthousiasme.

— Absolument étonnante. Il faudra que vous fassiez sa connaissance, demain.

— J'en serais enchanté.

— Je l'ai expédiée au lit, mais elle ne s'endormira pas avant que je ne rentre. Nous avons toujours des chambres qui communiquent, bien entendu, de sorte que malheureusement elle sait toujours à quelle heure je me couche. Est-ce que ce n'est pas merveilleux, la vie de ménage?

Port, un peu choqué par la crudité de cette remarque, lui jeta un coup d'œil, mais il riait franchement, sans se forcer.

— Oui, vous aurez plaisir à parler avec elle. Malheureusement, nous nous sommes fait un itinéraire que nous essayons de suivre ponctuellement. Nous partons demain à midi. Quand vous extirpez-vous de ce trou?

— Oh! nous avons l'intention de prendre le train demain pour Boussif, mais rien ne nous presse. Il se peut que nous attendions jusqu'à jeudi. La seule façon de voyager, dans notre cas tout au moins, est de partir quand on a envie de partir, et de rester quand on a envie de rester.

— Tout à fait d'accord. Mais je ne suppose pas que vous ayez envie de rester ici?

— Oh! Dieu, non! dit Port en riant. Nous détestons ce patelin. Mais nous sommes trois et nous n'arrivons pas à trouver en même temps l'énergie nécessaire.

— Vous êtes trois? Oui, je vois. (Le jeune homme parut réfléchir à cette nouvelle inattendue.) Je vois. (Il se leva et fouilla dans sa poche d'où il tira une carte qu'il tendit à Port.) Je vais toujours vous donner ça. Mon nom est Lyle. Eh bien! au revoir, et je vous souhaite de les décider. A demain matin sans doute.

Il pivota sur lui-même avec une sorte d'embarras et se dirigea vers la porte d'un pas rapide.

Port glissa la carte dans sa poche. Le barman s'était assoupi, la tête sur le comptoir. Après avoir décidé de prendre un dernier verre, Port alla lui taper légèrement sur l'épaule. L'homme leva la tête en grognant.

8

— Où es-tu allé? demanda Kit.

Elle avait tiré la lampe à l'extrême bord de la table de chevet, et lisait, assise dans son lit. Port approcha la table et tira prudemment la lampe vers le centre.

— Je me saoulais au bar. J'ai comme l'impression que nous allons être invités à aller en voiture à Boussif.

Kit leva les yeux, ravie. Elle détestait le train.

— Non, vraiment? C'est merveilleux!

— Mais attends de savoir par qui.

— Seigneur! Pas par ces monstres?

— Ils n'ont encore rien dit. J'ai simplement l'impression qu'ils vont le faire.

— En tout cas, c'est hors de question.

Port entra dans sa chambre.

— Je ne me tracasserais pas si j'étais toi. Personne n'a encore rien dit. Le fils m'a raconté toute une histoire. C'est un cas pathologique.

— Mais tu sais bien que je ne vais pas fermer l'œil. Tu sais que je hais les voyages en train. Et tu viens tranquillement me raconter que nous serons peut-être invités à aller en voiture ! Tu pouvais au moins attendre jusqu'à demain et me laisser une bonne nuit avant que je ne décide laquelle des deux tortures je préfère.

— Tu commenceras à te tracasser quand nous serons vraiment invités.

— Oh ! ne sois pas ridicule ! cria-t-elle en sautant de son lit. (Debout sur le seuil de sa chambre, elle le regardait se déshabiller.) Bonne nuit ! dit-elle soudain, et elle ferma la porte.

Les choses se passèrent à peu près comme Port l'avait prévu. Dans la matinée, alors que, debout devant la fenêtre, il considérait les premiers nuages qu'il eût vus depuis leur traversée de l'Atlantique, quelqu'un frappa; c'était Eric Lyle, encore tout bouffi de sommeil.

— Bonjour. Dites, excusez-moi si je vous réveille, mais j'ai quelque chose d'assez important à vous dire. Puis-je entrer ?

Il jeta un regard étrangement furtif autour de la chambre; ses yeux pâles sautaient d'un objet à l'autre. Port eut le sentiment désagréable qu'il aurait dû tout ramasser et fermer ses bagages avant de le laisser entrer.

— Avez-vous pris votre thé ? dit Lyle.

— Oui, mais c'était du café.

— Aha ! (Il s'approcha d'une valise et joua avec la courroie.) Vous avez de belles étiquettes. (Il retourna le porte-carte de cuir où étaient inscrits le nom et l'adresse de Port.) Ah ! c'est votre nom ? M. Porter Moresby. (Il traversa la chambre.) Il faut me pardonner si je fourre mon nez partout. J'ai toujours adoré les bagages. Puis-je m'asseoir ? Alors, voilà, Mr. Moresby — c'est bien votre nom, n'est-ce pas ? — j'ai longuement parlé avec ma mère et elle est d'accord avec moi; ce serait beaucoup plus agréable pour vous et Mrs. Moresby — je suppose que c'est la dame avec qui vous étiez hier soir...

Il attendit pour continuer.

— Oui, dit Port.

— ...de venir tous les deux avec nous à Boussif. Cela ne prend que cinq heures en voiture, et par le train ça dure des siècles, quelque chose comme onze heures, si je me rappelle bien. Et onze heures d'enfer absolu. Depuis la guerre, les trains sont devenus impossibles, vous savez. Nous pensons...

Port l'interrompit.

— Non, non, nous ne voudrions pas abuser à ce point. Non, non.

— Si, *si*, dit Lyle d'un ton espiègle.

— D'ailleurs, nous sommes trois, vous savez.

— Ah! oui, bien entendu, fit Lyle vaguement. Votre ami ne pourrait pas aller par le train, j'imagine?

— Je ne crois pas que cette solution lui plairait beaucoup. En tout cas, cela ne nous serait guère facile de l'abandonner.

— Je vois. C'est bien dommage. Nous ne pouvons guère l'emmener avec tous les bagages qu'il y aurait, vous comprenez.

Il se leva, laissa tomber la tête de côté comme un oiseau qui guette un ver, regarda Port et dit :

— Venez avec nous. Venez. Vous pouvez arranger la chose, j'en suis sûr.

Il s'approcha de la porte, l'ouvrit, et, sur la pointe des pieds, penché vers Port, il ajouta :

— Écoutez, venez me donner votre réponse dans une heure. Au 53. Et j'espère vraiment que votre décision sera favorable.

Souriant, il ferma la porte après avoir promené de nouveau le regard tout autour de la pièce.

Kit n'avait littéralement pas dormi de la nuit; elle s'était assoupie à l'aube, mais d'un sommeil agité. Elle ne se sentait pas d'humeur accueillante quand Port frappa bruyamment et entra dans sa chambre sans attendre de réponse. Elle s'assit d'un coup en tirant le drap jusqu'à son menton, et écarquilla les yeux. Puis elle se détendit et retomba sur l'oreiller.

— Qu'est-ce qui se passe?

— Il faut que je te parle.

— Je meurs de sommeil.

— Nous sommes invités à aller à Boussif.

Elle se dressa de nouveau et, cette fois, en se frottant les paupières. Il s'assit sur le lit et lui baisa l'épaule distraitement. Elle s'écarta sans le quitter du regard.

— Invités par les monstres? As-tu accepté?

Il avait envie de dire « oui », pour éviter une longue discussion; l'affaire aurait été réglée, pour elle comme pour lui.

— Pas encore.

— Oh! il faut que tu refuses.

— Pourquoi? Ce sera beaucoup plus confortable. Et plus rapide. Et certainement plus sûr.

— Est-ce que tu cherches à m'effrayer pour que je ne bouge plus de l'hôtel? (Elle regarda vers la fenêtre.) Pourquoi fait-il encore si noir? Quelle heure est-il?

— Il y a des nuages aujourd'hui pour je ne sais quelle raison.

Elle se taisait; ses yeux avaient repris leur expression traquée.

— Ils n'emmèneront pas Tunner, dit Port.

— Tu deviens fou? s'écria-t-elle. Je ne peux pas imaginer que nous partions sans lui. Pas une seconde !

— Pourquoi pas? dit Port, irrité. Il n'a qu'à aller là-bas par le train. Je ne vois pas pourquoi nous perdrions l'occasion d'une belle promenade simplement parce qu'il est là. Nous n'avons pas besoin d'être tout le temps collés ensemble, non?

— Toi, non.

— Mais toi, oui?

— Je veux dire que je n'accepterai pas de laisser Tunner ici pour partir avec ces deux-là. Elle, c'est une vieille hystérique, et lui !... Comme vicieux dégénéré, je n'ai jamais vu mieux ! Il me rend malade.

— Allons, voyons ! railla Port. Tu oses, toi, te servir du mot « hystérique ». Seigneur ! je voudrais que tu puisses te voir en ce moment.

— Tu feras exactement ce qui te plaira, dit-elle en se recouchant. Je prendrai le train avec Tunner.

Le regard de Port se durcit.

— Ma parole ! prends le train avec lui. Et Dieu fasse que le train déraille !

Il retourna dans sa chambre pour s'habiller.

Kit frappa à la porte.

— *Entrez*, dit Tunner avec son accent américain. Par exemple ! c'est une surprise ! Que se passe-t-il ? A quoi dois-je cette visite inespérée ?

— Oh ! à rien de particulier, dit-elle en le considérant avec une vague antipathie qu'elle espérait parvenir à dissimuler. Nous devons prendre le train tous les deux pour Boussif. Port a été invité à y aller en voiture avec des amis.

Elle s'efforçait de garder un ton neutre. Il parut désorienté.

— Qu'est-ce que cela veut dire ? Répétez lentement. Des amis ?

— Oui. Une Anglaise et son fils. Ils l'ont invité.

Le visage de Tunner s'illumina peu à peu. Elle remarqua que, cette fois, ce n'était pas feint. Il avait tout simplement des réactions incroyablement lentes.

— Par exemple ! répéta-t-il avec un sourire.

« Quel crétin ! pensa-t-elle, en constatant qu'il n'essayait même pas de dissimuler ses sentiments. (Le naturel absolu la rendait toujours furieuse.) Ses manœuvres sentimentales se déroulent toutes à découvert. Il n'y a pas un arbre, pas un rocher pour les dissimuler. » Elle dit tout haut :

— Le train part à six heures, et il arrive le matin à une heure invraisemblable. Mais il paraît qu'il est toujours en retard ; c'est une chance, pour une fois.

— Nous allons donc partir comme cela ensemble, tous les deux...

— Port sera là-bas bien avant nous, et il retiendra les chambres. Maintenant, il faut que je sorte, il faut absolument que je trouve un coiffeur, et Dieu sait !...

— Quel besoin en avez-vous ? Laissez tomber. Il ne peut pas faire mieux que la nature.

Elle ne supportait pas les galanteries ; elle sourit pourtant en s'en allant. « Parce que je suis lâche », pensa-t-elle. Elle avait parfaitement conscience de vouloir soutenir la puissance

occulte de Tunner contre celle de Port, depuis que Port avait
jeté un mauvais sort sur le voyage. Tout en souriant elle dit,
comme à un interlocuteur invisible :

— Je crois que nous pourrons éviter le déraillement.

— Hein ?

— Oh ! rien. Je vous retrouverai pour le déjeuner, à deux
heures, dans la salle à manger.

Tunner était de ces personnes qui n'imaginent pas facilement qu'on puisse les utiliser. Parce qu'il était habitué à
imposer sa volonté sans rencontrer d'opposition, il avait une
vanité épanouie qui, chose curieuse, le rendait aimable à
presque tout le monde. S'il avait tant désiré accompagner
Port et Kit dans leur randonnée, c'était sans doute avant tout
parce que ses efforts incessants de domination morale se
heurtaient chez eux à une résistance déterminée; contraint
de se donner plus de mal, il offrait ainsi inconsciemment à sa
personnalité l'occasion d'un exercice qui lui était nécessaire.
Kit et Port, de leur côté, s'en voulaient tous les deux d'être
sensibles, si peu que ce fût, à son charme indiscutable, et c'est
pourquoi ni l'un ni l'autre ne voulaient convenir de l'avoir
encouragé à les suivre. Et ce n'était pas pour eux une petite
honte que d'être si parfaitement conscients de son cabotinage
et de son conformisme et de s'en laisser quand même volontairement charmer dans une certaine mesure. Tunner était un
individu d'une simplicité extrême, irrésistiblement attiré par
tout ce qui se trouvait un peu en dehors de sa portée dans
l'ordre intellectuel. L'habitude qu'il avait contractée, adolescent, d'accepter avec plaisir qu'une pensée le dépassât
s'était encore développée en lui. S'il pouvait faire le tour
d'une idée, il en concluait que c'était une idée mineure; pour
éveiller son intérêt, elle devait comporter un élément qui lui
fût inaccessible. Cet intérêt toutefois ne le poussait pas à
poursuivre ses réflexions. Il ne lui procurait, au contraire,
qu'une satisfaction affective vis-à-vis de l'idée, en lui permettant de se détendre et de l'admirer de loin.

Au début de ses relations avec Port et Kit, il les avait traités
tout naturellement avec la déférence attentive qu'ils lui
inspiraient, non comme individus, mais comme des êtres qui

n'étaient presque exclusivement préoccupés que par les idées, choses sacrées. Tous deux avaient néanmoins si catégoriquement découragé cette tactique qu'il s'était vu obligé d'en adopter une autre, qui le rendait encore moins sûr de lui. Elle consistait en pointes amicales, en moqueries si légères et si imprécises qu'il pouvait toujours, s'il en était besoin, leur faire prendre un tour flatteur; et en une attitude de résignation amusée et un peu peinée qui lui donnait l'impression d'être le père de deux enfants prodiges, gâtés à l'excès.

Le cœur léger maintenant, il tournait dans sa chambre en sifflotant à la perspective de se trouver seul avec Kit; il s'était persuadé qu'elle avait besoin de lui. Il n'était pas du tout certain de parvenir à la convaincre que ce besoin était du domaine qu'il se plaisait à imaginer. En fait, de toutes les femmes qu'il espérait posséder un jour, il considérait Kit comme la plus improbable, la plus inaccessible. Il s'aperçut dans la glace en se penchant sur une valise, et il eut un sourire impénétrable; c'était ce même sourire que Kit jugeait si faux.

A une heure, il alla chez Port et trouva la chambre ouverte et les bagages enlevés. Deux servantes changeaient les draps du lit.

— *Se ha marchao*, dit l'une.

A deux heures, il retrouva Kit dans la salle à manger; elle était exceptionnellement soignée et jolie.

Il commanda du champagne. Elle le gronda.

— A mille francs la bouteille! Port en aurait une attaque.

— Port n'est pas là, dit Tunner.

9

Un peu avant midi, Port se tenait devant l'entrée de l'hôtel avec tous ses bagages. Trois domestiques arabes, sous la direction de Lyle, empilaient les valises à l'arrière de la voiture. Les nuages lents laissaient maintenant apercevoir de grands espaces de ciel bleu foncé; lorsque le soleil les traversait, sa chaleur était particulièrement forte. Du côté des montagnes, le ciel était encore noir et menaçant. Port s'impatientait; il craignait de voir paraître Kit ou Tunner avant le départ.

A midi précis, Mrs. Lyle, dans le hall, protestait contre sa note. Les éclats de voix passaient de l'aigu au grave dans une véritable broderie de sons. Elle vint sur le seuil de l'hôtel et cria :

— Eric! Veux-tu venir dire à cet homme que je n'ai pas prix de biscuits hier avec mon thé? Viens immédiatement.

— Dis-le-lui toi-même, dit Eric distraitement. *Celle-là on va la mettre ici en bas*, continua-t-il pour l'un des Arabes en lui désignant une lourde valise en peau de porc.

— Espèce d'idiot!

Elle rentra dans l'hôtel; un instant plus tard, Port entendit de nouveau sa voix perçante :

— *Non! Non! Thé seulement! Pas gâteau!*

Elle reparut enfin, le visage enflammé, son sac à main se balançant à son bras. En apercevant Port, elle s'immobilisa et appela :

— Eric!

Il leva les yeux des bagages, et vint présenter Port à sa mère.

— Je suis très contente que vous puissiez venir avec nous. Cela nous fera une protection supplémentaire. On dit que dans les montagnes il est plus prudent d'être armé. Mais, pour ma part, j'ai toujours su me débrouiller avec les Arabes. C'est plutôt contre ces sauvages de Français qu'on a vraiment besoin de protection. Quelle sale engeance! Quand je pense qu'ils osent discuter ce que j'ai pris hier pour le thé. Eric, espèce de petit lâche! Tu m'as laissée me débattre toute seule. Et c'est probablement toi qui as mangé les biscuits qu'ils me comptaient.

Eric sourit.

— Ça revient au même, non?

— Tu devrais avoir honte d'en convenir. Mr. Moresby, regardez-moi ce vaurien. Il n'a jamais travaillé un seul jour de sa vie. Il faut que ce soit moi qui paie toutes ses notes.

— Allons, mère ! Monte. (Ces derniers mots furent prononcés avec accablement.)

— Qu'est-ce que ça veut dire : « Monte ? » (Le ton de la voix s'éleva encore.) Me parler ainsi, à moi ! Tu mériterais une bonne gifle. Cela te ferait peut-être du bien. (Elle monta à l'avant.) Personne ne m'a jamais parlé comme cela.

— Nous nous mettrons tous les trois devant, dit Eric. Vous n'y voyez pas d'inconvénient, Mr. Moresby ?

— Au contraire.

Il avait résolu de rester à l'extérieur de ce cercle de famille ; « le meilleur moyen consisterait, pensait-il, à ne montrer aucune personnalité, à se contenter d'être poli, d'écouter. Ces chamailleries grotesques étaient probablement la seule forme de conversation qu'ils fussent capables de tenir entre eux ».

Eric au volant mit le moteur en marche et ils démarèrent pendant que les porteurs leur lançaient : *Bon voyage !*

— J'ai vu plusieurs types me regarder quand je suis sortie, dit Mrs. Lyle en s'installant. Ces sales Arabes ont fait leur travail là comme partout ailleurs.

— Leur travail ? Que voulez-vous dire ? demanda Port.

— Eh bien ! leur espionnage. Ici, on vous espionne tout le temps. C'est comme ça qu'ils gagnent leur vie. Vous croyez que vous pouvez faire quelque chose sans qu'ils le sachent ? (Elle eut un mauvais rire.) En moins d'une heure, tous les lèche-bottes et les sous-secrétaires des consulats savent tout.

— Vous voulez dire le consulat britannique ?

— *Tous* les consulats, la police, les banques, tout le monde, affirma-t-elle.

Port interrogea Eric du regard.

— Mais...

— Oh ! oui, dit Eric, apparemment heureux d'appuyer les déclarations de sa mère. C'est écœurant. Nous n'avons jamais un instant de tranquillité. Partout où nous allons, ils interceptent nos lettres, ils essaient de nous faire croire qu'il n'y a pas de place dans les hôtels, et quand nous trouvons quand même des chambres, ils les fouillent et ils nous volent nos affaires. Ils obligent les domestiques et les femmes de chambre à écouter aux portes...

— Mais *qui?* Qui fait tout cela? Et pourquoi?

— Les Arabes! s'écria Mrs. Lyle. C'est de la racaille, une salle race qui n'a rien à faire dans l'existence que d'espionner les gens. Comment voudriez-vous qu'ils vivent autrement?

— Cela paraît incroyable, risqua Port timidement, avec l'espoir de les voir poursuivre leurs diatribes qui l'amusaient.

— Ah! dit-elle d'une voix triomphante, cela peut vous paraître incroyable parce que vous ne les connaissez pas, mais étudiez-les un peu. Ils nous haïssent tous. Et les Français, c'est la même chose. Oh! *ceux-là,* ils nous ont en horreur!

— J'ai toujours trouvé les Arabes très sympathiques, dit Port.

— Bien entendu. C'est parce qu'ils sont serviles, ils vous flattent et ils rampent devant vous. Mais dès que vous avez le dos tourné, ils filent au consulat.

Eric commençait : « Une fois, à Mogador... » Sa mère lui coupa la parole.

— Oh, ça va! Laisse parler les autres. Est-ce que tu crois que quelqu'un s'intéresse à tes sottises et à tes gaffes? Si tu avais eu un peu de bon sens, tu n'aurais pas été mêlé à cette affaire. De quel droit es-tu allé à Mogador quand j'étais mourante à Fès? Mr. Moresby, j'étais mourante! A l'hôpital, immobilisée, avec une horrible infirmière arabe qui ne savait même pas faire une piqûre convenablement...

— Mais si! protesta Eric d'un ton ferme. Elle m'en a fait au moins vingt. Si tu as été infectée, c'est parce que ta résistance était diminuée.

— Ma *résistance!* hurla Mrs. Lyle. Je refuse de te parler plus longtemps. Regardez les couleurs des collines, Mr. Moresby. Avez-vous jamais essayé l'infra-rouge pour les paysages? J'ai particulièrement réussi en Rhodésie, mais les épreuves m'ont été volées par un éditeur de Johannesburg.

— Mr. Moresby n'est pas photographe, mère.

— Oh! fiche-moi la paix. Est-ce que ça l'empêche de s'y connaître en photo infra-rouge?

— J'en ai vu quelques réalisations, dit Port.

— Mais naturellement. Tu vois, Eric, tu ne sais jamais de quoi tu parles. Et tout cela, c'est une affaire de discipline. Si seulement tu étais forcé de gagner ta vie, ne serait-ce qu'une journée! Cela t'apprendrait à réfléchir avant de parler. Pour l'instant tu n'es qu'un petit imbécile.

Une discussion particulièrement âpre s'ensuivit, au cours de laquelle Eric, évidemment à l'intention de Port, énuméra toute une série peu probable de métiers qu'il prétendait avoir exercés au cours des quatre dernières années, tandis que sa mère récusait l'une après l'autre toutes ses allégations par des preuves assez convaincantes. A chaque nouvelle assurance, elle s'écriait : « Quels mensonges! Quel menteur! Tu ne sais même plus distinguer le vrai du faux! » A la fin, Eric répliqua sur un ton blessé, comme s'il capitulait :

— De toutes façons, tu ne me laisserais pas garder un travail. Tu es terrifiée à l'idée que je pourrais devenir indépendant.

Mrs. Lyle s'écria :

— Regardez, regardez, Mr. Moresby! Quel petit âne adorable! Cela me rappelle l'Espagne. Nous y avons passé deux mois. C'est un pays horrible, rien que des soldats, des prêtres et des Juifs.

— Des Juifs? répéta Port incrédule.

— Mais, voyons. Vous ne le saviez pas? Les hôtels en sont pleins. Ils dirigent le pays. Dans les coulisses, naturellement. Comme partout ailleurs. Seulement, en Espagne, ils sont malins. Ils ne reconnaissent pas qu'ils sont Juifs. A Cordoue — vous allez voir comme ils sont rusés — à Cordoue, je marchais dans une rue nommée Juderia. C'est là que se trouve la synagogue. Naturellement, cela grouille positivement de Juifs — un véritable ghetto. Mais croyez-vous qu'un seul en conviendrait? Pas un. Ils secouaient tous leur index en me criant sous le nez : *Católico! Católico!* Imaginez un peu, Mr. Moresby, ils se prétendent catholiques romains! Et quand j'ai visité la synagogue, le guide a continué à prétendre qu'il ne s'y était pas célébré de service depuis le xve siècle. Je crains bien d'avoir été terriblement malpolie avec lui. Je lui ai éclaté de rire à la figure.

— Qu'a-t-il dit? demanda Port.

— Oh ! il a simplement continué son laïus. Il l'avait appris par cœur, bien entendu. Il m'a regardée avec insolence, naturellement. Comme tout le monde. Mais je crois qu'il m'a respectée parce que je n'avais pas peur. Plus vous êtes grossiers avec eux, plus ils vous admirent. Je lui ai fait voir que je n'étais pas dupe de son horrible chapelet de mensonges. Des catholiques ! Je parierais qu'ils s'imaginent que ça les rend supérieurs. C'était trop drôle, alors qu'ils étaient tout ce qu'il y a de plus Juifs; il n'y avait qu'à les regarder. Oh ! je connais les Juifs. J'ai fait avec eux trop de vilaines expériences pour ne pas les connaître.

La caricature commençait à perdre le charme de la nouveauté. Assis entre la mère et le fils, Port commençait à suffoquer; leurs obsessions le déprimaient. Mrs. Lyle était encore plus inacceptable qu'Eric. Elle n'avait pas, comme lui, d'exploits, imaginaires ou réels, à raconter; elle ne savait parler que des persécutions dont elle croyait avoir été l'objet et qu'elle décrivait par le menu sans faire grâce d'un seul mot dans le compte rendu des discussions acharnées qui l'avaient opposée à ses ennemis. Tandis qu'il l'écoutait, Port voyait son caractère se dessiner devant lui, mais il y portait déjà beaucoup moins d'intérêt. La vie de Mrs. Lyle avait été dépourvue de contacts personnels, alors qu'elle en éprouvait le besoin. Elle en fabriquait donc comme elle pouvait; chaque querelle était une tentative avortée pour établir avec autrui des rapports humains. Avec Eric lui-même, elle en était venue à accepter la dispute comme un mode naturel de conversation. Port conclut qu'elle était la femme la plus solitaire qu'il eût jamais rencontrée, mais cela le laissait à peu près indifférent.

Il cessa d'écouter. Ils avaient quitté la ville, traversé la vallée et maintenant ils grimpaient une grande colline nue. Dans l'un des nombreux virages, il sursauta en apercevant juste devant lui, de l'autre côté de la vallée, la forteresse turque, que la distance faisait apparaître petite et nette comme un jouet. Au pied du mur, plusieurs tentes minuscules étaient disséminées, noires sur la terre jaune; il n'aurait su dire dans laquelle il était entré, laquelle était celle de Mahrnia, car il ne pouvait discerner d'escalier. Mais elle était là, sans nul doute, quelque part dans la vallée, à faire sa sieste dans la chaleur suffocante de la tente, seule ou avec quelque heureux ami arabe — mais pas Smaïl, pensa Port. Ils tournèrent de nouveau en continuant à monter; des falaises les surplombaient. Sur le bord de la route, il y avait parfois de hauts bouquets de chardons desséchés couverts d'une poussière blanche, et de ces plantes s'échappait le cri incessant et strident des sauterelles, comme la voix même de la chaleur. La vallée réapparaissait, toujours et toujours, chaque fois un peu plus petite, un peu plus éloignée, un peu moins réelle. La Mercédès ronflait comme un avion; elle n'avait pas de pot d'échappement. Les montagnes étaient là devant eux, la sebkha s'étendait à leurs pieds. Il se retourna pour jeter un dernier coup d'œil à la vallée; il pouvait encore discerner la forme de chaque tente et fut frappé de leur ressemblance avec les pics montagneux qui leur servaient de toile de fond.

Tandis qu'il regardait le paysage se déployer sous la chaleur, il eut une brève vision du rêve qui n'avait pas cessé de le préoccuper. Presque aussitôt il sourit; il le comprenait maintenant. Le train qui allait toujours plus vite n'était que le symbole de la vie même. Balancer entre le « oui » et le « non » était l'attitude inévitable de celui qui veut peser la valeur de cette vie, l'hésitation s'interprétant d'elle-même comme le refus inconscient d'y participer. Il s'étonna d'en avoir été bouleversé; c'était un rêve classique. Tous les rapports en étaient clairs dans son esprit. Leur signification particulière à son égard n'avait guère d'importance. Depuis longtemps, pour ne pas s'embarrasser de valeurs relatives, il déniait aux phénomènes de l'existence toute idée de finalité — c'était plus simple et plus rassurant.

Il se réjouit d'avoir pu résoudre son petit problème et regarda le paysage autour de lui; l'auto montait toujours, mais ils avaient dépassé la première crête. Autour d'eux s'élevaient des collines rondes et nues, sans aucun détail pour en fournir l'échelle. Et, de tous les côtés, la même ligne d'horizon, sinueuse et dure sur la blancheur aveuglante du ciel. Mrs. Lyle disait : « Oh ! c'est une sale espèce, de la racaille, je ne vous dis que ça. » Soudain féroce, Port pensa : « Je pourrais tuer cette femme ! » Comme la côte devenait moins raide et que l'auto prenait de la vitesse, il eut un instant l'illusion de la brise, mais quand la route se remit à monter et qu'ils reprirent leur lente ascension, il se rendit compte que l'air était immobile.

— Il y a une sorte de belvédère un peu plus haut, d'après la carte, dit Eric. On doit y avoir une vue magnifique.

— Est-ce qu'il faut nous arrêter? demanda Mrs. Lyle avec inquiétude. Nous devons être à Boussif pour le thé.

Le point de vue annoncé n'était qu'un léger élargissement de la route dans un tournant en épingle à cheveux. Des roches qui avaient roulé du haut des falaises rendaient même le passage assez dangereux. Sur un côté, un ravin s'ouvrait à pic. Le paysage était grandiose et hostile.

Eric stoppa la voiture un moment, mais personne ne descendit. Le reste du parcours s'effectua à travers une région rocailleuse, trop desséchée même pour les sauterelles. Port aperçut pourtant dans le lointain de petits hameaux aux maisons de boue, couleur des collines, et cernés de cactus et de broussailles épineuses. Le silence tomba sur les trois occupants de la voiture, on n'entendit plus que le bruit régulier du moteur.

Lorsqu'ils arrivèrent en vue de Boussif avec son minaret moderne de béton blanc, Mrs. Lyle dit :

— Eric, occupe-toi des chambres. Moi, je vais aller directement à la cuisine pour essayer de leur apprendre à faire le thé.

Elle ajouta pour Port, en montrant son sac à main :

— J'ai toujours du thé dans mon sac quand nous sommes en voyage. Sans cela, il faudrait que j'attende que ce satané garçon ait fini de s'occuper de l'auto et des bagages. Je crois qu'il n'y a rien à voir ici, à Boussif, cela nous évitera de traîner dans les rues.

— Derb Ech Chergui, dit Port. (Elle se tourna vers lui, étonnée.) Je lisais une pancarte, dit-il d'un ton calme.

La longue rue principale était vide et rôtissait sous le soleil de l'après-midi, dont la force semblait doublée par le fait qu'au loin, vers le sud, les mêmes nuages sombres que le matin pesaient toujours sur la montagne.

10

C'était un très vieux train. Du plafond bas pendait, dans le couloir de leur wagon, une rangée de lampes à pétrole qui se balançaient toutes ensemble plus ou moins violemment selon la marche. Au moment du départ, Kit, saisie du désespoir qui la prenait toujours au début d'un voyage en chemin de fer, avait sauté sur le quai, couru au kiosque à journaux et acheté plusieurs magazines français; le train s'ébranlait déjà lorsqu'elle était remontée. Maintenant, à la lueur confuse du jour déclinant et de la maigre flamme jaune des lampes, elle tenait les magazines sur ses genoux et les ouvrait l'un après l'autre pour essayer de les lire. Le seul où elle pouvait distinguer quelque chose était un illustré : *Ciné pour tous*.

Il n'y avait pas d'autres voyageurs dans le compartiment. Tunner lui faisait face.

— Vous allez vous crever les yeux, dit-il.

— Je regarde seulement les images.

— Oh !

— Vous m'excuserez, n'est-ce pas? Dans une minute, je n'y arriverai même plus. Je suis toujours un peu nerveuse quand je voyage en train.

— Mais je vous en prie, fit-il.

Ils avaient emporté un repas froid préparé par l'hôtel. De temps en temps, Tunner semblait s'interroger en regardant vers le panier. Kit leva enfin les yeux et surprit son manège.

— Tunner ! Ne me dites pas que vous avez faim ! s'écria-t-elle.

— C'est mon ver solitaire.

— Vous êtes dégoûtant.

Elle posa le panier sur la banquette, heureuse de se livrer à une occupation banale. Elle en tira un à un les épais sandwiches, enveloppés séparément dans de fragiles serviettes en papier.

— Je leur avais dit de ne pas nous donner cet infect jambon

espagnol, on peut *vraiment* attraper des vers en le mangeant. Je suis sûre qu'ils en ont mis, j'en sens l'odeur. Ils croient toujours qu'on ne parle que pour entendre le son de sa propre voix.

— Je mangerai le jambon s'il y en a. Il est excellent, il me semble.

— Oh! pour le goût, il n'y a rien à dire.

Elle tira aussi un paquet d'œufs durs et d'olives noires gorgées d'huile. Le train siffla et plongea dans un tunnel. Kit remit précipitamment les œufs dans le panier et tourna les yeux vers la fenêtre avec appréhension. Elle pouvait voir s'y refléter son visage dans l'éclairage impitoyable de la petite lampe. L'odeur âcre de la fumée augmentait à chaque seconde; elle la sentait envahir ses poumons. Tunner suffoqua.

— Pouah!

Elle attendait, immobile. Si l'accident devait se produire, ce serait probablement dans un tunnel ou sur un viaduc. « Si seulement j'étais certaine que cela arrive cette nuit, pensa-t-elle, je pourrais me détendre. Mais l'incertitude... Comme on ne sait jamais, on attend toujours. »

Ils sortirent du tunnel, et purent à nouveau respirer. Par delà des kilomètres de terre rocailleuse, les montagnes se profilaient en noir sur l'horizon. Au-dessus de leurs crêtes effilées, les dernières lueurs du jour filtraient entre de lourds nuages menaçants.

— Alors, ces œufs?

— Oh!

Elle lui tendit le paquet.

— Je ne les veux pas tous.

— Si, mangez-les, dit-elle en faisant un grand effort pour être présente, pour prendre part à la petite existence qui se déroulait entre les parois gémissantes du compartiment. Je ne veux que des fruits. Et un sandwich.

Mais elle trouva le pain dur et sec; elle avait de la peine à le mâcher. Tunner, penché en avant, était très occupé à extraire une de ses valises de dessous la banquette. Elle glissa son sandwich presque intact entre le coussin et la fenêtre.

Il se releva, triomphant, une grosse bouteille sombre à la main.

71

— Qu'est ce que c'est?

— Devinez, dit-il avec un grand sourire.

— Pas... du champagne?

— Gagné !

Dans sa nervosité, elle tendit les mains, lui saisit la tête et lui mit un baiser bruyant sur le front.

— Oh ! vous êtes un *amour !* cria-t-elle. Vous êtes merveilleux !

Il ouvrit la bouteille avec soin; le bouchon sauta presque sans bruit. Une femme en noir, à l'air égaré, passa dans le couloir et les examina. La bouteille à la main, Tunner se leva et alla tirer les rideaux. Kit l'observait. « Il est très différent de Port. Port n'aurait jamais fait cela », pensait-elle.

Et, tandis qu'il remplissait les deux timbales de voyage en matière plastique, elle continua à débattre en elle-même la question : « Il a dépensé de l'argent, tout simplement. C'est une chose achetée, rien de plus. Il n'empêche que consentir à dépenser de l'argent... Et y avoir pensé, surtout. »

Ils trinquèrent. Il n'y eut pas le tintement familier — mais un son mat de papier.

— A l'Afrique ! dit Tunner, soudain timide. Il avait voulu dire : « A cette nuit ! »

— Oui.

Elle regarda la bouteille qu'il avait posée par terre et, par un réflexe caractéristique, décida en un instant que c'était là le talisman qui allait la sauver, que, grâce à lui, elle pourrait échapper au désastre. Elle vida son verre. Il le remplit de nouveau.

— Il faut le faire durer, lui recommanda-t-elle, brusquement effrayée à l'idée que le talisman pût disparaître.

— Vous croyez? Pourquoi? (Il tira de nouveau la valise et l'ouvrit.) Regardez. (Il y avait cinq autres bouteilles.) C'est pour cela que j'ai absolument voulu porter cette valise moi-même, ajouta-t-il en souriant de manière à creuser davantage ses fossettes. Vous avez dû penser que j'étais cinglé.

— Je ne l'ai pas remarqué, dit-elle d'une voix faible, sans remarquer non plus les fossettes qu'elle détestait tellement.

La vue d'une telle quantité de talisman l'avait quelque peu abasourdie.

— Donc, buvez. Sec et ferme.

— Ne vous tracassez pas pour moi, dit-elle en riant. Je n'ai pas besoin d'y être poussée.

Elle se sentait étrangement heureuse — beaucoup trop heureuse pour la circonstance, se rappela-t-elle. Mais c'était toujours un mouvement de pendule; dans une heure, elle se retrouverait au même point qu'à la minute précédente.

Le train ralentit et s'arrêta. Derrière la vitre, il faisait nuit noire, on ne voyait aucune lumière. Quelque part, au dehors, une voix chantait une mélopée étrange et monotone. La mélodie, attaquée très haut, descendait jusqu'aux notes graves, puis expirait avec le souffle pour reprendre à l'aigu; elle évoquait des pleurs d'enfant.

— Est-ce que c'est un homme? demanda Kit, incrédule.

— Où? dit Tunner en regardant de droite et de gauche.

— Celui qui chante.

Il écouta un moment.

— C'est difficile à dire. Buvez.

Elle but, et sourit. Puis elle regarda la nuit derrière la fenêtre.

— Je ne crois pas être faite pour vivre, dit-elle avec désespoir.

Il parut soucieux.

— Écoutez, Kit, dit-il, je sais que vous êtes nerveuse. C'est pour cela que j'ai apporté ce champagne. Mais il faut vous calmer. Laissez-vous aller. Détendez-vous. Après tout, rien n'a tellement d'importance. Qui donc a dit...

Elle l'interrompit :

— Non, pas ça! Du champagne, oui. De la philosophie, non! Et je pense que vous avez été incroyablement gentil d'y avoir songé, surtout quand je comprends pourquoi vous l'avez fait.

Il s'arrêta de mastiquer. Son visage changea d'expression, son regard se durcit.

— Qu'est-ce que vous voulez dire?

— Que vous vous êtes rendu compte que j'étais stupidement

nerveuse en chemin de fer. Et vous ne pouviez vraiment rien trouver qui me fût plus agréable.

Il se remit à mastiquer et sourit.

— Oh ! n'y pensez plus. Je ne crache pas dessus moi-même, comme vous avez pu le remarquer. A la santé de ce vieux Mumm !

Il déboucha la seconde bouteille. Péniblement, le train se remit en marche. Kit retrouva sa joie avec le mouvement.

— *Díme ingrato, porqué me abandonaste, y sola me dejaste...,* chanta-t-elle.

Il prit la bouteille.

— Encore ?

— *Claro que sí,* dit-elle en vidant son verre d'un trait, puis elle le tendit aussitôt.

Le train continuait cahin-caha, s'arrêtant sans cesse et toujours, semblait-il, en pleine campagne. Mais à chaque fois on entendait au fond de l'ombre des hommes qui criaient dans la langue gutturale des montagnes. Ils terminèrent leur souper. Comme Kit mangeait sa dernière figue, Tunner se pencha pour prendre une autre bouteille dans la valise. Sans trop savoir ce qu'elle faisait, elle plongea la main derrière la banquette, là où elle avait caché le sandwich; elle le prit et l'enfouit dans son sac, sur son poudrier. Tunner lui versa d'autre champagne.

— Il n'est plus aussi frais que tout à l'heure.

— On ne peut pas tout avoir.

— Oh ! mais je l'aime autant ! Ça m'est égal qu'il soit tiède. Vous savez, je crois que je commence à être bien partie.

Il rit.

— Non ! Pas pour le peu que vous avez bu !

— Mais vous ne me connaissez pas. Quand je suis nerveuse ou inquiète, un rien me suffit.

Il regarda sa montre.

— Eh bien ! nous en avons encore pour huit heures au moins. Nous ferions bien de nous installer. Cela ne vous dérangerait pas que je change de côté, et que je m'assoie près de vous ?

— Non, bien sûr. Je vous l'ai proposé dès que nous sommes montés, pour que vous ne tourniez pas le dos à la marche !

74

— Parfait !

Il se leva, s'étira, bâilla, et se laissa tomber si lourdement qu'il rebondit contre elle.

— Désolé, dit-il, j'avais mal calculé les girations de l'animal. Seigneur, quel train ! (Il entoura Kit de son bras droit et l'attira légèrement à lui.) Appuyez-vous contre moi, vous serez mieux. Détendez-vous. Vous êtes toute raide.

— Raide, oui, et comment !

Elle rit. Son rire résonna bizarrement dans ses oreilles. Elle se laissa un peu aller contre lui, la tête sur son épaule. « Je devrais me sentir mieux comme cela, pensait-elle, et, au contraire, tout me paraît bien pire. Je vais me mettre à hurler. »

Elle s'obligea à demeurer quelques minutes sans bouger. C'était difficile de se détendre, il lui semblait que les mouvements du train la poussaient de plus en plus contre Tunner. Elle sentait les muscles du bras se durcir autour de sa taille. Le train s'arrêta. Elle bondit en s'écriant :

— Je veux aller à la portière voir ce qu'il y a dehors.

Il se leva, l'entoura à nouveau du bras, et la retint.

— Vous savez bien ce qu'il y a. Des montagnes noires.

Elle leva les yeux et le regarda.

— Je sais. S'il vous plaît, Tunner.

Elle se débattit un peu et sentit son étreinte se desserrer. A ce moment, la porte du couloir s'ouvrit et la femme en noir au visage ravagé fit un pas pour entrer dans le compartiment.

— *Ah ! pardon. Je me suis trompée*, dit-elle l'air sinistre. Puis elle s'éloigna sans refermer.

— Que veut cette vieille harpie ? fit Tunner.

Kit alla à la porte et, du seuil, dit très haut :

— Ce n'est qu'une *voyeuse*.

La femme, qui se trouvait déjà loin dans le couloir, se retourna pour lui jeter un regard furieux. Kit fut enchantée. Et bien que le plaisir d'avoir été entendue lui parut soudain absurde, cette jubilation suscita en elle comme une force exaltante. « Si ça continue, j'aurai une crise de nerfs. Et Tunner ne pourra rien pour moi. »

En temps normal, il lui arrivait souvent de penser que Port manquait de compréhension ; mais quand on en arrivait aux extrêmes, il était irremplaçable. Dans les moments vraiment difficiles, elle s'en remettait à lui, toute entière, non seulement parce qu'il devenait alors un guide infaillible, mais parce qu'une case de sa conscience l'utilisait comme un contrefort, et qu'ainsi, partiellement, elle s'identifiait à lui. « Et Port n'est pas là. Donc, pas d'hystérie, s'il te plaît. » Elle dit tout haut :

— Je reviens tout de suite. Ne laissez pas entrer la sorcière.

— Je vous accompagne, dit-il.

— Vraiment, Tunner, dit-elle en riant, je crains que vous ne soyez un petit peu de trop.

Il fit quelques pas pour cacher son embarras.

— Oh ! bien, fit-il. Excusez-moi.

Le couloir était vide. Elle essaya de voir au dehors, mais les vitres étaient couvertes de poussière et de marques de doigts. Elle entendit parler devant elle. Les portes qui donnaient sur la voie étaient bloquées. Elle passa dans le wagon suivant. Il était marqué « II », l'éclairage y était plus vif, mais l'ensemble plus vétuste et il était bondé. A l'autre extrémité, elle rencontra des gens qui montaient. Elle se faufila entre eux, descendit et se dirigea vers la tête du train. Les voyageurs de quatrième, tous indigènes, Berbères et Arabes, s'agitaient sur place dans un amoncellement de paquets et de caisses, empilés sur la terre nue sous la faible lueur d'une simple ampoule. Un vent aigre soufflait des montagnes proches. Elle se glissa rapidement dans la foule et remonta.

En pénétrant dans le wagon, elle n'eut plus l'impression de se trouver dans le train. Ce n'était qu'un espace rectangulaire rempli à craquer d'hommes en burnous bruns accroupis, endormis, allongés, debout, ou qui se déplaçaient dans un fouillis de ballots. Elle demeura un instant immobile à considérer le spectacle; elle éprouvait pour la première fois la sensation de se trouver en terre étrangère. Quelqu'un la poussait et l'obligeait à entrer dans le wagon. Elle résista, incapable d'avancer, et tomba contre un homme à barbe blanche qui la dévisagea sévèrement. Sous ce regard, elle se sentit comme un enfant mal élevé. « *Pardon, monsieur* », dit-elle en essayant de se ranger pour éviter la pression des nouveaux voyageurs. Malgré tous ses efforts, elle fut précipitée en avant et, trébuchant sur les formes étendues et les objets empilés, elle se trouva au milieu du wagon. Le train se mit en marche. Elle regarda autour d'elle avec crainte. L'idée lui vint que c'étaient des musulmans et que son haleine chargée d'alcool les scandaliserait presque autant que s'ils la voyaient se mettre nue. Elle se fraya à grand-peine un chemin vers la paroi sans fenêtre, s'y appuya pour tirer de son sac un petit flacon de parfum et s'en mit sur le visage et le cou dans l'espoir de neutraliser ou tout au moins d'atténuer l'odeur de l'alcool. Comme elle se frottait le cou, ses doigts rencontrèrent sur sa nuque quelque chose de petit et de mou. Elle regarda : c'était un pou jaune. Elle l'avait à moitié écrasé. Elle frotta ses doigts contre le mur avec dégoût. Des hommes l'examinaient, sans sympathie ni antipathie. Ni même avec curiosité, pensa-t-elle. Ils avaient l'expression absorbée et vague de quelqu'un qui regarde dans son mouchoir après s'être mouché. Elle ferma les yeux un instant. A sa surprise, elle eut faim. Elle tira le sandwich de son sac et le mangea; elle en coupait des morceaux minuscules qu'elle mâchait avec force. L'homme qui s'appuyait près d'elle à la paroi mangeait aussi, des petites choses noirâtres qu'il sortait du capuchon de son burnous et croquait bruyamment. Avec un léger frisson, elle reconnut des sauterelles rouges dont on avait enlevé les pattes et la tête. La rumeur des voix, incessante depuis le départ, s'éteignit tout à coup; les gens semblaient tendre l'oreille. Dominant le roulement du train et le claquement rythmé des roues, Kit entendit la pluie cingler le toit métallique du wagon. Les hommes hochèrent la tête, puis les conversations reprirent. Elle décida de se frayer un chemin vers la porte pour descendre au prochain arrêt. Le corps un peu penché, la tête en avant, elle se frayait aveuglément un passage à travers la foule. Il monta du plancher des grognements quand elle piétina des dormeurs, il y eut des cris d'indignation quand ses coudes entrèrent en contact avec des visages. A chaque pas, elle s'écriait : « *Pardon! Pardon!* » Elle avait été entraînée au fond du wagon. Elle ne songeait plus maintenant qu'à trouver la porte. Tenant une tête de mouton dont les yeux semblaient des billes d'agathe, un homme à l'air farouche lui barrait le passage. Elle poussa un « Oh ! » de détresse. L'homme la regarda, impassible, et ne fit pas un mouvement pour la laisser passer. Elle mit toute sa force à le contourner, et sa jupe frotta le cou sanguinolent. Elle s'aperçut avec bonheur que la porte qui donnait sur la plate-forme était ouverte ; il ne lui restait plus qu'à franchir la masse qui en bouchait l'entrée. Elle recommença ses *Pardon !* et fonça. Il y avait moins de monde sur la plate-forme. Ceux qui s'y trouvaient assis avaient la tête couverte du capuchon de leurs burnous que la pluie balayait. Tournant le dos à la pluie, elle s'agrippa à la barre de cuivre et se trouva en face du visage humain le plus hideux qu'elle eût jamais vu. L'homme était grand, il portait des habits européens en loques et, sur la tête, une toile d'emballage en guise de haïk. Mais son nez était remplacé par un trou sombre, triangulaire et profond, et ses étranges lèvres plates étaient complètement blanches. Sans aucun motif, elle évoqua une gueule de lion ; elle ne pouvait en détacher les yeux. L'homme ne paraissait ni la voir ni sentir la pluie ; il était là, rien de plus. En continuant à le regarder, elle se demandait pourquoi un visage attaqué par la maladie, ce qui en soi ne signifie rien, est beaucoup plus horrible qu'un visage aux tissus intacts mais dont l'expression révèle une corruption intérieure. Port dirait qu'à une époque non matérialiste il n'en serait pas ainsi. Et il aurait probablement raison.

Elle grelottait, complètement trempée, mais elle ne lâchait pas la rampe de métal glacé et regardait droit devant elle, tantôt le visage, et tantôt, au delà, la nuit grise de pluie. C'était un tête-à-tête qui durerait jusqu'à la prochaine gare. Le train peinait en montant bruyamment une côte raide. Parfois, au milieu du tintamarre et des trépidations, on entendait un son plus sourd quand le train franchissait un petit pont. A ces moments-là, il lui semblait se déplacer très haut dans les airs, tandis que, loin au-dessous d'elle, des eaux se ruaient entre les parois rocheuses d'un gouffre. La pluie battait toujours. Elle avait l'impression de vivre un cauchemar qui ne finirait pas. Elle n'était pas consciente du temps qui s'écoulait ; il semblait s'être arrêté au contraire, et elle était devenue elle-même une chose statique suspendue dans le vide. Pourtant, sous-jacente, une certitude demeurait en elle que cela ne durerait pas toujours ainsi, mais elle ne voulait pas y penser, dans la crainte de redevenir vivante, et, le temps s'étant remis en marche, de sentir passer les interminables secondes.

Aussi demeurait-elle immobile, sans cesser de frissonner, le corps très droit. Lorsque le train ralentit et s'arrêta, l'homme à visage de lion avait disparu. Elle descendit et courut sous la pluie vers les voitures de queue. En montant dans celle de seconde, elle se rappela que l'homme s'était effacé, comme l'aurait fait n'importe quel homme normal, pour la laisser passer. Elle se mit à rire doucement, pour elle-même. Puis elle s'immobilisa. Il y avait dans le couloir des gens qui parlaient. Elle revint sur ses pas, alla à la toilette, s'y enferma, et, à la lueur vacillante de la lanterne du plafond, penchée par-dessus le lavabo vers le petit miroir ovale, elle se remit de la poudre et du rouge. Elle tremblait toujours de froid, et de l'eau coulait le long de ses jambes. Lorsqu'elle se jugea en état d'affronter Tunner, elle sortit, suivit le couloir et passa dans le wagon de première. La porte de leur compartiment était ouverte. Tunner regardait par la fenêtre, d'un air morne. Il se retourna en l'entendant entrer et se leva d'un bond :

— Bon Dieu, Kit, où étiez-vous?

— Dans le wagon de quatrième.

Elle tremblait si violemment qu'il lui était impossible de prendre l'attitude nonchalante qu'elle avait préméditée.

— Mais regardez-vous ! Entrez.

La voix de Tunner était soudain très sérieuse. Il l'attira d'une main ferme dans le compartiment, ferma la porte, la fit asseoir et se mit aussitôt à vider sa propre valise dont il répandit une partie du contenu sur la banquette. Elle le regardait avec stupeur. Bientôt, il tenait devant son visage deux comprimés d'aspirine et un verre de plastique.

— Prenez ça, ordonna-t-il.

Le gobelet contenait du champagne. Elle obéit. Puis il lui montra une robe de chambre en flanelle blanche posée sur la banquette en face d'elle.

— Je vais passer dans le couloir et vous allez me faire le plaisir d'enlever tout ce que vous avez sur vous pour mettre ceci. Puis vous frapperez à la porte et je reviendrai vous masser les pieds. Pas de protestation, cette fois. Faites-le, et c'est tout.

Il sortit, referma la porte.

Elle tira les rideaux des fenêtres qui donnaient sur la voie et fit ce qu'il lui avait ordonné. La robe de chambre était douce et chaude. Elle demeura quelques instants assise sur la banquette en s'y pelotonnant, les jambes ramenées sous elle. Et elle se versa trois autres verres de champagne qu'elle avala coup sur coup. Puis elle frappa doucement sur la vitre. La porte s'entrouvrit.

— La voie est libre? demanda Tunner.

— Oui, oui, entrez.

Il s'assit en face d'elle.

— Maintenant, mettez vos pieds ici. Je vais vous faire une friction à l'alcool. Mais vraiment, qu'est-ce qui vous a pris? Vous êtes folle? Vous voulez attraper une pneumonie? Qu'est-ce qui est arrivé? Pourquoi avez-vous été si longue? J'ai cru devenir enragé à courir partout en demandant à tout le monde si on vous avait vue. Je ne savais pas où diable vous aviez bien pu passer.

— Je vous ai dit que j'étais en quatrième avec les indigènes. Je ne pouvais pas revenir, parce qu'il n'y avait pas de soufflets entre les voitures. C'est parfait comme cela. Vous allez vous épuiser.

Il rit et frotta de plus belle.

— Jamais de la vie.

Quand elle fut tout à fait remise et réchauffée, il se leva pour baisser la mèche de la lampe, et se rassit près d'elle. Le bras vint l'envelopper, elle en éprouva de nouveau la pression. Elle ne trouvait pas de mots pour le prier de la lâcher. Il demanda doucement, d'une voix un peu rauque :

— Vous êtes bien?

— Oui, fit-elle.

Une minute plus tard, elle murmura fébrilement :

— Non, non, non ! Quelqu'un pourrait ouvrir la porte

— Personne ne l'ouvrira.

Il l'embrassa. Elle entendait le lent staccato des roues qui répétaient : « Pas *maintenant*, pas maintenant, pas *maintenant*, pas maintenant... » tout en imaginant les torrents profonds enflés par la pluie. Elle leva la main, lui caressa la nuque, mais ne dit rien.

— Chérie, murmura-t-il, ne bougez pas, reposez-vous.

Elle n'arrivait plus à penser, il n'y avait plus d'images dans sa tête. Elle n'avait conscience que de la douceur de la robe de chambre sur sa peau, et bientôt, de la chaude présence d'un être humain dont elle n'avait pas peur. La pluie cinglait les vitres.

11

Le toit de l'hôtel, avant que le soleil ne surgisse derrière les montagnes voisines, était un endroit agréable pour y prendre le petit déjeuner. Les tables étaient disposées sur le bord de la terrasse, du côté de la vallée. Dans les jardins, les figuiers et les hautes tiges des papyrus s'agitaient doucement dans la brise fraîche du matin. Plus bas encore, s'élevaient les grands arbres où les cigognes avaient fait leurs nids énormes, et, au bas de la pente, l'eau épaisse et rouge de la rivière. Port buvait son café en jouissant de l'odeur des montagnes lavées par la pluie. Juste sous son regard, les cigognes apprenaient à voler à leurs petits; le craquettement rauque des parents se mêlait aux cris perçants des cigogneaux qui battaient maladroitement des ailes.

Comme il les observait, Mrs. Lyle apparut au haut de l'escalier. Il lui trouva l'air particulièrement hagard. Elle s'assit près de lui sur son invitation et commanda du thé à un vieil Arabe vêtu d'une livrée rose de pacotille.

— Seigneur ! nous sommes d'un pittoresque ! dit-elle.

Port attira son attention sur les oiseaux, qu'ils observèrent jusqu'à l'arrivée du thé.

— Dites-moi, votre femme est-elle bien arrivée?

— Oui, mais je ne l'ai pas vue. Elle dort encore.

— Je l'imagine facilement, après ce voyage infernal.

— Et votre fils, encore au lit?

— Grands dieux, non! Il est allé je ne sais où voir un caïd ou un autre. On dirait que ce garçon a des lettres d'introduction pour des Arabes de toutes les villes d'Afrique du Nord.

Elle devint songeuse. Après un instant, elle regarda Port et lui demanda brusquement :

— J'espère que vous ne les approchez pas.

— Les Arabes? Je n'en connais aucun personnellement. Mais c'est plutôt difficile de ne pas les approcher quand il y en a partout.

— Oh! je parlais de relations personnelles. Eric est un imbécile fini. Il ne serait pas malade maintenant sans ces gens infects.

— Malade? Il ne m'en avait pas donné l'impression. Qu'est-ce qu'il a?

— Il est très malade.

Elle parlait d'une voix lointaine, les yeux tournés vers le fleuve. Puis elle se versa de nouveau du thé et offrit à Port un biscuit, d'une boîte de fer qu'elle avait apportée. Elle poursuivit, la voix plus nette :

— Ils sont tous contaminés, naturellement. Eh bien! c'est cela. Et je me suis donné un mal de chien pour essayer de lui faire suivre un traitement convenable. Eric est un petit crétin.

— Je ne sais pas si je vous comprends très bien.

— Une infection, une infection, dit-elle agacée.

Elle ajouta, avec une violence qui le frappa :

— Une de ces saloperies de femme arabe.

— Ah! fit Port sans se compromettre.

Elle semblait maintenant moins sûre d'elle.

— On m'a dit que ces infections pouvaient aussi se transmettre directement entre hommes. Le croyez-vous, Mr. Moresby?

— Je n'en ai pas la moindre idée, répondit-il un peu surpris. On raconte tant d'histoires sur ce genre de choses sans y rien

connaître. J'imagine qu'un médecin vous renseignerait mieux.
Elle lui passa un autre biscuit.

— Je trouve tout naturel que vous ne vouliez pas en parler. Excusez-moi.

— Oh! je ne porte pas de jugement! protesta-t-il. Mais je ne suis pas médecin. Vous comprenez?

Elle sembla ne pas l'avoir entendu.

— C'est dégoûtant. Je suis bien de votre avis.

Le soleil commençait à s'élever derrière la crête de la montagne; dans un instant il ferait chaud.

— Voilà le soleil, dit Port.

Mrs. Lyle rassembla ses affaires.

— Resterez-vous longtemps à Boussif? demanda-t-elle.

— Nous n'avons fait aucun projet. Et vous?

— Oh! Eric doit avoir combiné un itinéraire de fou. Je crois que nous continuons sur Aïn Krorfa demain matin, à moins qu'il ne décide de partir au début de cet après-midi pour passer la nuit à Sfissifa. Il paraît qu'il y a là-bas un petit hôtel tout à fait convenable. Rien d'aussi grandiose que celui-ci, bien entendu.

Port considéra autour de lui les tables et les chaises en mauvais état, et sourit.

— Je ne crois pas que j'apprécierais rien de beaucoup moins grandiose.

— Mais, mon cher Mr. Moresby! Cet hôtel est véritablement de grand luxe! C'est le meilleur que vous trouverez jusqu'au Congo. Il n'y en a plus d'autre avec eau courante, vous savez. Enfin, nous vous reverrons sûrement avant notre départ. Cet horrible soleil me rôtit. Mes bons souvenirs à votre femme.

Elle se leva et descendit.

Port mit sa veste sur le dossier de sa chaise et demeura quelques instants assis sans bouger, à méditer sur l'extraordinaire attitude de cette femme excentrique. Pour lui, il ne s'agissait pas seulement d'étourderie, ou même de folie; il voyait plutôt dans ses façons un moyen détourné de faire entendre quelque chose qu'elle n'osait pas exprimer ouvertement. Le procédé devait paraître logique à son esprit confus.

Port était du moins certain qu'elle était avant tout poussée par la peur. Comme Eric par l'avidité; de cela aussi il était certain. Mais leur association demeurait pour lui mystérieuse. Il avait l'impression de voir se dessiner très vaguement un projet; mais quant à la nature et aux fins de ce projet, le problème restait entier. Port devinait toutefois que, pour le moment, la mère et le fils nourrissaient des desseins opposés. Chacun avait une raison précise de souhaiter sa présence à lui, mais ces raisons n'étaient pas identiques, ni même, pensait-il, complémentaires.

Il consulta sa montre : dix heures vingt. Kit ne devait pas encore être réveillée. Il comptait bien parler de tout cela avec elle si elle avait cessé de lui en vouloir. Son habileté à discerner les motifs les plus secrets était surprenante. Il décida de faire le tour de la ville et passa dans sa chambre pour y déposer sa veste et y prendre ses lunettes de soleil. Il avait réservé pour Kit la chambre qui faisait face à la sienne, de l'autre côté du couloir. Il colla l'oreille à la porte et écouta; aucun bruit ne lui parvint.

Boussif était une ville entièrement moderne, avec de gros pâtés de maisons et le marché dans le centre. Une terre d'un rouge vif couvrait les rues non pavées, bordées pour la plupart de constructions cubiques d'un étage. Un défilé ininterrompu d'hommes et de moutons se dirigeait par l'artère principale vers le marché; pour se protéger du soleil implacable, les hommes allaient la tête couverte du capuchon de leur burnous. Pas un arbre n'était visible. A l'extrémité des rues transversales, le désert désolé s'élevait lentement vers le pied des montagnes faites de rocs sauvages et nus, sans une ombre de végétation. Exception faite pour les visages, Port ne trouva guère d'intérêt à l'immense marché. Un minuscule café s'élevait à l'entrée, avec une table sous une tonnelle de jonc. Il s'assit et frappa deux fois dans ses mains :

— *Ouahad ataï*, commanda-t-il.

Il avait retenu au moins ces deux mots d'arabe. Tandis qu'il buvait son thé en remarquant qu'il était fait de feuilles de menthes séchées, et non pas fraîches, il observa qu'un vieux car ne cessait de passer et de repasser devant le café, en cornant avec insistance. Rempli de voyageurs indigènes, il faisait continuellement le tour du marché, tandis que le jeune garçon de la plate-forme arrière martelait du poing sa carcasse métallique en criant sans arrêt :

— Arfâ ! Arfâ ! Arfâ ! Arfâ !

Port demeura assis là jusqu'à l'heure du déjeuner.

12

La première impression de Kit en se réveillant fut qu'elle avait une gueule de bois terrible. Puis elle remarqua l'éclat du soleil dans la chambre. Quelle chambre? Se le rappeler était un trop grand effort. Quelque chose bougea près d'elle sur l'oreiller. Elle tourna les yeux vers la gauche et vit une masse sombre à côté de sa tête. Elle poussa un cri et se redressa, mais, en même temps, elle savait bien que ce n'étaient que les cheveux noirs de Tunner. Il s'étira dans son sommeil, tendit le bras pour l'étreindre. La tête remplie de battements douloureux, elle sauta hors du lit et, debout, le considéra :

— Seigneur ! s'exclama-t-elle.

Elle l'éveilla, non sans peine, l'obligea à se lever, à s'habiller, le poussa dans le hall avec tous ses bagages et ferma la porte à clef derrière lui. Puis, avant qu'il eût songé à se mettre en quête d'un boy pour l'aider à porter ses valises, alors qu'il se tenait encore là, hébété, elle rouvrit la porte pour lui demander dans un chuchotement une bouteille de champagne. Il en trouva une, la lui passa et elle referma la porte. Elle s'assit sur le lit et vida la bouteille. Son besoin de boire était physique en partie, mais, surtout, elle ne se sentait pas capable d'affronter Port sans s'être livrée à un dialogue intérieur dont elle sortirait en quelque sorte absoute quant aux événements de la nuit. Elle espérait aussi que le champagne la rendrait malade et lui fournirait une bonne raison de rester au lit toute la journée. Le champagne eut un effet tout différent : à peine l'eut-elle terminé qu'elle se sentit complètement remise, un peu ivre, mais très bien. Elle alla à la fenêtre et regarda la cour étincelante, où deux femmes arabes lavaient dans un grand bassin de pierre du linge qu'elles étendaient ensuite sur les arbustes pour le faire sécher au soleil. Elle se détourna rapidement et défit son nécessaire de voyage dont elle éparpilla le contenu dans la chambre. Elle entreprit alors une recherche minutieuse des moindres traces qu'aurait pu laisser Tunner. Un cheveu noir sur l'oreiller lui causa une palpitation; elle alla le jeter par la fenêtre. Elle refit le lit méticuleusement, y étala le couvre-pied de laine. Puis elle appela la femme de chambre et l'envoya chercher la servante chargée de laver le plancher. De cette façon, si Port paraissait, la chambre aurait l'air d'avoir déjà été faite. Elle s'habilla et descendit. Les bracelets de la femme s'entre-choquaient tandis qu'elle frottait le carrelage.

Lorsque Port revint à l'hôtel, il frappa à la chambre en face de la sienne. Une voix d'homme répondit : *Entrez*, et il entra. Tunner s'était à moitié déshabillé et il vidait ses valises. Il n'avait pas pensé à ouvrir le lit, mais Port n'y prit pas garde, et s'écria :

— Bon Dieu ! ne me dis pas qu'ils ont donné à Kit cette chambre infecte qui donne sur la cour et que je t'avais réservée?

Tunner rit.

— Je pense que si. Merci quand même !

— Cela ne t'ennuie pas de changer, n'est-ce pas?

— Pourquoi? Est-ce que l'autre chambre est si mal? Non, cela ne m'ennuie pas. Mais c'est prendre beaucoup de peine pour un jour. Non?

— Ce sera peut-être pour plus longtemps. Quoi qu'il en soit, j'aimerais que Kit soit ici, près de moi.

— Bien sûr. Bien sûr. Mais il vaudrait mieux la prévenir aussi. Elle est probablement installée dans l'autre chambre en toute innocence, persuadée que c'est la meilleure de l'hôtel.

— Elle n'est pas mal. Elle ne donne pas sur le devant, voilà tout. Ils n'en avaient pas d'autres, hier, quand je suis arrivé.

— D'accord. Nous demanderons à l'un de ces macaques de faire le déménagement.

Au déjeuner, ils se trouvèrent tous les trois réunis. Kit, nerveuse, parla constamment, et, en particulier, de la politique européenne d'après-guerre. La nourriture était mauvaise, si bien qu'aucun d'eux ne montrait une humeur très aimable.

— L'Europe a détruit le monde entier, dit Port. Dois-je lui en être reconnaissant ou lui en vouloir? J'espère qu'elle va se rayer elle-même de la surface du globe.

Il souhaitait de voir finir rapidement la discussion pour prendre Kit à part et lui parler en privé. Les longs entretiens à bâtons rompus qu'ils avaient tous deux sur les sujets les plus personnels le comblaient toujours d'aise. Mais elle voulait précisément éviter ce tête-à-tête.

— Pourquoi n'étends-tu pas ton souhait délicieux à toute l'humanité pendant que tu y es? demanda-t-elle.

— L'humanité? s'écria Port. Qu'est-ce que c'est? Qui est l'humanité? Je vais te le dire. L'humanité, c'est tout le monde, excepté soi. Par conséquent, quel intérêt chacun peut-il lui porter?

Tunner dit lentement :

— Attends un peu. Attends un peu. J'aimerais éclaircir cela avec toi. Je dirais que l'humanité, c'est justement toi, et que c'est ce qui la rend intéressante.

— Bravo, Tunner! s'écria Kit.

Port était ennuyé.

— Quelle ânerie! dit-il sèchement. On n'est jamais l'humanité, on n'est jamais que son pauvre soi irrémédiablement solitaire.

Kit voulut l'interrompre. Il haussa la voix et poursuivit :

— Je n'ai pas à justifier mon existence par des moyens primaires de ce genre. Le fait que je respire suffit. Et si l'humanité ne considère pas cela comme une justification, elle peut faire de moi ce qu'elle veut. Je ne vais pas accrocher à mon cou un acte de naissance pour prouver que je suis vivant et que j'ai le droit d'être ici! J'y suis! Je suis dans le monde. Mais mon monde n'est pas le monde de l'humanité. C'est le monde tel que, moi, je le vois.

— Ne hurle pas, dit Kit très calme. Si c'est ta façon de penser, je n'y vois pas d'inconvénient. Mais tu devrais être

87

assez intelligent pour admettre que tout le monde ne pense pas de la même façon.

Ils se levèrent. Les Lyle, dans leur coin, sourirent au trio qui s'en allait. Tunner annonça :

— Je vais faire la sieste. Pas de café pour moi. A plus tard.

Lorsque Port se retrouva seul dans le hall avec Kit, il lui dit :

— Allons plutôt dans un petit café près du marché.

— Oh, je t'en prie ! supplia-t-elle. Après cette nourriture de plomb? Je ne pourrais jamais mettre un pied devant l'autre. Je suis encore éreintée par le voyage.

— Très bien. Dans ma chambre, alors?

Elle hésita.

— Quelques minutes, oui, ça me plairait beaucoup, dit-elle sans enthousiasme. Ensuite, j'irai faire un somme, moi aussi.

Dans la chambre, il s'étendirent tous les deux sur le vaste lit en attendant que le boy leur apportât le café. Les rideaux étaient tirés, mais la lumière insistante filtrait dans les interstices et posait sur les objets un reflet rose. Au dehors, les rues étaient silencieuses; tout faisait la sieste, sauf le soleil.

— Quoi de neuf? dit Port.

— Rien, sinon, comme je te l'ai dit, que ce voyage m'a épuisée.

— Tu aurais pu venir avec nous en voiture. C'était une belle balade.

— Non, je ne pouvais pas. Ne recommence pas. A propos, j'ai vu Lyle en bas, ce matin. Je continue à trouver que c'est un monstre. Il a tenu à me montrer non seulement son passeport, mais aussi celui de sa mère. Bien entendu ils sont farcis de timbres et de visas. Je lui ai dit que tu aimerais les voir, que tu appréciais ce genre de choses plus que moi. Elle est née à Melbourne en 1899 et lui, en 1925, je ne me rappelle pas où. Des passeports anglais tous les deux. Voilà les renseignements que tu voulais.

Port lui jeta un regard d'admiration.

— Seigneur, comment as-tu fait pour voir tout cela sans te faire remarquer?

— En feuilletant les pages très vite. Et elle est inscrite comme journaliste et lui comme étudiant. Est-ce que ce n'est pas ridicule? Je suis sûre qu'il n'a jamais ouvert un livre de sa vie.

— Oh! c'est un simple d'esprit, dit Port distraitement, en prenant la main de Kit pour la caresser. Tu as sommeil, mon petit?

— Oui, terriblement, et je ne vais prendre qu'une goutte de café parce que je ne veux pas me réveiller. Je veux dormir.

— Moi aussi, maintenant que je suis allongé. S'il n'arrive pas dans une minute je vais descendre le décommander.

Mais on frappa. Avant qu'ils eussent eu le temps de répondre la porte s'ouvrit toute grande et le boy entra en portant un énorme plateau de cuivre.

— *Deux cafés*, dit-il, la bouche fendue dans un sourire.

— Regarde-moi ce nigaud, dit Port. Il s'imagine être tombé en pleine scène d'amour.

— Bien sûr. Et qu'il le croie! Il faut bien que le pauvre type ait un peu de plaisir dans l'existence.

L'Arabe déposa discrètement le plateau près de la fenêtre et s'éloigna sur la pointe des pieds, en jetant par-dessus l'épaule un regard dans lequel Kit crut lire un peu d'envie. Port se leva pour chercher le plateau qu'il posa sur le lit. Pendant qu'ils buvaient leur café, il se tourna soudain vers elle.

— Écoute! s'écria-t-il, la voix vibrante d'enthousiasme.

En le regardant elle songea : « Qu'il est jeune! »

— Oui? dit-elle, avec l'accent d'une mère complaisante.

— Il y a une boutique qui loue des bicyclettes près du marché. Quand tu seras réveillée, louons-en deux et allons faire un tour. Les environs de Boussif sont tout plats.

L'idée la tentait vaguement, sans qu'elle sût pourquoi.

— Parfait! dit-elle. J'ai sommeil. Tu peux me réveiller à cinq heures, si tu y penses toujours.

13

Ils roulaient lentement dans la longue rue en se dirigeant vers la faille qui s'ouvrait au sud de la ville dans la chaîne basse des montagnes. Après les dernières maisons, la plaine commençait, à droite et à gauche, une mer de pierres. L'air était frais, le vent sec du coucher du soleil les frappait de face. La bicyclette de Port grinçait légèrement à chaque coup de pédale. Kit allait un peu devant lui; ils ne disaient rien. Au loin, derrière eux, un clairon sonnait; comme une épée sonore, brillante et dure dans l'air. Le soleil disparaîtrait une demi-heure plus tard, mais il était encore brûlant. Ils arrivèrent à un village, le traversèrent. Les chiens se mirent à aboyer furieusement et les femmes se détournèrent en se cachant la bouche. Seuls les enfants ne bougèrent pas, et ouvrirent de grands yeux, paralysés par la surprise. Après le village, la route commença à monter. Ils ne le remarquèrent qu'à la difficulté qu'ils éprouvaient à pédaler. A la vue, rien n'avait changé. Kit fut bientôt lasse. Ils s'arrêtèrent, regardèrent la plaine en apparence si plate jusqu'à Boussif, un échantillonnage de blocs bruns au pied des montagnes. La brise se mit à souffler plus fort.

— Tu ne respireras jamais un air plus frais.

— C'est merveilleux, dit Kit.

Elle se sentait dans un état d'esprit rêveur et heureux et n'avait pas envie de parler.

— Essayons-nous d'atteindre le col?

— Dans un instant. Dès que j'aurai repris mon souffle.

Ils se remirent bientôt en route et pédalèrent avec entrain, les yeux fixés sur la faille creusée dans la montagne. En approchant, ils aperçurent au delà de la ligne de crête l'interminable désert plat rompu çà et là par des arêtes aiguës de rochers qui perçaient la surface comme les nageoires dorsales d'autant de monstres marins, tous tournés dans la même direction. La route avait été creusée à la dynamite et les blocs de pierre avaient roulé sur les deux flancs de l'entaille. Ils abandonnèrent leurs bicyclettes sur le côté de la route et se mirent à grimper parmi d'énormes rocs. Le soleil disparaissait derrière l'horizon plat; l'atmosphère était baignée de rouge. Comme ils contournaient un rocher, ils se trouvèrent brusquement en face d'un homme qui se rasait avec application le pubis, armé d'un long couteau pointu — son burnous remonté autour du cou le laissait nu des épaules jusqu'aux pieds. Il leva les yeux et les regarda passer, d'un air indifférent, puis baissa de nouveau la tête et se remit au travail.

Kit prit la main de Port. Ils poursuivirent leur escalade en silence, heureux d'être ensemble. Elle dit, au bout d'un moment :

— Le coucher du soleil est une heure si triste.

— Quand je contemple la chute du jour — de n'importe quel jour — il me semble, à chaque fois, que c'est la fin de toute une époque. Et l'automne ! Cela pourrait aussi bien être la fin de tout. Voilà pourquoi je hais les pays froids et j'aime les pays chauds qui n'ont pas d'hiver et où, quand vient le soir, la vie semble s'ouvrir au lieu de se fermer. Tu ne le sens pas?

— Si, dit Kit, mais je ne suis pas sûre de préférer les pays chauds. Je ne sais pas. Je ne suis pas sûre qu'il soit bien de chercher à éviter la nuit et l'hiver, et qu'il ne faudra pas le payer un jour.

— Oh, Kit ! Tu es folle.

Il l'aida à grimper une courte pente. Le désert s'étendait à leurs pieds, beaucoup plus bas que la plaine d'où ils venaient de monter.

Elle ne répondit pas, triste de constater que, tout en ayant si souvent les mêmes réactions, les mêmes sentiments, ils n'atteignaient jamais les mêmes conclusions, parce qu'ils poursuivaient dans l'existence des fins diamétralement opposées.

Ils s'assirent côte à côte sur les rochers, face à l'immensité. Elle passa le bras sous le sien et mit la tête sur son épaule. Il regardait droit devant lui, puis il soupira et finalement hocha lentement la tête.

C'étaient des endroits, des moments comme ceux-là qu'il

aimait par-dessus tout; elle le savait, et elle savait aussi qu'il les aimait encore plus si elle était là pour les goûter avec lui. Et, bien qu'il sût que le silence et le vide qui lui touchaient tellement l'âme la terrifiaient, il ne pouvait supporter qu'elle le lui rappelât. C'était comme s'il nourrissait toujours l'espoir qu'elle serait enfin sensible comme lui à la solitude et à la proximité de l'infini. Il lui avait souvent répété : « C'est ton seul espoir », et elle n'avait jamais exactement compris ce qu'il entendait par là. Elle pensait quelquefois qu'il voulait parler de son propre espoir, et que, si elle était capable de devenir semblable à lui, il retrouverait le chemin de l'amour — car, il ne pouvait être question d'une autre femme : aimer pour lui c'était l'aimer, elle. Et tout amour, toute possibilité d'amour avait disparu entre eux depuis longtemps ! Mais, malgré qu'elle fût désireuse de devenir telle qu'il la souhaitait, elle était impuissante sur un point : la peur vivait toujours en elle, prête à prendre les commandes. Il était inutile de prétendre le contraire. Et, de même qu'elle ne parvenait pas à se débarrasser de cette peur, Port était incapable de s'échapper de la cage où il s'était enfermé, après l'avoir construite lui-même, autrefois, pour se préserver de l'amour.

Elle lui serra le bras.

— Regarde ! souffla-t-elle.

A quelques pas, sur le haut d'un rocher, et si immobile qu'ils ne l'avaient pas remarqué, un vieil Arabe se tenait assis, dans une pose hiératique, les jambes ramenées sous lui, les yeux clos. Il paraissait à première vue endormi, malgré la raideur de son attitude, et d'autant plus qu'il n'avait marqué par aucun signe qu'il fût conscient de leur présence. Mais ils s'aperçurent que ses lèvres remuaient légèrement et surent alors qu'il priait.

— Il ne faudrait pas le regarder comme ça, tu ne crois pas? dit-elle en étouffant sa voix.

— Il n'y a pas de mal. Nous ne ferons pas de bruit.

Il posa la tête sur les genoux de Kit et demeura immobile à regarder le ciel clair. D'un geste répété, elle lui caressait légèrement les cheveux. Le vent qui montait du désert se fit plus violent. Insensiblement le ciel perdit son intensité.

Elle leva les yeux vers l'Arabe; il n'avait pas bougé. Soudain elle eut envie de repartir, mais, sans faire un mouvement, continua de regarder tendrement la tête inerte qui reposait sous sa main.

— Tu sais, dit Port, — et sa voix paraissait irréelle comme il arrive aux voix qui viennent rompre un silence absolu, — le ciel est vraiment étrange ici. J'ai souvent l'impression, quand je le regarde, que c'est une masse solide qui nous protège de ce qu'il y a derrière.

Kit frissonna un peu.

— De ce qu'il y a derrière?

— Oui.

— Mais qu'est-ce qu'il y a derrière? (Elle avait une toute petite voix.)

— Rien, j'imagine. Rien que du noir. La nuit absolue.

— Oh! *je t'en prie*, n'en parle pas en ce moment. (Il y avait de l'angoisse dans sa supplication.) Tout ce que tu dis ici me fait peur. Il commence à faire sombre, le vent s'est levé, et je ne peux plus le supporter.

Il se redressa, lui mit les bras autour du cou, l'embrassa, s'écarta pour la regarder, l'embrassa de nouveau, s'écarta encore, et ainsi de suite plusieurs fois. Il y avait des larmes sur les joues de Kit. Elle eut un pauvre sourire tandis qu'il les essuyait du doigt.

— Tu ne sais pas? dit-il avec chaleur, je crois que nous avons tous les deux peur de la même chose. Et pour la même raison. Nous n'avons jamais trouvé le moyen, ni toi, ni moi, de pénétrer vraiment dans l'existence. Nous avons beau faire, nous nous tenons en équilibre, à la surface, et nous sommes convaincus que la prochaine secousse nous jettera dehors. Ce n'est pas vrai?

Elle ferma les yeux un instant. Les lèvres de Port sur sa joue avaient réveillé en elle le sentiment de culpabilité qui la balayait maintenant comme un grand vent, qui l'étourdissait et la rendait malade. Elle avait passé le temps de sa sieste à tenter d'effacer de sa conscience les événements de la nuit, mais elle se rendait maintenant compte qu'elle n'y était pas parvenue et qu'elle n'y parviendrait jamais. Elle porta la main à son front, et se tut. Enfin, elle dit :

— Mais si nous ne sommes pas dedans, nous avons toutes les chances de... d'être jetés dehors.

Elle attendait une contradiction ou que peut-être il reconnût la fausseté de l'analogie — ou n'importe quel réconfort. Il dit seulement :

— Je ne sais pas.

La lumière du jour baissait peu à peu. Statue austère, le vieil Arabe continuait à prier dans l'ombre envahissante. Port croyait entendre, loin derrière eux, dans la plaine, une note prolongée de clairon, mais la note n'en finissait pas. Aucun homme ne pouvait avoir le souffle si long : ce n'était qu'un effet de son imagination. Il prit la main de Kit, la pressa.

— Il faut rentrer, murmura-t-il.

Ils se levèrent rapidement et descendirent en sautant de roc en roc jusqu'à la route. Les bicyclettes étaient toujours là. Ils roulèrent côte à côte en silence jusqu'à la ville. Les chiens du village recommencèrent leur vacarme en les voyant passer. Ils abandonnèrent leurs bicyclettes sur la place du marché, et suivirent à pas lents la rue qui menait à l'hôtel en se heurtant au flot d'hommes et de moutons qui poursuivait, même pendant la nuit, son mouvement vers la ville.

Sur le chemin du retour Kit n'avait cessé de penser : « Port a deviné pour Tunner et moi. » Elle ne croyait cependant pas qu'il fût conscient de le savoir. Mais elle était certaine que la partie la plus profonde de son intelligence avait pressenti la vérité, pressenti ce qui s'était passé. Tandis qu'ils marchaient dans la rue sombre, elle fut presque tentée de lui demander comment il l'avait appris. Elle était curieuse d'étudier le fonctionnement d'un instinct purement animal dans un être aussi complexe que Port. Mais cela n'apporterait rien de bon; aussitôt qu'il prendrait conscience de ce qu'il savait, il déciderait d'être férocement jaloux, il lui ferait une scène et toute leur tendresse implicite disparaîtrait, peut-être à jamais. Perdre ce lien avec lui, si ténu fût-il, lui serait intolérable.

Port agit d'une façon étrange dès la fin du dîner. Il sortit seul, alla au marché, s'assit quelques minutes dans le café en regardant défiler les hommes et les bêtes à la lueur des lampes au carbure, puis, voyant ouverte la porte du loueur de bicyclettes, entra dans la boutique. Il demanda une bicyclette munie d'un phare, dit à l'homme d'attendre son retour et roula rapidement vers la gorge. Là-haut, parmi les rochers, le vent de la nuit soufflait et il faisait froid. Il n'y avait pas de lune ; il ne pouvait voir le désert qui s'étendait à ses pieds — mais seulement les étoiles qui scintillaient durement dans le ciel. Il demeura assis sur le roc et se laissa fouetter par le vent froid. En revenant vers Boussif il se rendit compte qu'il ne pourrait jamais avouer à Kit être retourné là-bas. Elle ne comprendrait pas qu'il eût voulu le faire sans elle. Ou peut-être, songea-t-il, elle ne le comprendrait que trop bien.

14

Le surlendemain soir, ils prenaient le car pour Aïn Krorfa, ayant choisi de voyager de nuit afin d'éviter la chaleur suffocante du jour. Il semble aussi que la poussière soit moins dense quand on ne la voit pas. Dans la journée, quand le car traverse cette partie du désert sur la route en lacets qui monte et descend pour franchir les gorges étroites, on ne cesse de voir le nuage qui s'élève dans son sillage et vous revient parfois dans la bouche quand la route décrit un virage en épingle à cheveux. La poudre fine s'agglomère sur la moindre surface horizontale, envahit les rides, les paupières, l'intérieur des oreilles, s'infiltrant même jusqu'au nombril. A moins qu'il n'y soit habitué, le voyageur obsédé s'exagère la gêne qu'il en ressent. De nuit, parce que les étoiles brillent dans le ciel clair, il a l'impression, s'il ne bouge pas, qu'il n'y a pas de poussière. Le bourdonnement régulier du moteur le berce et le met dans une sorte de transe : le ruban de la route, qui ne cesse de se dévider vers lui au fur et à mesure que la lueur des phares la découvre, occupe son attention tout entière jusqu'au moment où il s'endort, pour être réveillé plus tard par l'arrêt du véhicule devant quelque bordj abandonné et sombre. Il descend, engourdi, glacé, pour boire dans l'enclos un verre de café très sucré.

Ayant pris leurs billets d'avance, ils avaient pu choisir les meilleures places, près du conducteur. La poussière y était moins abondante et la chaleur du moteur, d'abord excessive et un peu pénible aux pieds, leur fut agréable vers onze heures, quand ils prirent conscience du froid vif et sec qui sévit la nuit dans ces régions élevées. Ainsi tous trois étaient-ils serrés l'un contre l'autre avec le conducteur, sur la banquette avant. Tunner, assis près de la porte, semblait dormir. Kit, dont la tête reposait lourdement sur le bras de Port, s'agitait par moments sans ouvrir les yeux. A cheval sur le frein de secours, les côtes labourées par le coude du chauffeur à chaque mouvement du volant, Port avait la place la moins confortable et le sommeil le fuyait. A travers le pare-brise il regardait droit devant lui, la route plate qui se déroulait vers lui, dévorée par le faisceau des phares. Les voyages lui permettaient toujours de considérer sa vie avec un peu plus d'objectivité. C'était alors que son esprit était souvent le plus clair et qu'il prenait des décisions qu'une résidence fixe ne lui avait pas permis d'envisager.

Depuis le jour où il était parti avec Kit à bicyclette, il avait éprouvé le désir précis de renforcer leurs liens sentimentaux. Cela prenait peu à peu pour lui une importance considérable. Il se disait parfois que cette idée hantait déjà son subconscient à New York, quand il avait imaginé de partir avec Kit vers l'inconnu; Tunner n'avait été convié qu'à la dernière minute, et peut-être y avait-il eu, là encore, un mobile inconscient, mais un mobile né de la peur; car, si fort qu'il désirât ce rapprochement, il savait aussi qu'il redoutait les responsabilités d'ordre émotif qui en découleraient. Ici, en revanche, dans ce coin perdu, coupé du reste du monde, son besoin d'une union plus intime avec elle l'emportait sur la peur. Pour forger de tels liens, il leur fallait être seuls ensemble. Les deux derniers jours à Boussif avaient été une torture. On aurait dit que

Tunner avait deviné le désir de Port et qu'il était décidé à le contrecarrer. Il était demeuré avec eux la journée entière et la moitié de la nuit sans s'arrêter de parler, comme s'il n'avait souhaité rien d'autre que d'être assis avec eux, de manger avec eux, de se promener avec eux, allant même jusqu'à les accompagner le soir dans la chambre de Kit au moment entre tous où Port voulait qu'on les laissât seuls, et il était resté près d'une heure sur le seuil de la porte à poursuivre une conversation sans intérêt. (Naturellement Port avait songé que Tunner conservait peut-être l'espoir d'arriver à ses fins avec Kit; l'attention exagérée qu'il lui témoignait, ses flatteries banales qui prétendaient à la galanterie rendaient cette idée plausible. Mais, comme Port pensait ingénument que ses sentiments pour Kit étaient identiques en tous points à ceux qu'elle éprouvait pour lui, il demeurait convaincu qu'elle ne céderait en aucune circonstance à un homme comme Tunner.)

La seule fois où il avait réussi à entraîner Kit seule hors de l'hôtel avant que Tunner eût terminé sa sieste, ils avaient à peine parcouru cent mètres qu'ils étaient tombés sur Eric Lyle, qui leur avait aussitôt déclaré qu'il serait enchanté de les accompagner dans leur promenade. Ce qu'il avait fait, à la fureur silencieuse de Port et au dégoût visible de Kit; elle avait même si peu surmonté son ennui qu'à peine assise à une table de café, au marché, elle s'était plainte de migraine pour retourner en hâte à l'hôtel, laissant Port aux prises avec Eric. L'indésirable garçon paraissait plus pâle et plus boutonneux que jamais dans une chemise flamboyante décorée de tulipes énormes. Le tissu, disait-il, venait du Congo.

Une fois seul avec Port, il avait eu l'audace de vouloir lui emprunter dix mille francs, sous le prétexte que sa mère avait sur l'argent des idées excentriques et lui en refusait souvent pendant des semaines.

— Rien à faire. Je regrette, avait dit Port résolu à ne pas transiger.

La somme s'était trouvée graduellement réduite jusqu'au moment où Eric avait remarqué d'un ton désolé :

— Avec seulement cinq cents francs, je pourrais fumer pendant quinze jours.

— Je ne prête jamais d'argent à personne, avait expliqué Port ennuyé.

— Mais vous le ferez pour moi.

Sa voix était tout sucre et tout miel.

— Non.

— Je ne suis pas comme ces imbéciles d'Anglais qui croient que tous les Américains sont pleins aux as. Ce n'est pas ça. Mais ma mère est folle. Elle refuse tout simplement de me donner de l'argent. Qu'est-ce que je peux faire?

« Puisqu'il est sans honte, pensa Port, je serai sans pitié. » Et il dit :

— Si je ne vous prête pas d'argent, c'est parce que je sais que vous ne me le rendrez pas, et je n'en ai pas assez pour le gaspiller. Vous comprenez? Mais je vous donnerai trois cents francs avec plaisir. Je constate que vous fumez le *tabac du pays*. Il est heureusement très bon marché.

Eric avait incliné la tête à l'orientale pour marquer son accord. Puis il avait tendu la main. Le souvenir de cette scène était encore désagréable à Port. En rentrant, il avait trouvé Kit et Tunner en train de boire ensemble de la bière au bar et, depuis lors, il ne s'était pas trouvé en tête à tête avec Kit un seul instant, sauf la veille au soir quand elle lui avait souhaité « bonne nuit » en entrant dans sa chambre. Le fait qu'il la soupçonnait de vouloir l'éviter ne simplifiait rien.

« Mais nous avons le temps, se dit-il. Il faut seulement que je me débarrasse de Tunner. » La pensée qu'il avait enfin pris une décision lui plut. Peut-être Tunner finirait-il par comprendre et partir de lui-même, sinon, ils seraient obligés de le quitter. En tout cas, il fallait régler la question, et tout de suite, avant de découvrir un lieu de résidence assez fixe pour que Tunner s'y fasse adresser son courrier.

Il entendait au-dessus de lui les lourdes valises glisser sur le toit du car; en voyageant dans de telles conditions, il se demandait s'ils n'avaient pas eu tort d'en emporter autant. De toutes façons, c'était trop tard pour le regretter. Il n'y aurait pas moyen de rien abandonner en route; il était plus que probable qu'ils reviendraient par une autre route, en admettant même qu'ils rejoignissent la Méditerranée, car il espérait un peu poursuivre vers le sud; mais, comme il n'était pas possible d'obtenir d'avance des précisions sur les moyens de transport et les possibilités de logement, il leur faudrait courir leur chance dans chaque ville, en espérant au mieux obtenir quelques renseignements d'une étape à l'autre. La guerre avait non seulement interrompu, mais complètement détruit un tourisme qui, d'ailleurs, n'avait jamais été très développé dans cette partie du monde. Et jusqu'ici personne ne s'était offert à tenter de nouveau l'aventure. Cet état de choses, qui lui donnait l'impression d'être un pionnier, plaisait assez à Port; — il se sentait beaucoup plus proche de ses arrière-grands-parents tandis qu'il roulait dans le désert que lorsqu'il contemplait, de chez lui, le réservoir de Central Park — mais en même temps il se demandait jusqu'à quel point il fallait prendre au sérieux les communiqués qui mettaient en garde contre ce genre d'expéditions : « Il est fortement déconseillé aux touristes d'entreprendre des voyages à travers l'Afrique du Nord française, l'A. O. F. et l'A. E. F... Le public sera informé des renseignements qui pourront nous parvenir sur les conditions du tourisme dans ces régions. » Port n'avait pas fait lire ces lignes à Kit dans sa campagne pour l'Afrique contre l'Europe. Il ne lui avait montré qu'une collection choisie de photos rapportées de ses précédents voyages : des vues d'oasis et de marchés aussi bien que des aperçus de salons et de jardins attrayants dans des hôtels actuellement fermés. Kit s'était conduite jusqu'ici de la façon la plus raisonnable — elle n'avait pas protesté contre leurs installations — mais il demeurait tracassé par les avertissements éloquents de Mrs. Lyle. Cela ne les amuserait pas très longtemps de dormir dans des lits sales, de manger des mets infects, et d'attendre une heure chaque fois qu'ils voudraient se laver les mains.

La nuit passait lentement; Port ne s'ennuyait pas trop, la route l'hypnotisait. S'il n'avait pas été en train de traverser des régions inconnues, il aurait trouvé le trajet insupportable.

La pensée constante que chaque tour de roue l'enfonçait
plus loin dans le Sahara, et qu'il laissait derrière lui tout ce
qui lui était familier, le maintenait dans un état d'agitation
agréable.

Kit remuait de temps en temps. Elle soulevait la tête, puis
la laissait retomber sur lui en murmurant des paroles inintel-
ligibles. Une fois, elle se retourna et s'abandonna de l'autre
côté, sur Tunner, qui ne parut pas se réveiller. Port lui prit
le bras et l'attira de nouveau vers son épaule. Toutes les
heures, le chauffeur et lui fumaient ensemble une cigarette,
mais ils n'échangeaient pas un mot. A un certain moment, le
conducteur fit un geste vague vers la nuit et déclara :

— Il paraît qu'on a vu un lion par ici l'année dernière. Pour
la première fois depuis des siècles. On dit qu'il a mangé des
tas de moutons. D'ailleurs, ça devait être une panthère !

— Est-ce qu'on l'a pris?

— Non. Ils ont tous peur des lions.

— Je me demande ce qu'il est devenu.

Le chauffeur haussa les épaules et se replongea dans le
silence. Port était content de savoir que le fauve n'avait pas
été tué.

Un peu avant l'aube, au plus froid de la nuit, ils arrivèrent
à un bordj sinistre dans la plaine balayée par le vent. La
barrière était ouverte et, titubant, dormant debout, tous trois
suivirent la foule d'indigènes qui descendaient du car. Dans
l'immense cour, hommes, chevaux et moutons se pressaient.
Des feux brûlaient, et le vent dispersait les gerbes d'étincelles.

Sur un banc, près de l'entrée de la salle où l'on servait le
café, se trouvaient cinq faucons qu'une chaîne fine liait par
la patte à cinq piquets. Capuchonnés de cuir noir, immobiles,
bien rangés, on les aurait dits empaillés. Cette vue impres-
sionna Tunner si fort qu'il se mit à courir dans tous les sens
pour demander si ces oiseaux étaient à vendre. Il n'obtint
en réponse que des regards poliment étonnés. Il revint s'asseoir
un peu confus :

— On dirait que personne ne sait à qui ils appartiennent.

Port grogna :

— Je crois plutôt que personne n'a compris ce que tu voulais. Et que diable en aurais-tu fait?

Tunner réfléchit un instant. Puis il rit et dit :

— Je ne sais pas, ils me plaisaient, voilà tout.

Quand ils se trouvèrent dehors, les premières lueurs du jour s'élevaient à l'horizon. Port prit la place de Tunner. Quand le bordj ne fut plus qu'un minuscule cube blanc loin derrière eux, il dormait déjà. C'est ainsi qu'il manqua l'apothéose de la nuit : le jeu des couleurs chatoyantes qui montaient de l'horizon avant le lever du soleil.

15

Avant même qu'on eût aperçu Aïn Krorfa, les mouches, petites, grisâtres et tenaces, avaient fait leur apparition. Comme on dépassait les premières oasis et que la route s'enfonçait entre les hauts murs de boue qui enfermaient les différentes colonies, le car en fut tout à coup mystérieusement envahi. Quelques Arabes se couvrirent la tête; les autres ne semblaient leur prêter aucune attention. Le conducteur dit : *Ah! les salauds! On voit bien que nous sommes à Aïn Krorfa!*

Kit et Tunner se démenaient comme des fous. Ils agitaient les bras, s'éventaient, soufflaient de côté pour chasser les mouches de leurs joues, de leur nez, ce qui ne servait à peu près à rien. Elles s'incrustaient et il fallait presque les arracher; elles leur échappaient de justesse, s'envolaient pour redescendre presque aussitôt au même endroit.

— C'est une véritable offensive, cria Kit.

Tunner se mit à l'éventer avec un morceau de journal. Port continuait de dormir; les coins de sa bouche étaient hérissés de mouches.

— Elles collent quand il fait frais, dit le conducteur. Le matin de bonne heure, on ne peut pas s'en débarrasser.

— Mais d'où viennent-elles? demanda Kit.

Son ton furieux le fit rire.

— Ça, ce n'est rien, dit-il avec un petit geste de mépris, vous allez voir en ville. On dirait de la neige noire, partout.

— Quand y aura-t-il un départ? demanda-t-elle.

— Pour retourner à Boussif? J'y repars demain.

— Non, non, je veux dire vers le sud.

— Ah! ça... Il faudra demander à Aïn Krorfa. Je ne connais que la ligne de Boussif. Je crois qu'il y a un service hebdomadaire pour Bou Noura, et vous pourrez toujours trouver de la place pour Messad sur un camion de ravitaillement.

— Oh! je ne veux pas y aller, dit Kit. Elle avait entendu Port déclarer que Messad ne présentait aucun intérêt.

— Mais moi, si, interrompit Tunner d'un ton ferme, en anglais. Attendre une semaine dans un endroit pareil? Bon Dieu, j'en mourrais!

— Ne vous emballez pas. Vous ne l'avez pas vu. Le conducteur est peut-être tout simplement en train de nous faire marcher, comme dirait Mr. Lyle. D'ailleurs, pourquoi ce car pour Bou Noura ne partirait-il que dans une semaine? Le car part peut-être demain, ou même aujourd'hui. Qu'est-ce que nous en savons?

— Non, fit Tunner entêté. S'il y a une chose que je ne supporte pas, c'est la crasse.

— Oui, je sais que vous êtes un vrai Américain.

Elle se tourna pour le regarder et il comprit qu'elle se moquait de lui. Il rougit.

— Et vous avez bougrement raison.

Port se réveilla. Son premier geste fut de chasser les mouches de sa figure. Il ouvrit les yeux et contempla à travers la fenêtre la végétation de plus en plus abondante. De hauts palmiers se dressaient derrière les murs; entre leurs troncs se pressaient des orangers, des figuiers et des grenadiers. Il baissa la vitre et se pencha pour respirer. Cela sentait la menthe et le bois brûlé. Devant lui s'étendait le vaste lit d'un fleuve où ne serpentait qu'un ruisseau.

De chaque côté de la route et des routes transversales, l'eau, fierté d'Aïn Krorfa, coulait dans les profondes seguias. Port rentra la tête et dit bonjour à ses compagnons. Il continuait machinalement à écarter les mouches opiniâtres, sans remarquer que Kit et Tunner en faisaient autant.

— Que de mouches !

Kit regarda Tunner et rit. Port sentit une complicité entre eux.

— Je me demandais combien de temps tu mettrais à t'en apercevoir, dit-elle.

La discussion reprit. Espérant faire de Port une recrue pour son projet d'exode à Messad, Tunner en appelait au témoignage du conducteur sur les mouches d'Aïn Krorfa. Kit répétait que la plus élémentaire logique demandait qu'on étudiât les lieux avant de prendre une décision. C'était la première fois qu'un endroit l'attirait depuis leur arrivée en Afrique.

Cette impression agréable était d'ailleurs simplement fondée sur la végétation qu'elle ne pouvait s'empêcher de remarquer derrière les murs tandis que le car roulait vers la ville ; mais, quand ils y parvinrent, la ville elle-même se révéla à peu près inexistante. Kit fut déçue de la trouver semblable à Boussif, en beaucoup plus petit. Ce qu'elle en voyait était tout à fait moderne et de tracé géométrique. Seuls, les bâtiments blancs au lieu d'être bruns, et les trottoirs de la rue principale, bordés d'arcades, l'empêchaient de se croire encore à Boussif. L'intérieur du Grand Hôtel la démoralisa dès le premier coup d'œil. Mais Tunner était là et elle se sentait obligé de soutenir son rôle et d'être en droit de le taquiner s'il faisait le dégoûté.

— Mon Dieu ! Quelle saleté ! s'exclama-t-elle, et cette épithète était en effet bien faible pour décrire ce qu'elle éprouvait à la vue du patio où ils venaient d'entrer. Tunner était horrifié. Il enregistrait du regard, sans rien dire, les divers détails du spectacle. Quant à Port, trop endormi pour remarquer quoi que ce fût, il demeura sur le seuil à se défendre des mouches, en décrivant des deux bras de vastes moulinets.

Destiné d'abord à abriter des bureaux de l'administration coloniale, le bâtiment était tombé en décrépitude. La fontaine qui occupait autrefois le bassin avait disparu, mais le bassin demeurait. Des immondices accumulées y formaient un monticule sur lequel rampaient trois petits enfants braillards et nus, dont les tendres corps informes étaient couverts de pustules. Si touchante que fût leur détresse, elle paraissait pourtant moins humaine que celle de deux chiens roses allongés sur le carrelage proche. Complètement pelés depuis longtemps, ils offraient indécemment leur vieille peau nue aux caresses du soleil et des mouches. L'un d'eux souleva la tête et regarda vaguement les nouveaux venus de ses yeux jaune pâle; l'autre ne bougea pas. Derrière les colonnes qui soutenaient une arcade d'un côté du patio s'empilaient des débris de mobilier. Une énorme cruche d'agathe bleue et blanche se dressait près du bassin central. L'odeur des latrines était encore plus forte que celle des ordures. Dominant le bruit des enfants, on entendait des voix aiguës de femmes qui se disputaient et le ronflement d'une radio qui beuglait à l'arrière-plan. Une femme s'encadra un instant dans une porte. Elle poussa un hurlement et s'enfuit aussitôt. De l'intérieur parvenaient des cris et des rires nerveux; une femme se mit à appeler : « Yah, Mohammed ! » Tunner pivota sur ses talons et sortit rejoindre les porteurs qui avaient reçu l'ordre de rester dehors avec les bagages. Port et Kit attendirent tranquillement l'arrivée du nommé Mohammed. Il s'approcha en enroulant autour de sa taille une longue ceinture écarlate dont l'extrémité traînait encore sur le sol. Il discuta avec Port et Kit la question des chambres et insista longuement pour leur en faire prendre une à trois lits — ce qui représenterait une économie pour eux et moins de travail pour les femmes de chambre.

« Si seulement je pouvais m'en aller avant que Port ait convenu de quelque chose ! » pensa Kit. Mais le sentiment de sa culpabilité la poussait à la soumission; elle ne pouvait pas sortir puisque Tunner était dans la rue et qu'elle aurait l'air de prendre son parti. Tout à coup, elle souhaita, elle aussi, qu'il ne fût pas venu avec eux. Elle se sentirait beaucoup plus libre pour exprimer ses préférences. Comme elle l'avait craint, Port suivit l'homme à l'étage et revint bientôt en déclarant que ce n'était pas mal du tout.

Ils louèrent trois chambres sordides qui donnaient sur une petite cour aux murs bleu vif. Un figuier mort dont les branches étaient surchargées de fils de fer barbelés s'élevait au milieu de la cour. En regardant par la fenêtre, Kit vit un chat famélique à la tête minuscule et aux oreilles énormes traverser furtivement la cour. Elle s'assit sur le grand lit de cuivre qui composait, avec la descente de lit en peau de chacal, tout le mobilier de la pièce. Elle ne pouvait guère blâmer Tunner de n'avoir pas voulu jeter le moindre coup d'œil sur les chambres. Mais, comme disait Port, on finit toujours par s'habituer à tout et, bien que pour le moment Tunner eût tendance à se montrer désagréable sur ce point, avant la nuit il serait sans doute accoutumé à la gamme de ces incroyables odeurs.

Ils s'assirent pour déjeuner dans une pièce nue, sans fenêtres, et pareille à un puits, où l'on était tenté de parler tout bas tant les mots revenaient déformés par l'écho. Elle n'était éclairée que par la porte ouverte sur le patio. Port tourna le commutateur du globe électrique central, mais sans résultat. La serveuse aux pieds nus gloussa :

— Pas de lumière, dit-elle en posant la soupe sur la table.

— Très bien, dit Tunner, nous mangerons dans le patio.

La serveuse sortit en courant et revint avec Mohammed qui paraissait mécontent, mais qui les aida néanmoins à transporter la table et les chaises sous l'arcade.

— Encore heureux que ce soient des Arabes et pas des Français, dit Kit. Ça leur aurait paru contraire au règlement de nous laisser manger ici.

— Si c'étaient des Français, nous pourrions manger à l'intérieur, dit Tunner.

Ils allumèrent des cigarettes dans l'espoir de combattre un peu les relents infects qui leur arrivaient par bouffées du bassin. Les enfants n'étaient plus là, leurs cris venaient maintenant de la maison.

Tunner s'arrêta de manger et fixa son assiette. Puis il repoussa sa chaise et jeta sa serviette sur la table.

— Tonnerre de Dieu ! C'est peut-être le seul hôtel de la ville, mais je trouverai toujours mieux que cela au marché. Regardez cette soupe. Elle grouille de cadavres.

Port se pencha sur son assiette.

— Ce sont des charançons. Ils devaient être dans les pâtes.

— Eh bien! maintenant ils sont dans la soupe! Elle en fourmille. Vous pouvez continuer à manger dans votre Charogne-Palace si ça vous plaît. Moi, je vais tâcher de dégoter un bistrot indigène.

— A bientôt, dit Port.

Tunner s'en alla.

Il revint une heure plus tard, moins belliqueux, et un peu abattu. Port et Kit étaient encore dans le patio et prenaient le café en chassant les mouches.

— Alors? Vous avez trouvé quelque chose?

— A manger? Et comment! Il s'assit. Mais je n'arrive pas à savoir comment on peut sortir de cet endroit.

Port, qui n'avait jamais eu une très haute opinion des connaissances de son ami en français, fit : « Oh! » Quelques minutes plus tard, il se leva et partit en ville pour voir ce qu'il pourrait obtenir lui-même comme renseignements sur les possibilités de transport dans la région. La chaleur était étouffante, et il n'avait pas bien mangé. Pourtant, il sifflait en marchant sous les arcades désertes, parce que l'idée d'être débarrassé de Tunner lui donnait un entrain incroyable. Il remarquait déjà moins les mouches.

A la fin de l'après-midi une vaste voiture s'arrêta devant l'entrée de l'hôtel. C'était la Mercédès des Lyle.

— A-t-on jamais rien vu de plus idiot? Cette idée d'aller échouer dans un village perdu dont personne n'a jamais entendu parler...! disait Mrs. Lyle. Tu as failli me faire manquer mon thé. J'imagine que tu aurais trouvé ça drôle. Envoie promener ces maudits gamins et viens ici.

« Moche! Moche! » cria-t-elle en fonçant sur un groupe de jeunes indigènes qui s'étaient approchés de la voiture. « Moche! Emchi! » Elle brandit son sac d'un geste menaçant. Les enfants ahuris reculèrent lentement.

— Il faut que je découvre quels mots on peut leur dire pour se débarrasser d'eux, dit Eric en sautant de la voiture dont il claqua la portière. Inutile de leur parler de la police, ils ne savent pas ce que c'est.

— La police! Quelle sottise! Nous ne pouvons pas menacer

les indigènes des autorités locales. Rappelle-toi que nous ne reconnaissons pas la souveraineté française ici.

— Mais non, mère c'est dans le Rif, et là-bas c'est la souveraineté espagnole.

— Eric ! tais-toi ! Crois-tu que j'oublie ce que Mme Gautier m'a dit ? Qu'est-ce que tu me chantes ?

Elle s'interrompit en voyant sous l'arcade la table encore couverte des assiettes et des verres salles laissés par Port et Kit.

— Tiens ! Il y a eu des arrivées, remarqua-t-elle d'un ton qui dénotait le plus grand intérêt.

Elle se tourna vers Eric, l'air accusateur :

— Et ils ont déjeuné dehors ! Je t'avais dit que nous aurions pu le faire si seulement tu avais un peu insisté. Le thé est dans ta chambre. Descends-le, veux-tu ? Il faut que je m'occupe de cet ignoble réchaud dans la cuisine. Sors le sucre, et ouvre une boîte de biscuits.

Comme Eric traversait le patio en rapportant le paquet de thé, Port rentrait.

— Mrs. Moresby ! Quelle bonne surprise !

— Tiens ! dit-il, qu'est-ce que vous faites ici ? J'avais bien cru reconnaître votre voiture dehors.

— Un instant, je vous prie. Je dois remettre ce thé à ma mère. Elle attend dans la cuisine.

Eric se précipita dans la maison en piétinant au passage l'un des chiens obscènes étalé dans l'obscurité du couloir. La bête poussa un long gémissement. Port grimpa chez Kit pour lui faire part des dernières mauvaises nouvelles. Quelques instants plus tard, Eric tambourinait à la porte.

— Dites, venez donc prendre le thé avec nous dans dix minutes, chambre 11. Quel plaisir de vous voir, Mrs. Moresby !

La chambre 11, celle de Mrs. Lyle, plus longue que les autres, n'était pas moins nue, mais elle donnait directement sur l'entrée. Sa tasse de thé entre les mains, Mrs. Lyle se levait constamment du lit, où tout le monde était assis faute de chaises, pour aller se pencher à la fenêtre et crier : « Moche ! Moche ! »

107

Port ne put retenir sa curiosité.

— Quel est donc ce mot étrange que vous criez dans la rue, Mrs. Lyle?

— J'écarte ces petits brigands noirs de ma voiture.

— Mais qu'est-ce que vous leur dites? C'est de l'arabe?

— C'est du français, dit-elle, et cela veut dire : Filez !

- - Je vois... Et ils comprennent?

— Je l'espère pour eux. Un peu de thé, Mrs. Moresby?

Tunner s'était excusé. La description que Kit avait fait d'Eric lui avait suffi. D'après Mrs. Lyle, Aïn Krorfa était une ville charmante et, le plus charmant était encore le marché aux chameaux où se trouvait un bébé-chameau qu'il leur fallait absolument photographier. Elle en avait pris plusieurs instantanés le matin.

— Il est trop chou, dit-elle.

Eric dévorait Port des yeux. « Il veut de l'argent », pensait Port. Kit remarqua cette extraordinaire expression, mais elle l'interpréta différemment.

Ils s'apprêtaient à partir après avoir épuisé tous les sujets possibles, quand Eric dit à Port :

— Si je ne vous vois pas à dîner, j'irai chez vous un moment dans la soirée. A quelle heure vous couchez-vous?

Port resta dans le vague :

— Oh ! n'importe quand, plus ou moins tard. Ce soir, nous nous attarderons probablement dans la ville.

— Entendu, dit Eric, en lui tapant affectueusement sur l'épaule avant de refermer la porte.

Quand ils furent rentrés dans sa chambre, Kit alla se planter devant la fenêtre et, contemplant le figuier squelettique, déclara :

— Nous aurions dû aller en Italie.

Port sursauta.

— Pourquoi dis-tu cela? A cause d'eux? A cause de l'hôtel?

— A cause de tout.

Elle se tourna vers lui et lui sourit.

— Mais je ne le pense pas vraiment. C'est la bonne heure pour se promener. Allons.

Aïn Krorfa commençait à sortir de sa léthargie quotidienne.

Derrière le fort, élevé près de la mosquée sur une haute colline rocheuse en plein centre de la ville, les rues perdaient leur caractère géométrique et l'on y retrouvait les vestiges de l'ancien quartier indigène. Dans les boutiques dont les mauvaises lampes crachotaient par saccades, dans les cafés ouverts où flottait la fumée du hashisch, et même dans la poussière des chemins bordés de palmiers, des hommes accroupis entretenaient de petits feux, chauffaient de l'eau dans des récipients de fer-blanc, faisaient leur thé, le buvaient.

— L'heure du thé! Ce sont vraiment des Anglais déguisés, dit Kit.

Ils allaient lentement, la main dans la main, parfaitement accordés au doux crépuscule. C'était une soirée plus chargée de langueur que de mystère.

Ils arrivèrent au fleuve; ce n'était plus ici qu'un large ruban de sable blanc qui s'allongeait au loin dans le demi-jour, ils en suivirent le bord jusqu'au moment où les sons de la ville ne furent plus que faibles et lointains. Ils entendaient aboyer des chiens, mais derrière les murs, à une bonne distance du fleuve. Devant eux un feu brûlait; un homme solitaire jouait de la flûte et, dans les ombres dansantes qu'animaient les flammes, une douzaine de chameaux ruminaient solennellement. L'homme regarda passer Port et Kit sans s'arrêter de jouer.

— Crois-tu que tu pourras être heureuse ici? demanda Port d'une voix étouffée.

Kit tressaillit.

— Heureuse? Heureuse? Comment ça?

— Est-ce que tu crois que ça te plaira?

— Oh! je ne sais pas, dit-elle avec un peu d'agacement. Comment le saurais-je? On ne peut pas pénétrer dans leurs vie et savoir ce qu'ils pensent vraiment.

— Ce n'est pas ce que je te demande, remarqua Port irrité.

— Tu as tort. C'est ce qui compte ici.

— Pas du tout, dit-il. Pas pour moi. J'ai l'impression que cette ville, ce fleuve, ce ciel m'appartiennent autant qu'à eux.

Elle faillit s'écrier : « Tu es fou ! » mais elle se retint et dit :

— C'est bizarre !

Ils contournèrent la ville en suivant un chemin bordé de jardins derrière leurs murs.

— Je voudrais que tu ne me poses pas ce genre de questions, dit-elle tout à coup. Je ne peux pas y répondre. Comment pourrais-je dire : Oui, je vais être heureuse en Afrique? J'aime beaucoup Aïn Krorfa, mais je ne sais pas si j'ai envie d'y rester un mois ou d'en partir demain.

— Tu ne pourrais pas en tout cas partir demain, même si tu le voulais, à moins de retourner à Boussif. Je suis arrivé à me renseigner sur les cars. Celui de Bou Noura ne part que dans quatre jours. Et c'est interdit maintenant de monter sur des camions pour Messad. Les soldats contrôlent la circulation routière et les conducteurs risquent une grosse amende.

— Alors nous voilà rivés au Grand Hôtel.

« *Avec* Tunner », pensa Port. Et tout haut :

— *Avec* les Lyle.

— Dieu nous en préserve! murmura Kit.

— Je me demande jusqu'à quand nous allons continuer à leur tomber dessus. Bon Dieu! Qu'ils nous dépassent une bonne fois ou qu'ils nous laissent les dépasser et trouver un coin où nous serons tranquilles!

— Ces choses-là ne s'arrangent pas toutes seules, dit Kit.

Elle aussi pensait à Tunner. Il lui semblait que, si elle n'était pas obligée de s'asseoir en face de lui aux repas, elle pourrait maintenant se détendre complètement et vivre dans le présent, ce présent qui appartenait à Port. Mais à quoi bon même l'essayer si, à chaque instant, elle se retrouvait en face de l'image vivante de sa faute?

Il faisait complètement nuit quand ils regagnèrent l'hôtel. Ils dînèrent assez tard et, aucun d'eux n'ayant envie de sortir, ils montèrent se coucher. Cela leur prit plus de temps que d'habitude, car ils ne disposaient que d'une cuvette et d'une cruche installées sur le toit au bout du couloir. La ville était silencieuse. La radio d'un café jouait un disque d'Abd-el-Wahab, une sorte de chant funèbre intitulé : « Je pleure sur ta tombe. » Port, en se lavant, écouta l'air mélancolique, couvert de temps à autre par l'aboiement des chiens voisins.

Il était déjà au lit quand Eric frappa, mais comme il n'avait pas encore éteint, il n'osa pas faire semblant de dormir, de crainte que sa lumière ne filtrât sous la porte. Le fait qu'Eric entra sur la pointe des pieds avec une mine de conspirateur lui déplut. Il passa un peignoir.

— Qu'est-ce qui vous prend? demanda-t-il. Personne ne dort.

— J'espère que je ne vous dérange pas, mon vieux.

Comme toujours, il avait l'air de s'adresser au plafond.

— Non, non. Mais c'est une chance que vous ne soyez pas venu une minute plus tard. J'allais éteindre.

— Votre femme dort?

— Je pense qu'elle lit. C'est son habitude avant de s'endormir. Pourquoi?

— Je me demandais si je pourrais avoir le roman qu'elle m'a promis cet après-midi.

— Quand? Maintenant?

Il offrit une cigarette à Eric et en alluma une lui-même.

— Oh! Pas si ça la dérange.

— Il vaudrait mieux attendre à demain, vous ne croyez pas? dit Port qui ne le quittait pas des yeux.

— Vous avez raison. En vérité, je suis venu à propos de cet argent... Il hésita.

— Quel argent?

— Les trois cents francs que vous m'avez prêtés. Je voudrais vous les rendre.

— Oh! ne vous tracassez pas pour ça.

Port rit en continuant à l'observer. Tous deux se turent.

— Enfin... comme vous voudrez, dit Port en demandant si, par hasard, il n'avait pas mal jugé le jeune homme, bien qu'il fût, en même temps, plus que jamais convaincu du contraire.

— Ah! parfait, murmura Eric en fouillant dans la poche de son veston. Je n'aime pas garder ce genre de choses sur la conscience.

— Vous n'aviez rien à garder sur la conscience car, si vous voulez bien vous le rappeler, je vous les avais donnés. Mais puisque vous préférez me les rendre, je vous le répète, je n'y vois pas d'inconvénient.

Eric avait fini par extraire un vieux billet de mille francs qu'il tendit avec un petit sourire engageant.

— J'espère que vous avez de la monnaie, dit-il, et il se décida à regarder Port en face comme si cela lui coûtait un gros effort.

Port sentit que le moment était capital mais il ne comprenait pas pourquoi.

— Je ne sais pas, dit-il sans prendre le billet. Voulez-vous que je regarde?

— S'il vous plaît.

Eric parlait d'une voix très basse. Comme Port sortait maladroitement de son lit pour aller à la valise où il gardait son argent et ses papiers, Eric sembla reprendre courage.

— Je suis vraiment une brute de venir vous déranger ainsi au milieu de la nuit, mais d'abord je ne veux pas garder cette histoire sur le cœur; ensuite, j'ai terriblement besoin de monnaie, et ils n'ont pas l'air d'en avoir à l'hôtel. Ma mère et moi nous partons demain à la première heure pour Messad, et j'avais peur de ne plus vous revoir...

— Vous partez? Pour Messad? s'exclama Port en se retournant, le portefeuille à la main. Vraiment? Seigneur! Et notre ami Mr. Tunner qui voudrait tellement y aller!

— Oh?

Eric se leva lentement.

— Oh? répéta-t-il. Nous pourrions très bien l'emmener.

Il regarda le visage de Port et le vit s'éclairer.

— Mais nous partons à l'aube. Vous feriez mieux d'aller le trouver tout de suite pour lui dire d'être prêt en bas à six heures et demie. Nous avons commandé notre thé pour six heures. Dites-lui d'en faire autant.

— J'y vais, dit Port en glissant son portefeuille dans sa poche. Je lui demanderai aussi de la monnaie. Je crois bien qu'il ne m'en reste pas.

— Bon, bon, dit Eric en souriant; puis il se rassit sur le lit.

Tunner, nu, tournait dans sa chambre, un pulvérisateur de D. D. T. à la main.

— Entre, dit-il. Ce truc ne vaut rien.

— Qu'est-ce qu'il y a?

112

— Des punaises, pour commencer.

— Écoute. Veux-tu partir pour Messad demain matin à six heures et demie?

— Je veux partir ce soir à onze heures et demie. Pourquoi?

— Les Lyle t'y emmèneront.

— Et après?

Port improvisa :

— Ils reviennent dans quelques jours et vont tout droit à Bou-Noura. Ils t'y déposeront et nous serons là à t'attendre. Lyle est dans ma chambre. Veux-tu lui parler?

— Non.

Il y eut un silence. L'électricité s'éteignit tout à coup. Quand elle revint, ce n'était plus qu'un mince ver orange à l'intérieur de l'ampoule. La chambre donnait l'impression d'être vue à travers d'épaisses lunettes noires. Tunner jeta un coup d'œil vers son lit défait et haussa les épaules.

— A quelle heure dis-tu?

— Six heures et demie.

— Dis-lui que je serai à l'entrée.

Il fronça les sourcils et regarda Port. Son visage exprimait un vague soupçon.

— Et vous? Pourquoi n'y allez-vous pas?

Port mentit :

— Ils ne peuvent prendre qu'une personne et d'ailleurs cet endroit me plaît.

— Il te plaira moins quand tu te seras couché, dit Tunner avec dégoût.

— Tu en trouveras probablement autant à Messad, remarqua Port.

Il était maintenant complètement rassuré.

— Aucun hôtel ne me fait peur après celui-ci.

— Nous t'attendrons dans quelques jours à Bou-Noura. Épargne les harems !

Il sortit et regagna sa chambre. Eric était toujours sur le lit, mais il avait allumé une autre cigarette.

— Mr. Tunner est enchanté. Il vous retrouvera à l'entrée à six heures et demie. Allons bon ! J'ai oublié de lui demander de la monnaie pour vos mille francs.

113

Il hésita, prêt à sortir de nouveau.

— Ne vous en faites pas. Il pourra me les changer demain en route, si j'en ai besoin.

Port ouvrit la bouche pour dire : « Je croyais que vous vouliez me rendre les trois cents francs », mais il se ravisa. L'affaire était réglée ; ce serait trop bête de risquer de la faire rater pour trois cents francs. Il sourit et dit :

— Évidemment. Eh bien ! j'espère que nous vous reverrons à votre retour.

Eric sourit aussi, les yeux fixés sur le plancher.

— Oui, certainement, dit-il.

Il se leva brusquement et se dirigea vers la porte.

— Bonne nuit.

— Bonne nuit.

Port donna un tour de clé et resta debout, rêveur. L'attitude d'Eric lui avait paru plus absurde que jamais, mais il continuait à lui chercher une explication. Comme il avait sommeil, il éteignit le peu de lumière qui restait et se coucha. Les chiens aboyaient en chœur, près de l'hôtel et dans le lointain, mais il ne fut pas attaqué par la vermine.

Cette nuit-là, il s'éveilla en sanglotant. Son être était un puits profond de mille kilomètres ; il remonta des régions souterraines avec un sentiment de tristesse et de repos infinis, mais sans aucun autre souvenir de son rêve que celui de la voix désincarnée qui avait murmuré : « L'âme est la partie la plus lasse du corps. » La nuit était silencieuse. On n'entendait qu'un léger souffle de vent dans le figuier : il balançait les fils de fer barbelés accrochés dans les branches et les faisait grincer faiblement. Port les écouta un moment, puis s'endormit.

16

Kit était assise dans son lit, son plateau à côté d'elle. La réverbération du soleil sur le mur bleu de la cour éclairait la chambre. Port lui avait servi son petit déjeuner, convaincu,

après avoir observé les domestiques, de leur totale incapacité
à exécuter un ordre. Elle avait mangé et, maintenant, elle
pensait à ce qu'il lui avait dit (avec un soulagement mal dissimulé) sur la façon dont il s'était débarrassé de Tunner. Parce
qu'elle avait, elle aussi, secrètement souhaité ce départ, la
chose lui paraissait doublement ignoble. Mais pourquoi? Il
était parti de son plein gré. Puis elle se rendit compte qu'elle
devinait les projets de Port : il s'arrangerait pour manquer
Tunner à Bou-Noura. En dépit de ce qu'il disait, elle voyait
par son attitude qu'il n'avait nullement l'intention de le
retrouver là-bas. C'était cela qui lui paraissait malhonnête.
Si elle ne se trompait pas, la trahison était trop grossière;
elle décida de n'en être pas complice. « Même si Port le fuit,
je l'y attendrai. » Elle se pencha et déposa le plateau
sur la peau de chacal. Elle était mal tannée et il en montait
une odeur aigre. « Est-ce que je ne cherche pas plutôt à me
punir en m'imposant sans cesse sa présence? se demanda-
t-elle. Ne vaudrait-il pas mieux nous en débarrasser? » Si seulement il était possible de percer l'avenir, de discerner ce que
leur réservaient les prochaines semaines ! Les nuages sur les
montagnes avaient bien été de mauvais augure, mais pas
comme elle se l'était imaginé. Au lieu de sombrer, ils avaient
vécu une nouvelle expérience, qui se révélerait peut-être encore
plus désastreuse dans ses conséquences. Comme toujours elle
n'était épargnée que pour subir un sort pire que celui qu'elle
prévoyait. Mais elle ne pensait pas que Tunner y eût un rôle
à jouer; peu importait donc, vraiment, son attitude envers
lui. Les autres présages annonçaient un drame beaucoup plus
horrible et certainement inéluctable. Chaque péril évité la
rapprochait d'un danger plus terrible encore. « Mais alors,
pensait-elle, pourquoi ne pas me soumettre? Et si je me sou-
mettais, comment agirais-je? Exactement comme je le fais. »
Si bien que se soumettre ou non ne changeait rien au problème.
Elle se battait contre sa propre existence. Tout ce qu'elle
pouvait espérer, c'était de manger et de dormir en courbant
le dos devant les présages.

Elle resta étendue la plus grande partie de la journée et ne
s'habilla que pour déjeuner avec Port, sous l'arcade de l'infect

patio. Aussitôt rentrée dans sa chambre, elle se déshabilla
de nouveau. Le lit n'avait pas été fait. Elle le retapa vaguement
et se recoucha. L'atmosphère était chaude, sèche, irrespirable.
Port était sorti le matin dans la ville. Elle se demanda comment
il pouvait supporter le soleil, même avec son casque; elle-
même n'y résistait pas plus de cinq minutes sans éprouver un
malaise. Port n'était pas de constitution robuste, et pourtant
il s'était promené pendant des heures dans cette chaleur de
four, avant de revenir manger de bon appétit l'exécrable
nourriture. Et il avait découvert un Arabe qui les attendait
tous les deux pour le thé à six heures. Il avait bien fait comprendre à Kit qu'il ne leur faudrait être en retard à aucun prix.
Cela lui ressemblait bien d'insister sur l'exactitude vis-à-vis
d'un marchand anonyme d'Aïn Krorfa, quand, à l'égard de
ses amis et d'elle-même, il se comportait de la façon la plus
cavalière, arrivant aux rendez-vous avec des retards qui
variaient d'une demi-heure à deux heures!

L'Arabe vendait des peaux et s'appelait Abdeslam bel
Hadj Chaoui. Ils allèrent le chercher à sa boutique et attendirent qu'il l'eût fermée. Tandis que s'élevait la voix du
muezzin, il les conduisit lentement par les rues tortueuses,
en s'adressant surtout à Kit dans un français fleuri.

— Combien je suis heureux! Voici la première fois que
j'ai l'honneur d'inviter une dame et un monsieur de New
York! Comme je voudrais aller à New York! Quelles richesses!
L'or et l'argent partout! *Le grand luxe pour tout le monde!*
Ce n'est pas comme Aïn Krorfa — du sable dans les rues,
quelques palmiers, un soleil brûlant, et toujours de la tristesse.
C'est un grand plaisir pour moi de pouvoir inviter une dame
de New York. Et un monsieur. New York! Quel mot magnifique.

Ils se contentaient de le laisser parler.

Le jardin, comme tous les jardins d'Aïn Krorfa, était en
fait un verger. Sous les orangers, des rigoles pleines d'eau
étaient alimentées par un puits construit à l'une des extrémités du terrain, sur une plate-forme artificielle. Les palmiers
les plus hauts s'élevaient à l'autre extrémité, près du mur qui
bordait le lit du fleuve et, sous l'un d'eux, s'étalait une cou-

verture de laine blanche. Ils s'y installèrent, tandis qu'un domestique apportait un réchaud et tous les accessoires nécessaires à la préparation du thé. L'air était lourd du parfum de la menthe qui poussait le long des rigoles.

— Nous allons parler un peu, en attendant que l'eau bout, dit l'hôte, en les gratifiant tour à tour de sourires affables. Nous plantons ici le palmier mâle parce qu'il est plus beau. A Bou-Noura, où on ne pense qu'à l'argent, on plante des palmiers femelles. Vous savez comment ils sont? Courts et gros, et ils donnent beaucoup de dattes, mais les dattes de Bou-Noura ne sont même pas bonnes !

Il eut un rire de satisfaction tranquille.

— Vous voyez comme les gens sont idiots à Bou-Noura !

Le vent soufflait, agitant doucement les troncs des palmiers dont les cimes se balançaient d'un mouvement circulaire. Un jeune homme en turban jaune s'approcha, salua d'un air grave et s'assit un peu en retrait sur le bord de la couverture. Il tira de son burnous un oud dont il se mit à pincer négligemment les cordes, en regardant au loin sous les arbres. Kit buvait son thé en silence et souriait aux réflexions de M. Chaoui. Après un moment, elle demanda une cigarette à Port, en anglais, mais il fronça les sourcils, et elle comprit que les autres seraient choqués de voir une femme fumer. Elle continua à boire avec l'impression que rien n'était réel de ce qu'elle voyait et entendait, ou qu'elle-même n'était pas réellement là. Le jour baissait; peu à peu le récipient de braises devint le seul point précis du décor. Les notes détachées du luth formaient un accompagnement idéal à leur bavardage et Kit les écoutait comme on observe de légères volutes de fumée s'élevant d'une cigarette dans l'air tranquille. Elle n'éprouvait aucun désir de bouger, de parler, ou même de penser. Mais tout à coup elle eut froid, et elle interrompit la conversation pour le dire. M. Chaoui n'en fut pas content; il trouvait cette déclaration d'une grossièreté inconcevable. Il sourit et dit :

— Ah ! oui, Madame est blonde. Les blondes sont comme des seguias sans eau. Les Arabes sont comme les seguias d'Aïn Krorfa. Les seguias d'Aïn Krorfa sont toujours pleins. Nous avons des fleurs, des fruits, des arbres.

— Et pourtant vous dites qu'Aïn Krorfa est triste, remarqua Port.

— Triste? répéta M. Chaoui avec étonnement. Aïn Krorfa n'est jamais triste. C'est un endroit paisible et gai. Même si l'on m'offrait un palais et vingt millions, je ne quitterais pas ma terre natale.

— Naturellement, approuva Port, puis, voyant que leur hôte ne désirait plus poursuivre l'entretien, il dit : Puisque Madame a froid, il faut que nous partions, mais nous vous remercions infiniment. C'est pour nous un grand privilège d'avoir été reçus dans ce ravissant jardin.

M. Chaoui ne se leva pas. Il inclina la tête, tendit la main, dit :

— Oui, oui, allez, puisqu'il fait froid.

Ses deux invités multiplièrent leurs excuses. Mais elles ne furent pas acceptées de très bonne grâce.

— Oui, oui, oui, dit M. Chaoui. Une autre fois peut-être il fera plus chaud.

Port refréna la colère qui montait en lui, et dont il se blâmait en même temps qu'il ne pouvait s'empêcher de la ressentir.

— *Au'voir, cher Monsieur*, dit soudain Kit en prenant une voix enfantine.

Port lui pinça le bras. Mais M. Chaoui n'avait rien remarqué d'extraordinaire, et même il se dérida suffisamment pour recommencer à sourire. Jouant toujours du luth, le musicien, les accompagna jusqu'à la porte qu'il referma après leur avoir dit solennellement : *B'slemah.*

Il faisait presque noir sur la route et ils hâtèrent le pas.

— J'espère que tu ne vas pas me faire de reproches, commença Kit sur la défensive.

Port lui passa le bras autour de la taille.

— Des reproches ! Pourquoi? Comment le pourrais-je? Et qu'est-ce que cela fait, après tout?

— Mais si, cela fait beaucoup, dit-elle. Si ça ne fait rien, quel intérêt y avait-il à voir cet homme?

— Intérêt... Je ne crois pas qu'il ait été question d'*intérêt*. Je pensais que ce serait drôle. Et je pense que ça l'a été; je suis content que nous y soyons allés.

— Moi aussi, en un sens. J'ai pu me rendre compte par moi-même de ce que seraient les conversations ici, à quel point elles peuvent être incroyablement superficielles.

Port lui lâcha la taille.

— Je ne suis pas de cet avis. Tu ne dis pas qu'une frise est superficielle parce qu'elle n'a que deux dimensions.

— Si certainement, quand on a à l'habitude d'avoir des conversations qui sont autre chose que des ornements. La conversation n'est pas une frise pour moi.

— Quelle sottise ! Ils ont tout simplement une autre façon de vivre, une philosophie complètement différente.

— Je le sais, dit-elle en s'arrêtant pour secouer le sable de ses souliers. Je dis seulement que je ne pourrais jamais m'y faire.

Il soupira : le résultat de cette visite était exactement l'opposé de ce qu'il avait pu espérer. Elle devina sa pensée et dit presque aussitôt :

— Ne t'occupe pas de moi. Quoi qu'il arrive, je serai toujours bien si je suis avec toi. Je me suis amusée ce soir. C'est vrai.

Elle lui pressa la main. Mais ce n'était pas tout à fait ce qu'il souhaitait; il voulait autre chose que de la résignation et lui rendit mal son geste.

— Et que signifiait ta petite manifestation, à la fin? demanda-t-il un peu plus tard.

— Je n'ai pas pu m'en empêcher. Il était si ridicule !

— Ce n'est pas recommandé de se moquer d'un hôte, dit-il froidement.

— Oh ! tant pis. Et tu as bien vu qu'il a adoré cela. Il a cru que c'était une marque de déférence.

Ils dînèrent tranquillement dans le patio obscur. On avait enlevé la plus grande partie des ordures, mais l'odeur des latrines était toujours aussi forte. Après le dîner, ils montèrent lire dans leurs chambres.

Le lendemain matin, en lui apportant son petit déjeuner, Port dit à Kit :

— J'ai failli te faire une visite cette nuit. Je n'arrivais pas à dormir. Mais j'ai eu peur de te réveiller.

119

— Tu aurais dû frapper à la cloison, dit-elle. Je t'aurais entendu. Je ne dormais sans doute pas.

Toute la journée, Port fut étrangement nerveux; il attribua cela aux sept verres de thé très fort qu'il avait bus dans le jardin. Mais Kit en avait pris autant et n'en semblait pas affectée. Dans l'après-midi, il se promena au bord du fleuve, et regarda les spahis s'entraîner sur leurs admirables chevaux blancs. Leurs grandes capes bleues flottaient au vent. Comme son agitation semblait plutôt croître avec les heures, il s'obligea à en rechercher la source. Il marchait la tête penchée, sans rien voir que le sable et les cailloux luisants. Tunner était parti, il était seul avec Kit. Tout ne dépendait plus que de lui. Peut-être ferait-il le geste propice, ou, au contraire, se tromperait-il, mais il ne pouvait prévoir lequel serait le bon? L'expérience lui avait prouvé que, dans ces cas-là, il n'y avait pas à compter sur la raison. Il surgissait toujours un élément mystérieux et un peu hors de portée, dont il n'avait pas tenu compte. Le problème était de savoir, non de deviner. Et cette science lui manquait. Il leva les yeux. Le lit du fleuve s'était considérablement élargi, les murs et les jardins se perdaient maintenant à l'horizon. Il n'entendait plus que le vent soufflant à ses oreilles dans sa course d'une région de la terre à une autre. Chaque fois que le fil de sa conscience se déroulait trop loin et finissait par s'embrouiller inextricablement, il lui suffisait d'un peu de solitude pour se retrouver. Sa nervosité était guérissable puisqu'elle ne tenait qu'à lui : il s'effrayait de sa propre ignorance. Pour se calmer, il lui fallait concevoir une situation où cette ignorance n'aurait plus d'effet. Il lui fallait se comporter comme s'il ne devait jamais plus posséder Kit. Alors, il la retrouverait peut-être, automatiquement, dans un moment de pure inattention. Mais, aujourd'hui, devait-il envisager d'abord le désir purement égocentrique qu'il éprouvait de se débarrasser de son agitation, ou, malgré cette agitation, ne tendre qu'à réaliser son premier dessein? « Je me demande si je ne suis pas lâche, après tout », pensa-t-il. La voix de la peur parlait en lui; il l'écouta et se laissa convaincre — procédé classique. Cette idée l'attrista.

Assez près, sur une légère élévation, à l'endroit où le fleuve

formait un coude brusque, se trouvait un petit bâtiment
en ruine, sans toit, et si vieux qu'un arbre tordu y avait
poussé entre les murs qu'il couvrait de son ombre. Port s'en
rapprocha, et jeta un coup d'œil à l'intérieur. Il vit que les
branches les plus basses étaient couvertes de centaines de
chiffons, des bandes déchirées dans une étoffe jadis blanche
qui flottaient dans le vent. Sa curiosité mise en éveil, Port
escalada le talus; il s'aperçut alors que les ruines étaient
occupées : un très vieil Arabe se tenait assis sous l'arbre
ses membres maigres entourés de bandelettes. Un abri avait
été construit autour du tronc; il était évident que l'homme
y habitait. Port l'observa un long moment, mais il ne leva
pas la tête.

Port reprit la route plus lentement, en mangeant quelques
figues dont il s'était muni. Quand il eut dépassé le coude du
fleuve, il se trouva face au soleil couchant; une étroite vallée
s'allongeait devant lui entre deux croupes dénudées en pente
douce. Au fond s'élevait une colline rougeâtre plus abrupte
qui portait à son flanc une ouverture sombre. Port aimait
les grottes et fut tenté d'aller la voir de près. Mais les distances
étaient trompeuses dans ces régions et il n'aurait peut-être
pas le temps d'y parvenir avant la nuit; d'ailleurs, il ne sentait
pas l'énergie nécessaire. « Demain je viendrai plus tôt pour
y monter », se dit-il. Il regardait la vallée, plein d'une vague
tristesse, triturant du bout de la langue les graines de figues
coincées entre ses dents. Les petites mouches tenaces grouillaient sur sa figure. Et soudain il lui vint à l'esprit qu'une
promenade à travers la campagne était une sorte de symbole
du passage à travers la vie. On n'avait pas le temps d'en savourer les détails. On disait : demain..., mais en sachant bien,
au fond de soi, que chaque journée était unique et définitive,
qu'elle ne reviendrait jamais.

Il transpirait sous son casque. Il l'enleva; la doublure de
cuir en était trempée. Tête nue, il laissa quelques minutes
le soleil lui sécher les cheveux. Le jour allait finir, la nuit
venait, il se retrouverait avec Kit dans cet hôtel empesté;
mais il devait décider d'abord de la ligne à suivre. Il fit demi-
tour et reprit le chemin de la ville. Le vieil homme s'était

déplacé; il s'était assis sur l'emplacement de la porte disparue. Soudain l'idée vint à l'esprit de Port que l'homme était malade. Il hâta le pas en retenant absurdement sa respiration. Un peu plus loin, comme il aspirait une bouffée d'air frais, il sut ce qu'il allait faire : renoncer provisoirement à l'idée de se rapprocher de Kit. Dans son état d'inquiétude actuel, il serait certain d'accumuler les erreurs et risquerait de la perdre à jamais. Plus tard, au moment où il l'attendrait le moins, la chose se ferait peut-être d'elle-même. Il termina sa promenade d'un pas rapide, et quand il atteignit les rues d'Aïn Krorfa, il se mit à siffler.

Il arriva à l'hôtel pendant le dîner. Un voyageur de commerce installé dans la salle à manger avait apporté une radio, qui était branchée sur Radio-Oran. Dans la cuisine, un autre poste, plus fort, jouait de la musique égyptienne.

— C'est supportable une minute, dit Kit, ensuite on devient fou.

Elle avait trouvé des touffes de poils dans le ragoût de lapin, et malheureusement la lumière était si faible dans ce coin du patio qu'elle en avait fait la découverte trop tard, quand elle les avait déjà dans la bouche.

— Oui, dit Port distrait, je déteste ça autant que toi.

— Non. Mais je pense que ce serait vrai si je n'étais pas là à en souffrir pour toi.

— Comment peux-tu dire ça. Tu sais que c'est faux.

Il lui caressa la main : parce qu'il avait pris une décision, il se sentait mal à l'aise avec Kit. Il ne s'était pourtant pas attendu à la trouver si irritable.

— Encore une ville comme celle-ci et je n'aurai plus à hésiter, dit-elle. Je repartirai tout simplement prendre le premier bateau pour Gênes ou pour Marseille. Cet hôtel est un cauchemar, *un cauchemar!*

Après le départ de Tunner, elle avait vaguement espéré qu'un changement se produirait dans leurs rapports. Le seul résultat de son absence était qu'elle pouvait s'exprimer librement, sans craindre de paraître prendre parti. Mais, loin de faire un effort si un sujet de tension s'élevait entre eux, elle décida au contraire de se montrer constamment intransigeante. Cet accord si attendu se ferait peut-être, maintenant ou plus tard, mais c'était à Port de le réaliser, comme ni l'un ni l'autre n'avait jamais, à aucun point de vue, mené une vie régulière, ils avaient tout les deux commis l'erreur fatale d'en arriver, sans le savoir, à ne pas tenir compte du temps. Une année ressemblait à une autre. Ils s'attendaient à tout.

17

Le lendemain soir, la veille de leur départ pour Bou Noura, ils dînèrent de bonne heure et Kit monta dans sa chambre faire ses valises. Port resta assis à table dans l'obscurité en attendant que les autres eussent fini. Il entra ensuite dans la salle à manger vide et s'y promena devant les orgueilleux symboles de la civilisation : les tables vernies dont les nappes étaient maintenant en papier, les salières de gros verre à couvercle perforé, les bouteilles débouchées avec les serviettes de leurs propriétaires nouées autour du goulot. L'un des chiens roses rampa vers la porte, mais, voyant Port, il poursuivit son chemin jusqu'au patio où il s'étendit en soupirant profondément. Port pénétra dans la cuisine. Au centre de la pièce, à la lumière d'une pauvre ampoule, Mohammed, debout, tenait un grand couteau de boucher fiché dans la table. Sous la pointe du couteau un cafard agitait faiblement les pattes. Mohammed étudiait attentivement l'insecte. Il leva les yeux et fit un grand sourire.
— Fini? demanda-t-il.
— Quoi? dit Port.
— Fini, le dîner?
— Oh ! oui.
— Alors je vais fermer la salle à manger.
Il alla chercher la table de Port, la remit à sa place dans la pièce, éteignit l'électricité et ferma à clé les deux portes. Puis il éteignit aussi dans la cuisine. Port se dirigea vers le patio.

— Tu vas dormir? demanda-t-il.

Mohammed se mit à rire.

— Pourquoi croyez-vous que je travaille toute la journée. Juste pour rentrer dormir? Venez avec moi. Je vous montrerai le meilleur endroit d'Aïn Krorfa.

Port le suivit au dehors et ils bavardèrent quelques minutes. Puis ils descendirent la rue ensemble.

L'endroit en question se composait de plusieurs maisons dont l'entrée commune donnait sur une grande cour carrelée. Chacune d'elles comprenait plusieurs chambres, toutes minuscules et qui, à l'exception de celles du rez-de-chaussée, se trouvaient à des niveaux différents. A la faible lumière de la lampe au carbure et des étoiles, toutes ces pièces éclairées, ces petites boîtes claires, apparaissaient à Port comme autant de fours. La plupart avaient leurs portes et leurs fenêtres ouvertes et elles étaient pleines à craquer d'hommes et de filles vêtus, sans distinction de sexe, de vêtements blancs flottants. L'ensemble avait un aspect de fête qui l'enchanta; il n'avait certainement pas l'impression de se trouver dans un mauvais lieu, quelque effort qu'il fît d'abord pour le voir comme tel.

Ils se dirigèrent vers une chambre située en face de l'entrée. Mohammed glissa la tête à l'intérieur et salua quelques-uns des hommes assis sur des divans, contre les murs. Il entra en invitant Port à le suivre. On leur fit place et ils s'assirent avec les autres. Un jeune garçon à qui ils commandèrent du thé sortit en courant. Mohammed entreprit bientôt une grande conversation avec son voisin. Port, renversé sur les coussins, observait les filles accroupies qui buvaient leur thé en bavardant avec les hommes en face d'elles. Il attendait un geste licencieux, le moindre signe. Il ne vit rien.

Pour une raison qu'il n'arrivait pas à démêler, de nombreux enfants couraient à travers l'établissement. Ils étaient bien élevés et tranquilles, et jouaient dans la cour sombre comme s'il s'agissait d'une cour d'école et non d'un bordel. Quelques-uns traînaient dans les chambres et les hommes les prenaient sur leurs genoux en leur manifestant la plus grande affection; ils leur tapotaient les joues et leur permettaient de temps en temps de tirer une bouffée de leurs cigarettes. Port songea que l'heureux caractère de ces enfants venait sans doute de la bienveillance désinvolte de leurs aînés. Quand l'un des plus jeunes commençait à pleurer, les hommes riaient et le renvoyaient; l'enfant se calmait aussitôt.

Un chien policier, noir et gras, déambulait à travers les pièces en reniflant les souliers; il faisait l'objet de l'admiration générale. « Le plus beau chien d'Aïn Krorfa, dit Mohammed, comme la bête, haletante, s'arrêtait sur le seuil près de lui. Il appartient au colonel Lefilleul; le colonel doit être ici ce soir. »

Quand le jeune garçon revint avec le thé, il était accompagné d'un autre enfant, qui ne semblait pas avoir plus de dix ans, mais dont le doux visage était celui d'un petit vieux. Port le désigna à Mohammed en murmurant qu'il avait l'air malade.

— Oh, non ! C'est un chanteur.

Mohammed fit un signe à l'enfant qui commença à battre des mains sur un rythme syncopé, en chantant sur trois notes une longue complainte monotone. Port trouvait parfaitement incongru et un peu scandaleux d'entendre une musique si peu enfantine, si désabusée, sortir de la bouche de ce tout neuf échantillon d'humanité. Pendant qu'il chantait, deux filles entrèrent saluer Mohammed. Il les fit asseoir. et servir le thé, sans cérémonie. L'une était mince avec le nez très fort, et l'autre, un peu plus jeune, avait des joues rondes de paysanne; des tatouages bleus leur couvraient le front et le menton. Elles portaient, comme toutes les femmes, des robes lourdes chargées d'un assortiment de bijoux d'argent plus lourds encore. Sans qu'il en discernât la raison, Port ne se sentit pas attiré par elles. Il y avait en ces deux filles quelque chose de prosaïque; elles étaient terriblement présentes. Il réalisait maintenant quelle trouvaille il avait faite en Marhnia, malgré sa perfidie. Il ne voyait ici aucune femme qui eût moitié autant de beauté ou de style. Quand l'enfant s'arrêta de chanter, Mohammed lui donna quelques pièces. L'enfant se tourna vers Port, prêt à en recevoir aussi de lui, mais Mohammed l'injuria et il s'enfuit. On jouait de la musique dans la chambre voisine : le roulement sec des tambourins accom-

pagnait le son aigu d'une rhaïta. Comme les deux filles
l'assommaient, Port s'excusa et sortit dans la cour pour
écouter.

Devant les musiciens, au centre de la pièce, une fille dansait,
si l'on pouvait appeler ses mouvements une danse. Elle tenait
à deux mains une canne derrière sa tête et ne remuait que son
cou et ses épaules agiles. Ses mouvements gracieux, d'une
impudence qui frisait le comique, traduisaient parfaitement
les sons stridents en termes visuels. Port était moins touché
par la danse que par l'expression étrangement détachée de
la danseuse, une expression de somnambule. Son sourire
était figé, et l'on aurait dit volontiers que son esprit l'était
également, comme s'il s'adressait à un objet si lointain qu'elle
seule en connaissait l'existence. Un dédain impersonnel et
souverain se lisait dans ses yeux qui ne voyaient pas et dans
la courbe de ses lèvres tranquilles. Plus il regardait son visage,
plus il se sentait fasciné. C'était un masque de proportions
parfaites, dont la beauté tenait moins à la forme des traits
qu'à la cause implicite de l'expression — la cause, ou, au
contraire, le refus de la laisser deviner. Car il était impossible
de dire quelle émotion se dissimulait en elle. La danseuse
semblait dire : « C'est une danse. Je ne danse pas puisque
je ne suis pas ici. Mais c'est ma danse. » A la fin, et quand la
musique se fut tue, elle demeura immobile un moment,
abaissa lentement la canne, puis, frappant le sol de quelques
coups vagues, se retourna pour parler à l'un des musiciens.
Son extraordinaire expression ne s'était modifiée en rien.
Le musicien se leva et lui fit place par terre à son côté. La
façon dont il l'aida à s'asseoir parut étrange à Port, et tout
à coup il comprit que la jeune fille était aveugle. Cette révé-
lation le frappa comme une décharge électrique; il sentit son
cœur sauter dans sa poitrine et sa tête devenir brûlante.

Il retourna en hâte dans l'autre pièce et demanda à Mohammed de venir lui parler. Il espérait le décider à sortir dans la
cour pour n'être pas obligé de s'expliquer devant les filles,
même si elles ne comprenaient pas le français. Mais Mohammed
n'avait pas envie de bouger. « Asseyez-vous, mon cher ami »,
lui dit-il en le tirant par la manche. Port avait beaucoup

trop peur de voir sa proie lui échapper pour se préoccuper d'être poli. « *Non, non, non,* cria-t-il. *Viens vite!* » Mohammed haussa les épaules par politesse envers les deux filles, puis il se leva et l'accompagna dans la cour, où il se tinrent près du mur sous la lumière. Port lui demanda d'abord si les danseuses étaient accessibles et fut découragé quand Mohammed lui répondit que la plupart avaient des amants et n'étaient enregistrées comme prostituées dans la maison que pour avoir un toit, sans exercer la profession. Tout le monde évitait naturellement celles-là. « *Bsif! Forcément!* On se ferait couper la gorge. » Il rit en montrant ses gencives rouges, aussi éclatantes qu'un modèle de mâchoire chez un dentiste. Port n'avait pas considéré la question sous cet angle. Pourtant la chose méritait un effort. Il attira Mohammed près de la porte de l'alcôve où était assise la danseuse et la désigna.

— Renseigne-toi sur celle-ci, dit-il. Tu la connais?

Mohammed le regarda.

— Non, dit-il enfin. Je vais voir. Si ça peut s'arranger, je ferai l'affaire et vous me donnerez mille francs. Il y en aura pour elle et aussi pour moi, pour me payer le café et le casse-croûte.

Le prix était excessif pour Aïn Krorfa, et Port le savait. Mais ce n'était vraiment pas le moment de marchander, et il accepta la proposition. Puis il retourna s'asseoir près des deux filles ennuyeuses, comme Mohammed le lui avait demandé. Elles parlaient entre elles et leur conversation les absorbait tant qu'elles remarquèrent à peine son arrivée. La pièce bruissait de voix et de rires. Il s'installa sur un divan et écouta; bien qu'il ne comprît pas un mot de ce qui se disait, il s'amusait à étudier les inflexions de la langue.

Mohammed resta très longtemps absent. Il commençait à se faire tard, la pièce se vidait peu à peu; certains clients se retiraient dans les chambres à coucher, d'autres rentraient chez eux. Les deux filles continuaient à parler et entremêlaient maintenant leurs phrases d'éclats de rire, en s'excitant mutuellement. Port se demanda s'il ne devrait pas aller à la recherche de Mohammed. Il essayait de demeurer calme et de s'adapter à ce lieu où le temps semblait ne plus exister, mais les circonstances se prêtaient mal à ce jeu de l'imagination. Quand il se décida enfin à sortir, il aperçut tout de suite, de l'autre côté de la cour, Mohammed qui fumait du haschisch allongé sur un divan, avec quelques amis. Il s'approcha et l'appela sans franchir le seuil, car il ignorait le protocole des fumeries. Mais il n'y en avait pas.

— Entre, dit Mohammed derrière son nuage d'épaisse fumée. Prends une pipe.

Port entra, salua les autres, et demanda tout bas :

— Et la fille?

Mohammed parut un moment ne pas comprendre. Puis il rit :

— Ah! celle-là? Tu n'as pas de chance, mon ami. Tu ne sais pas? Elle est aveugle, la pauvre.

— Je sais, je sais, dit Port impatienté et qui sentait grandir son appréhension.

— Écoute, tu n'en veux pas, bien sûr? Elle est aveugle!

Il ne put se dominer.

— *Mais bien sûr que je la veux!* hurla-t-il. Bien sûr que si. Où est-elle?

Mohammed se souleva légèrement sur un coude.

— Ah! grogna-t-il, à l'heure qu'il est, qui sait? Assieds-toi et prends une pipe. On est entre amis.

Port en colère pivota sur ses talons, et partit entreprendre la visite systématique de toutes les alcôves, d'un bout à l'autre de la cour. Mais la fille n'était plus là. Déçu et furieux, il sortit dans la rue sombre. Un soldat arabe et une fille debout près de l'entrée parlaient à voix basse. En passant devant eux, Port dévisagea la femme. Les yeux de l'homme étincelèrent, mais il ne bougea pas. Ce n'était pas elle. A droite et à gauche de la rue mal éclairée, Port distingua au loin deux ou trois silhouettes en robes blanches. Il marchait en chassant rageusement du pied les cailloux qui se trouvaient sur son chemin. Maintenant qu'elle était partie, il était persuadé, non pas qu'il avait été frustré d'un moment de plaisir, mais que l'amour même lui échappait. Il grimpa sur la colline et s'assit devant le fort, le dos appuyé contre le vieux mur. Les rares lumières de la ville se détachaient sur l'inévitable horizon de désert.

Elle aurait posé ses mains sur les revers de sa veste, cherché son visage, fait lentement courir ses doigts sensibles le long de ses lèvres. Elle aurait respiré la brillantine de ses cheveux, étudié ses vêtements avec soin. Une fois couchée, sans yeux pour voir au delà du lit, elle aurait été complètement présente, une prisonnière. Il imagina les petits jeux auxquels il se serait livré avec elle, en faisant semblant d'être parti quand il ne l'aurait pas quittée. Il songea aux innombrables moyens dont il aurait disposé pour gagner sa reconnaissance. Et toujours il revoyait dans sa symétrie de masque le visage imperturbable et vaguement interrogateur. Il frissonna soudain de pitié pour lui-même et il en ressentit presque du plaisir, tant c'était bien l'expression de son humeur. C'était un frisson physique; il était seul, abandonné, sans espoir, glacé. Surtout glacé — un froid intérieur profond et irrémédiable. Quoique cette torpeur de glace fût à la base même de son chagrin, il se refuserait toujours à la secouer; c'était là le véritable centre de son être : autour duquel il s'était construit.

Mais, alors, il eut réellement froid. Cela lui parut étrange, car il avait grimpé très vite et en était encore un peu haletant. Saisi d'une brusque terreur, semblable à celle de l'enfant qui se heurte dans l'obscurité à un objet qu'il ne peut identifier, il se leva d'un bond et courut sur la crête de la colline jusqu'à l'entrée du chemin qui descendait à la place du marché. La course calma sa peur, mais quand il s'arrêta pour regarder le cercle de lumière autour du marché, il sentit encore en lui le froid, comme du métal. Il descendit la pente en courant, pour aller chercher le whisky dans sa chambre; puisque la cuisine de l'hôtel était fermée, il avait décidé de l'emporter au bordel, où il pourrait se faire un grog chaud avec du thé. En entrant dans le patio, il dut enjamber le veilleur de nuit allongé sur le seuil. L'homme se redressa un peu et cria : *Eçhkoun? Qui?*

— *Numéro* 20 ! répondit-il en se hâtant.

L'odeur était toujours aussi infecte.

Il n'y avait pas de lumière sous la porte de Kit. Dans sa chambre, il prit la bouteille de whisky et regarda l'heure à sa montre, qu'il avait eu la prudence de laisser sur la table de chevet. Il était trois heures et demie. En marchant vite, il pourrait être rentré vers quatre heures et demie, à moins que, là-bas, on n'eût laissé les feux s'éteindre.

Le veilleur de nuit ronflait quand il sortit dans la rue. Il s'obligea à faire des pas si grands que les muscles de ses jambes regimbaient, mais l'exercice ne parvint pas à atténuer le froid qui l'avait envahi. La ville semblait dormir. Aucune musique ne sortait plus de la maison. La cour était complètement noire, ainsi que la plupart des chambres. Quelques-unes pourtant étaient encore ouvertes et éclairées. Mohammed, étendu, parlait avec ses amis.

— Eh bien, tu l'as trouvée? demanda-t-il à Port qui entrait. Qu'est-ce que tu as là?

Port montra la bouteille avec un vague sourire. Mohammed fronça les sourcils.

— Il ne faut pas. C'est très mal. Ça te tournera la tête.

D'une main il dessinait dans l'air des spirales, de l'autre il essayait d'arracher à Port sa bouteille.

— Viens fumer une pipe avec moi, pria-t-il. C'est meilleur. Assieds-toi.

— Je voudrais du thé, dit Port.

— C'est trop tard, dit Mohammed d'un ton ferme.

— Pourquoi? demanda Port stupidement. Il m'en faut.

— Trop tard. Plus de feu, déclara Mohammed avec une certaine satisfaction. Après une pipe tu oublies le thé. D'ailleurs, tu en as déjà bu.

Port sortit et frappa dans ses mains, très fort. Rien ne bougea. Glissant la tête à l'intérieur de l'une des pièces où il voyait une femme assise, il demanda du thé en français. Elle le regarda sans un mot. Il répéta sa question dans son arabe boiteux. Elle répondit qu'il était trop tard. Il dit : « Cent francs. » Les hommes chuchotèrent entre eux; cent francs semblaient une offre intéressante et raisonnable, mais la femme, une matrone boulotte, dit : « Non. » Port doubla le chiffre. La femme se leva et lui fit signe de l'accompagner. Il la suivit derrière un rideau qui masquait le fond de la pièce, puis, à travers une série de petites cellules sombres jusqu'au plein air. Elle s'arrêta et, par gestes, lui fit comprendre de s'asseoir et de l'attendre. Quelques mètres plus loin, elle disparut dans une cabane où il l'entendit aller et venir. Tout près de lui, dans l'ombre, un animal quelconque dormait : il respirait fort et s'agitait de temps à autre. La terre était froide et Port se mit à frissonner. Par les interstices du mur il vit un rayon de lumière. La femme avait allumé une bougie et elle cassait du petit bois. Il l'entendit bientôt craquer, tandis qu'elle attisait le feu.

Le premier coq chantait quand elle sortit enfin de la cabane avec son récipient de braises. Elle conduisit Port, en semant derrière elle des étincelles, jusqu'à l'une des petites chambres obscures qu'ils avaient traversées, posa le réchaud par terre et mit de l'eau à bouillir. Il n'y avait pas d'autre lumière que la lueur rouge du charbon ardent. Port s'accroupit devant le feu, les mains en éventail pour les réchauffer. Quand le thé fut prêt, elle le repoussa doucement en arrière contre un matelas. Il s'y assit; c'était plus chaud que le plancher. Elle lui tendit un verre. *Meziane, Chkoun b'zef*, dit-elle en croassant, penchée sur lui pour le dévisager à la lueur du feu qui mourait. Il but la moitié du verre et le remplit de whisky jusqu'au bord. Après un second verre, il se sentit mieux. Il se détendit un peu, puis en prit un autre. Mais, comme il craignait de transpirer, il dit : *Baraka* et ils retournèrent ensemble dans la pièce où les hommes étendus continuaient à fumer.

Mohammed rit en le voyant.

— Qu'est-ce que tu as fait? dit-il d'un ton de reproche.

Il roula des yeux vers la femme. Port commençait à avoir sommeil et ne pensait plus qu'à regagner l'hôtel et son lit. Il secoua la tête.

— Oui, oui, insista Mohamed bien décidé à placer son histoire, je connais ça! Le jeune Anglais qui est parti pour Messad l'autre jour, il était comme toi. Il faisait l'innocent. Il prétendait que la femme était sa mère, mais je les ai pris ensemble tous les deux.

Port ne répondit pas tout de suite. Puis il sursauta et cria : « Comment? »

— Bien sûr. J'ouvre la porte de la chambre 11 et je les trouve dans le lit. Naturellement. Tu l'as cru quand il disait que c'était sa mère? ajouta-t-il en voyant l'expression incrédule de Port. Il aurait fallu que tu voies ce que j'ai vu en ouvrant la porte. Tu aurais su quel menteur il est. Ce n'est pas parce que la dame est vieille qu'elle va se retenir. Non, non, non! Ni lui. Alors, je te demande : qu'est-ce que tu as fait avec elle? Non?

Il continua de rire.

Port sourit et paya la femme en disant à Mohammed :

— Écoute. Tu vois, je paie seulement les deux cents francs que j'ai promis pour le thé. Tu vois?

Mohammed rit de plus belle.

— Deux cents francs pour du thé! C'est trop pour un si vieux thé! J'espère que tu en as eu deux verres, mon ami.

— Bonne nuit ! lança Port, et il sortit.

DEUXIÈME PARTIE

L'ARÊTE VIVE DE LA TERRE

Adieu, dit le mourant au
miroir qu'on tient devant lui,
nous ne nous verrons plus.

Paul Valéry.

18

Le lieutenant de Messignac, commandant du poste militaire, trouvait la vie à Bou Noura assez pleine bien qu'un peu monotone. Il y avait tout d'abord la nouveauté de sa maison : ses livres et ses meubles lui avaient été envoyés de Bordeaux par sa famille, et il avait connu le plaisir de les voir dans un cadre neuf et inattendu. Puis il y avait eu les indigènes. Le lieutenant était assez intelligent pour se permettre le luxe de n'être pas snob vis-à-vis de la population. Il affirmait ouvertement que les habitants de Bou Noura représentaient une des parties accessibles de la grande et mystérieuse tribu dont les Français, s'ils voulaient s'en donner la peine, pouvaient beaucoup apprendre. Et, puisqu'il était un homme cultivé, les autres soldats du poste, qui auraient aimé voir tous les indigènes jetés derrière des barbelés pour y être grillés par le soleil (... *comme on a fait en Tripolitaine*), ne lui en voulaient pas de son attitude ridiculement indulgente et se contentaient de déclarer entre eux qu'un jour ou l'autre il reviendrait à la raison et comprendrait qu'ils étaient le rebut de l'humanité. Le véritable enthousiasme du lieutenant pour les indigènes avait duré trois ans. Quand il se fatigua de sa demi-douzaine de maîtresses Ouled-Naïl, la période de sa grande dévotion aux Arabes prit fin. Non qu'il devînt moins objectif en leur rendant la justice, mais il cessa brusquement de penser à eux et commença à les considérer comme un élément du décor.

Cette année-là, il était retourné à Bordeaux pour six semaines. Il y avait revu une jeune fille qu'il connaissait depuis l'adolescence; mais elle avait acquis à ses yeux un intérêt soudain et tout particulier en déclarant, alors qu'il était sur le point de rejoindre son poste en Afrique, qu'elle ne pouvait rien imaginer de plus merveilleux ni de plus souhaitable que de passer le reste de sa vie au Sahara, et qu'elle le considérait comme le plus heureux des hommes. Une correspondance en avait découlé, de nombreuses lettres s'étaient échangées entre Bordeaux et Bou Noura. Moins d'une année plus tard il était allé à Alger l'accueillir à sa descente du bateau. Ils avaient passé leur lune de miel dans une petite villa couverte de bougainvillers à Mustapha-Supérieur (il y avait plu tous les jours), après quoi ils étaient repartis ensemble vers l'austérité ensoleillée de Bou Noura.

Il était impossible au lieutenant de savoir à quel point l'impression qu'avait produite Bou Noura sur sa femme coïncidait avec l'idée qu'elle avait pu s'en faire. Il ne savait pas si elle s'y plairait ou non. Elle était actuellement retournée en France pour attendre la naissance de leur premier enfant. Dès son retour ils pourraient mieux se rendre compte.

Pour le moment, il s'ennuyait à mourir. Après le départ de Mme de Messignac, le lieutenant avait essayé de reprendre son ancienne existence au point où il l'avait laissée, mais, après les rapports plus évolués auxquels il s'était fait, les filles de Bou Noura l'avaient exaspéré par leur simplicité. Il avait donc entrepris de construire, dans sa maison, une pièce supplémentaire qui serait une surprise pour sa femme. Ce devait être un salon arabe. Il faisait fabriquer la table à thé et les canapés et il avait acheté déjà une grande et belle tenture de laine crème pour le mur, et deux peaux de mouton pour le plancher. C'est pendant la quinzaine que lui prirent ces arrangements que les ennuis commencèrent.

Ces ennuis, sans être vraiment graves, avaient retenti sur son service, ce qu'il ne pouvait supporter. De plus, en homme d'action, il s'exaspérait toujours quand il se trouvait cloué au lit, et il l'était depuis plusieurs jours. En vérité c'était de la malchance; un autre à sa place — un indigène par exemple, ou simplement un de ses subalternes — n'aurait pas été obligé d'accorder tant d'intérêt à la chose. Mais malheureusement il l'avait découverte lui-même un matin, alors qu'il faisait son inspection bi-hebdomadaire des villages, et l'incident avait pris un caractère important et officiel. Cela s'était passé juste en dehors des murs d'Igherm, qu'il visitait toujours immédiatement après Tolfa et qu'il atteignait en traversant le cimetière puis en grimpant la colline; des portes d'Igherm il apercevait la vallée où un soldat du poste l'attendait dans un camion pour le transporter à Beni Isguen, trop éloigné pour qu'il pût s'y rendre à pied. Au moment d'entrer dans le village, son attention avait été attirée par un spectacle qui aurait dû lui paraître tout à fait normal. Un chien courait, tenant quelque chose dans sa gueule, un objet assez volumineux et étrangement rose dont une partie pendait, traînait sur le sol. Mais l'objet avait attiré son attention.

Continuant de longer les murs, il avait bientôt rencontré deux autres chiens avec des proies semblables et finalement découvert ce qu'il cherchait : ce n'était qu'un nouveau-né, qui, selon toute vraisemblance, avait été tué le matin même. Enveloppé dans les pages de quelque vieil exemplaire de l'*Echo d'Alger*, il avait été jeté dans un petit fossé sans profondeur. Après avoir interrogé plusieurs personnes sorties de la ville ce matin-là, le lieutenant apprit qu'une certaine Yamina ben Mohammed avait été vue près des remparts peu après le lever du soleil, et que ce n'était pas son habitude. Il n'eut aucune difficulté à trouver Yamina; elle vivait non loin de là avec sa mère. Elle avait tout d'abord protesté à grands cris, elle ne connaissait rien à l'affaire. Mais lorsqu'il l'avait emmenée seule hors de la maison vers l'extrémité du village et qu'il lui eut parlé cinq minutes ce qu'il appelait un langage « raisonnable », elle lui avait calmement raconté toute l'histoire. Le plus surprenant était qu'elle fût parvenue à cacher sa grossesse à sa mère, du moins le prétendait-elle. Le lieutenant d'abord sceptique se souvint du nombre de dessous que portaient les femmes de la région et décida alors qu'elle disait la vérité. Étant arrivée, par quelque stratagème, à faire sortir la vieille femme de la maison, elle avait accouché de l'enfant, puis l'avait étranglé, enveloppé dans un journal et déposé hors des remparts. Lorsque sa mère était revenue, elle était déjà en train de nettoyer le plancher.

La préoccupation principale de Yamina semblait être d'obtenir du lieutenant les noms des personnes qui lui avaient permis de la retrouver. Elle était stupéfaite qu'il eût si rapidement découvert ce qu'elle avait fait, et le lui dit. Cette inconscience primitive l'amusa et, pendant un quart d'heure,

137

il se laissa aller à chercher un moyen de passer la nuit avec elle. Mais, avant d'arriver au bas de la colline où l'attendait le camion, il avait réalisé avec ahurissement l'incongruité de cette fantaisie. Il renonça à sa visite à Beni Isguen et ramena directement la jeune fille à son quartier général. Puis il se rappela l'enfant. Après avoir vérifié que Yamina ne pouvait s'échapper, il se hâta avec un soldat vers l'endroit fatidique pour y réunir comme pièces à conviction ce qui pouvait rester du cadavre. La découverte de ces petits lambeaux de chair entraîna l'incarcération de Yamina dans la prison locale en attendant son transfert à Alger où elle serait jugée. Le procès n'eut jamais lieu. Au cours de la troisième nuit, un scorpion gris, qui se promenait dans la cellule sur le sol de terre battue, découvrit dans un coin une chaleur inattendue et accueillante et s'y réfugia. Lorsque Yamina s'agita dans son sommeil, l'inévitable se produisit. Le dard pénétra dans la nuque; Yamina ne reprit jamais conscience. La nouvelle de sa mort se répandit rapidement à travers la ville et, le détail du scorpion manquant au récit, la version finale, et en quelque sorte officielle, fut, parmi les indigènes, que la jeune fille avait été violée par la garnison au grand complet, à commencer par le lieutenant, puis assassinée comme il convenait. Naturellement tout le monde n'accorda pas un entier crédit à cette histoire, mais le fait n'en demeurait pas moins qu'elle était morte dans une prison française. Quelle que fût l'opinion des indigènes, le prestige de l'officier en reçut un coup fatal.

Cette soudaine impopularité eut des effets immédiats : les ouvriers cessèrent de venir chez lui travailler au nouveau salon. A vrai dire, le maçon parut, mais il se contenta de rester assis toute la matinée dans le jardin avec Ahmed, le « boy », en s'efforçant de le persuader (et pour finir, avec succès) de ne pas demeurer un jour de plus au service d'un tel monstre. Le lieutenant avait aussi l'impression tout à fait justifiée que les gens s'écartaient de leur chemin pour l'éviter. Les femmes tout particulièrement semblaient redouter sa présence. Lorsque la nouvelle se répandait qu'il se trouvait dans les parages, les rues se vidaient aussitôt; il n'entendait en y passant que le bruit des portes claquées. Les hommes qu'il croisait détournaient la tête. Cet état de choses, qui portait tort à son prestige d'administrateur, l'affecta pourtant moins que d'apprendre, le jour même où il se coucha avec une étrange combinaison de crampes et de nausées, que sa cuisinière, demeurée auprès de lui pour quelque raison inconnue, était une cousine germaine de la morte.

L'arrivée d'une lettre de son supérieur d'Alger ne le rendit pas plus heureux. Il n'était pas question, disait-elle, de discuter la légalité de son acte : le tribunal de Bou Noura détenait dans un bocal de formol les pièces à conviction et la fille avait avoué. Mais elle critiquait la négligence du lieutenant et, ce qui lui fut plus pénible, soulevait le problème de sa capacité d'adaptation à la « psychologie indigène ».

Il était couché et regardait le plafond; il se sentait faible et malheureux. Jacqueline allait bientôt venir lui préparer son potage de midi. (Dès la première crampe il s'était débarrassé de sa cuisinière; sa connaissance de la psychologie indigène allait encore jusque-là.) Jacqueline était née à Bou Noura d'un père arabe — d'après la rumeur publique que venaient confirmer ses traits et la couleur de sa peau — et d'une mère française morte peu de temps après sa naissance. Ce que cette femme française faisait, toute seule, à Bou Noura, personne ne l'avait jamais su. Mais cela faisait partie d'un passé révolu; Jacqueline avait été prise en charge par les Pères Blancs et élevée à la Mission. Elle connaissait tous les cantiques que les Pères s'évertuaient à apprendre aux enfants — en vérité elle était la seule à les savoir. Elle avait appris la cuisine en plus des cantiques et des prières, et ce talent s'était révélé une bénédiction pour les pauvres Pères qui avaient vécu pendant des années de la cuisine locale et souffraient tous du foie. Lorsque le Père Lebrun avait eu connaissance des difficultés du lieutenant, il avait immédiatement proposé de lui envoyer Jacqueline pour remplacer la cuisinière et lui préparer deux repas simples matin et soir. Le Père était venu se rendre compte en personne et après examen, il avait conclu qu'il n'y aurait pas de danger à laisser Jacqueline venir chez le lieutenant au moins pour quelques jours. Il s'en remettait à elle pour être tenu au courant des progrès de son malade, car, une fois sur le chemin de la convalescence, on ne pourrait plus s'y fier. Il avait dit, en regardant le lit en désordre : « Je la laisse entre vos mains et vous entre celles de Dieu. » Le lieutenant qui avait compris aurait voulu sourire, mais il se sentait trop mal. Il souriait maintenant en y pensant, car Jacqueline lui paraissait une pauvre créature décharnée que personne ne songerait à regarder deux fois.

Elle était en retard ce jour-là et arriva toute émue : le caporal Dupeyrier l'avait arrêtée en chemin pour la charger de transmettre au lieutenant de Messignac un message très important. Il s'agissait d'un étranger, un Américain, qui avait perdu son passeport.

— Un Américain? répéta le lieutenant. A Bou-Noura?

— Oui, dit Jacqueline, qui ajouta qu'il logeait avec sa femme, à la pension Abd-el-Kader (seul endroit où ils pouvaient être puisqu'il n'existait pas d'autre hôtel dans la région), et ils avaient déjà passé plusieurs jours à Bou Noura. Elle avait même vu le monsieur : un homme jeune.

— Eh bien ! dis le lieutenant, j'ai faim. Si je prenais un peu de riz? As-tu le temps de m'en préparer?·

— Oh ! oui, Monsieur. Mais le caporal dit qu'il serait important que vous voyiez l'Américain aujourd'hui.

— Qu'est-ce que tu racontes? Pourquoi le verrais-je? Je ne peux pas lui retrouver son passeport. Quand tu rentreras à la Mission, passe par le poste et dis au caporal Dupeyrier de dire à l'Américain qu'il doit aller à Alger voir son consul... S'il ne le sait déjà, ajouta le lieutenant.

— Ah ! *ce n'est pas pour ça!* C'est parce qu'il a accusé M. Abd-el-Kader de lui avoir volé son passeport.

— Quoi? rugit le lieutenant avec un sursaut.

— Oui. Il est venu hier déposer une plainte. Et M. Abd-el-Kader dit que vous l'obligerez à la retirer. C'est pour ça qu'il faut que vous le voyiez aujourd'hui.

Visiblement enchantée de voir le lieutenant réagir si violemment, Jacqueline alla à la cuisine et commença à remuer les ustensiles avec fracas. Elle était transportée par sa propre importance.

Le lieutenant se recoucha et sombra dans les soucis. Il était indispensable de pousser l'Américain à retirer sa plainte, non seulement parce qu'Abd-el-kader était un vieil ami et parfaitement incapable de voler quoi que ce soit, mais surtout parce qu'il était un des hommes les plus connus et les plus estimés de Bou Noura. Comme propriétaire de l'auberge il entretenait des rapports intimes avec les chauffeurs de tous les cars et camions qui traversaient le territoire; ce sont au Sahara des personnages importants. Il n'y en avait certainement pas un à qui Abd-el-Kader n'eût pas fait crédit, au moins une fois, pour ses repas et son logement; la plupart d'entre eux lui avaient même emprunté de l'argent. Pour un Arabe, il était étonnamment confiant et généreux avec les Européens comme avec ses compatriotes, tout le monde l'aimait à cause de cela. Non seulement il était impensable qu'il eût pu voler le passeport — mais il était tout aussi impensable qu'il pût être formellement accusé d'une telle chose. Le caporal avait raison : la plainte devait être retirée immédiatement. « Encore un coup de malchance, pensa le lieutenant. Pourquoi faut-il que ce soit un Américain? » Avec un Français il aurait su comment s'y prendre pour le convaincre sans discussion. Mais avec un Américain! Il l'imaginait déjà : une brute du genre gorille, une expression féroce, un cigare au coin de la bouche, et probablement un automatique dans sa poche revolver. Ils ne pourraient sans doute pas échanger deux phrases, car aucun des deux ne comprendrait suffisamment la langue de l'autre. Il essaya de retrouver ce qu'il savait d'anglais : « Sir, I must to you, to pray that you will... My dear Sir, please I would make to you remark. » Alors il se rappela avoir entendu dire que les Américains ne parlaient en aucun cas l'anglais, mais un patois qu'ils étaient seuls à comprendre. Et pour comble, il serait cloué au lit alors que l'Américain déambulerait dans la pièce et jouirait de tous les avantages physiques et moraux !

Il grommela en s'asseyant pour manger la soupe que Jacqueline lui avait apportée. Dehors le vent soufflait et dans le camp des nomades, au bout de la route, les chiens aboyaient. Si le soleil n'avait pas brillé avec un éclat tel que les branches mouvantes du palmier près de la fenêtre luisaient comme du verre, il aurait cru que c'était le milieu de la nuit; les sons n'auraient pas été différents.

Il déjeuna. Lorsque Jacqueline fut prête à partir, il lui dit :

— Tu passeras par le poste et tu diras au caporal Dupeyrier d'amener l'Américain ici à trois heures. Il doit l'amener lui-même, n'oublie pas.

— *Oui, oui*, dit-elle, dans le même état de joie aiguë. Si elle avait raté l'infanticide, elle était au moins là au début du nouveau scandale.

19

A trois heures précises, le caporal Dupeyrier introduisit l'Américain dans le salon du lieutenant.

— *Un moment*, dit-il en se dirigeant vers la porte de la chambre.

Il frappa, l'ouvrit, le lieutenant fit un signe de la main, et le caporal transmit l'ordre à l'Américain qui entra. Le lieutenant vit un adolescent hagard, et décida immédiatement que c'était un garçon un peu étrange puisqu'en dépit de la chaleur il portait un épais chandail à col roulé et une veste de lainage.

L'Américain s'avança vers le lit, et, tendant la main, parla dans un français parfait. La surprise du lieutenant se transforma en joie. Le caporal ayant apporté une chaise sur sa demande, il pria son visiteur de s'asseoir. Puis il invita le caporal à retourner au poste; il jugeait qu'il n'avait besoin de personne pour manier l'Américain. Lorsqu'ils furent seuls, il lui offrit une cigarette et dit :

— Il paraît que vous avez perdu votre passeport?

— C'est exact, répliqua Port.

— Et vous croyez qu'il a été volé, pas perdu?

— Je *sais* qu'il a été volé. Il était dans une valise que je garde toujours fermée à clef.

— Alors comment aurait-il pu être volé dans la valise ? dit le lieutenant qui rit avec un air de triomphe. « Toujours » ne me paraît pas tout à fait le terme propre.

— Il a pu l'être, poursuivit Port avec patience, car j'ai laissé hier la valise ouverte une minute, quand je suis allé de ma chambre à la salle de bains. C'était une sottise, mais je l'ai faite. Et lorsque je suis revenu devant ma porte, le propriétaire était là. Il a prétendu qu'il frappait parce que le déjeuner était prêt. Mais jamais il n'était venu en personne, c'était toujours un des boys. Et je suis sûr que c'est le propriétaire, parce que c'est la seule fois où j'aie jamais laissé la valise ouverte alors que j'étais hors de la pièce, même pour un instant. Cela me paraît clair !

— *Pardon.* Pas à moi. Voyons la chose comme dans un roman policier. Quand avez-vous vu votre passeport pour la dernière fois ?

Port réfléchit un moment.

— Lorsque je suis arrivé à Aïn Krorfa, dit-il enfin.

— Aha ! cria le lieutenant. A Aïn Krorfa ! Et pourtant vous accusez M. Abd-el-Kader sans hésitation. Comment expliquez-vous cela ?

— Oui, je l'accuse, dit Port avec obstination, irrité par le ton du lieutenant. Je l'accuse parce que la logique le désigne comme le seul voleur possible. Il est absolument le seul indigène qui ait eu accès à mon passeport, le seul pour qui cela a été matériellement possible.

Le lieutenant de Messignac se redressa un peu dans son lit.

— Et pourquoi, précisément, voulez-vous que ce soit un indigène ?

Port sourit vaguement.

— N'est-il pas naturel de le supposer ? En dehors du fait que personne d'autre n'a eu l'occasion de le prendre, n'est-ce pas justement le genre de chose que peuvent faire les indigènes, si charmants qu'ils puissent être ?

— Non, *Monsieur.* Cela me semble à moi, au contraire, le genre de chose qui ne peut *pas* avoir été faite par un indigène.

— Ah, vraiment ? dit Port stupéfait. Et pourquoi ?

143

Pourquoi dites-vous cela?

Le lieutenant expliqua.

— J'ai vécu de nombreuses années parmi les Arabes. Je ne songerais jamais à essayer de vous faire croire qu'ils ne volent pas. Naturellement, ils volent. Et les Français volent. Et en Amérique, vous avez des gangsters, je crois?

Il sourit malicieusement. Port était impassible.

— L'ère des gangsters est passée depuis longtemps, dit-il.

Le lieutenant ne se découragea pas.

— Oui, partout il y a des voleurs. Dans ce pays comme ailleurs. Mais l'indigène, ici, — il parlait lentement, avec emphase — ne prend que de l'argent ou un objet dont il peut se servir. Il ne prendrait jamais une chose aussi compliquée qu'un passeport.

Port dit :

— Je ne cherche pas des motifs. Dieu sait *pourquoi* il l'a pris.

Son hôte l'interrompit brusquement.

— Mais moi je cherche des motifs! cria-t-il. Et je ne vois aucune raison de croire qu'un indigène se soit donné la peine de voler votre passeport. Certainement pas à Bou Noura. Je peux, en tout cas, vous assurer d'une chose : M. Abd-el-Kader ne l'a pas pris. Croyez-moi.

— Oh! dit Port non convaincu.

— Jamais. Je le connais depuis des années...

— Mais vous n'avez pas plus de preuves de son innocence que moi de sa culpabilité, s'exclama Port, préoccupé. Il releva le col de sa veste et s'enfonça dans le fauteuil.

— Vous n'avez pas froid, j'espère? dit le lieutenant surpris.

— Il y a des jours et des jours que j'ai froid, répondit Port en se frottant les mains.

Le lieutenant l'examina avec attention quelques instants. Puis il poursuivit :

— Me ferez-vous une faveur si je vous en accorde une en échange?

— Oui, je suppose. Laquelle?

— Je vous serais infiniment reconnaissant si vous retiriez immédiatement — aujourd'hui même — votre plainte contre

144

M. Abd-el-Kader. Et je tâcherai de vous retrouver votre passeport. *On ne sait jamais.* Cela peut réussir. Si votre passeport a été volé, comme vous le dites, le seul endroit où il puisse logiquement se trouver c'est Messad. Je vais télégraphier là-bas pour qu'on perquisitionne dans le camp de la Légion étrangère.

Port était assis, immobile,. et regardait droit devant lui.

« Messad », dit-il.

— Vous n'y êtes pas allé? Si?

— Non, non !

Il y eut un silence.

— Alors, vous me rendrez le service que je vous demande? Je vous ferai connaître la réponse dès que l'enquête aura été faite.

— Oui, dit Port. J'irai cet après-midi. Dites-moi; il y a donc un marché à Messad pour ce genre de chose?

— Mais bien sûr. Les passeports atteignent de très hauts prix dans les postes de la Légion. Et surtout les Américains ! *Oh, là là !*

Le moral du lieutenant remontait : il avait atteint son but; cela pourrait compenser, au moins partiellement, les effets déplorables du cas de Yamina sur son prestige.

— Tenez, dit-il en désignant une armoire dans un coin de la pièce. Vous avez froid. Voulez-vous me donner la bouteille de cognac qui se trouve là? Nous allons en prendre une gorgée tous les deux.

Ce n'était pas du tout ce que désirait Port, mais il sentit qu'il pouvait difficilement décliner ce geste hospitalier.

D'ailleurs, que désirait-il? Il n'en était pas sûr, mais il pensait que c'était simplement de rester longtemps tranquille, assis dans une pièce chaude. Le soleil accentuait la sensation du froid qui le pénétrait et qui lui mettait la tête en feu; il avait l'impression qu'elle devenait énorme et trop lourde à porter. S'il n'avait pas eu un appétit normal, il se serait peut-être cru malade. Il but le cognac à petits coups, en se demandant si cela le réchaufferait, ou s'il regretterait de l'avoir bu à cause des brûlures d'estomac que l'alcool lui causait parfois. Le lieutenant sembla deviner ses pensées, car il dit à ce moment :

— C'est un bon cognac. Il ne vous fera pas de mal.

— Il est excellent, répliqua Port, qui préféra ignorer la dernière partie de la remarque.

Le lieutenant trouvait que ce jeune homme se tracassait maladivement et son impression fut confirmée par les nouvelles déclarations de l'Américain.

— C'est étrange, dit Port avec un sourire d'excuse, depuis que j'ai constaté la disparition de mon passeport, je ne me sens qu'à moitié vivant. C'est très déprimant, vous savez, dans un endroit comme celui-ci, de ne pas pouvoir prouver qui on est.

Le lieutenant poussa la bouteille vers Port qui refusa.

— Peut-être, après ma petite enquête à Messad, retrouverez-vous votre identité, dit-il en riant.

Si l'Américain souhaitait lui faire ce genre de confidences, il acceptait volontiers d'être son confesseur du moment.

— Vous êtes ici avec votre femme? demanda-t-il. C'est ça? Port acquiesça, l'air absent. « Il a des ennuis avec sa femme, songea-t-il, pauvre diable ! »

L'idée lui vint qu'ils pourraient aller ensemble au quartier réservé. Il aimait le montrer à des étrangers. Mais, sur le point de dire : « Heureusement, ma femme est en France... »; il se rappela que Port n'était pas Français; ce n'était pas à faire.

Pendant qu'il réfléchissait, Port se leva et prit poliment congé. Un peu trop vite, il est vrai, mais pourquoi aurait-il passé tout l'après-midi au chevet d'un malade. D'autre part, il avait promis de s'arrêter en route pour retirer sa plainte contre Abd-el-Kader.

Comme il marchait sur la route brûlante vers les murs de Bou Noura, Port, la tête baissée, ne voyait que la poussière et les milliers de petits cailloux pointus. Il ne levait pas les yeux. Il savait que le paysage lui avait paru dénué de signification. Il faut un minimum d'énergie pour donner un sens à la vie, et pour l'instant cette énergie lui manquait totalement. Il savait combien les choses peuvent paraître nues, leur essence s'était volatilisée aux quatre coins de l'horizon, comme arrachée par une sorte de force centrifuge. Il ne voulait pas faire face au ciel intense, trop bleu pour être vrai, aux parois rouges et striées du cañon qui s'élevaient au loin de tous côtés, ni même à la tour en pyramide, sur ces rochers, ou, plus bas, aux taches noires de l'oasis. Ces choses étaient là, et elles auraient dû réjouir ses yeux, mais il n'avait la force de les relier ni entre elles, ni à lui-même; il ne pouvait que les attirer dans son champ visuel. Aussi ne les regardait-il pas.

De retour à la pension, il s'arrêta près de la petite pièce qui servait d'office et trouva Abd-el-Kader assis sur un divan dans un coin sombre et jouant aux dominos avec un individu coiffé d'un épais turban.

— Bonjour, Monsieur, dit Port. Je suis allé voir les autorités et j'ai retiré ma plainte.

— Ah! mon lieutenant a arrangé cela, murmura Abd-el-Kader.

— Oui, dit Port, bien qu'il fût vexé de voir qu'on ne lui reconnaissait pas le mérite d'avoir accédé au désir du lieutenant de Messignac.

— *Bon, merci.*

Abd-el-Kader ne releva plus les yeux et Port prit l'escalier qui conduisait à la chambre de Kit.

Il constata qu'elle avait fait monter tous ses bagages et qu'elle était en train de les défaire. La chambre avait l'air d'un bazar.

Sur le lit au pied duquel des robes du soir étaient étalées comme dans une vitrine s'alignaient des rangées de chaussures et la table de nuit était couverte de flacons de crèmes et de parfums.

— Au nom du Ciel, que fais-tu? cria-t-il.

— Je jette un coup d'œil sur mes affaires, dit-elle d'un air innocent. Il y a longtemps que je ne les ai pas vues. Depuis le bateau j'ai vécu du contenu d'une seule valise. J'en ai assez. Et quant j'ai regardé par la fenêtre après le déjeuner — elle s'anima en désignant la croisée qui donnait sur le désert vide — j'ai senti que je mourrais si je ne voyais pas tout de suite une trace de la civilisation. Ce n'est pas tout. On va m'apporter un whisky, et j'ouvre mon dernier paquet de Players.

— Tu ne dois vraiment pas te sentir bien, dit-il.

— Mais si, répliqua-t-elle avec une assurance affectée. Il serait anormal que je m'adapte trop rapidement à tout ça. Après tout, je suis encore une Américaine, tu sais. Et je n'essaie même pas d'être autre chose.

— Du whisky! dit Port en pensant tout haut. Il n'y a pas de glace de ce côté de Boussif. Et pas de soda non plus, je parie.

— Je le veux sec.

Elle se glissa dans une robe de satin bleu pâle sans dos et se mit à se maquiller devant le miroir pendu derrière la porte. Il décida de ne pas la contrarier; d'ailleurs il s'amusait à la voir élever sa pitoyable petite forteresse de civilisation occidentale en plein milieu du désert. Il s'assit sur le plancher au milieu de la pièce et la regarda avec plaisir aller et venir, choisir ses escarpins, essayer des bracelets. Quand le domestique frappa, Port alla lui-même lui ouvrir et, dans le couloir, lui prit des mains whisky, verre et plateau.

— Pourquoi ne l'as-tu pas laissé entrer? demanda Kit.

— Parce que je ne voulais pas qu'il se précipite en bas raconter la nouvelle, dit-il.

Il posa le plateau par terre et se rassit à côté.

— Quelles nouvelles?

Il prit un ton vague :

— Oh! Que tu as des robes du soir et des bijoux dans tes valises. C'est le genre d'histoire qui nous précéderait partout dans ce pays, où que nous allions. Et puis, ajouta-t-il en lui souriant, je préfère qu'on ne voie pas comme tu peux être jolie, quand tu veux.

— Enfin, voyons, Port! Explique-toi. Est-ce moi que tu essaies de protéger? Ou as-tu peur qu'ils ajoutent dix francs à la note?

— Viens ici prendre ton ignoble whisky français. J'ai un mot à te dire.

— Certainement pas. Apporte-le-moi, en homme du monde.

— Bon.

Il la servit généreusement et lui porta le verre.

— Tu n'en prends pas? demanda-t-elle.

— Non. J'ai bu du cognac chez le lieutenant et ça ne m'a fait aucun bien. Je suis plus frigorifié que jamais. Mais j'ai eu des tuyaux. Voilà ce que je voulais te dire. Il paraît très probable qu'Eric Lyle ait volé mes papiers.

Il parla à Kit du trafic de passeports que les légionnaires faisaient à Messad. Dans le car qui les avait amenés d'Aïn Krorfa, il l'avait déjà mise au courant de la découverte de Mohammed. Kit, sans montrer de surprise, avait répété qu'elle avait vu les papiers des Lyle qui permettaient d'affirmer qu'ils étaient mère et fils. Elle ne se montra pas plus étonnée cette fois.

— Il a dû penser que, si j'avais vu leurs passeports, il avait bien le droit de regarder le tien, dit-elle. Mais comment l'a-t-il pris? Et quand?

— Je sais exactement quand. La nuit où il est venu me trouver dans ma chambre à Aïn Krorfa pour me rendre l'argent qu'il m'avait extorqué. J'ai laissé la valise ouverte et je l'ai laissé, lui, dans la chambre parce que j'avais mon portefeuille sur moi. Il ne me serait certes pas venu à l'esprit que cette petite crapule voulait mon passeport. Mais ça ne fait pas de doute. Plus j'y pense, plus j'en suis sûr. Qu'on découvre ou non quelque chose à Messad, je suis convaincu que c'est Lyle. Il a sans doute combiné son coup dès notre première rencontre. Après tout, pourquoi pas? C'est de l'argent facile et sa mère ne lui donne pas un sou.

— Moi, je pense que si, dit Kit, mais à certaines conditions. Et, à mon avis, tout ça lui fait horreur. Il n'attend que l'occasion de s'échapper, et il préférerait s'accrocher à n'importe qui et faire n'importe quoi plutôt que ça. Et pour moi, elle s'en rend très bien compte, elle a une peur terrible de le voir partir et elle fera tout pour l'empêcher de se lier à quelqu'un. Rappelle-toi le jour où elle t'a dit qu'il était « contaminé ».

Port se taisait.

— Bon Dieu! Dans quelle aventure j'ai lancé Tunner! dit-il enfin.

Kit se mit à rire.

— Qu'est-ce que tu crois? Il s'arrangera. Ça lui fera du

bien. D'ailleurs, je ne le vois pas se liant avec l'un ou l'autre.

— Non. (Il se servit du whisky.) Je ne devrais pas, dit-il, ça va faire un drôle de mélange avec le cognac. Mais je ne peux pas te regarder boire et te voir partie toute seule après quelques verres.

— Tu sais bien que je suis ravie de ne pas boire seule, mais est-ce que ça ne va pas te rendre malade?

— Je suis déjà malade! s'exclama-t-il. Je ne peux pas continuer à prendre des précautions sous prétexte que je grelotte en permanence. En tout cas, je crois que je me sentirai mieux quand nous serons à El Ga'a. Il fait beaucoup plus chaud là-bas, tu sais.

— Encore? Nous venons à peine d'arriver.

— Mais tu ne peux pas nier qu'il fasse froid ici, la nuit?

— Si, certainement, je le nie... Ça ne fait rien. Si nous devons partir pour El Ga'a, partons, mais, au moins, partons tout de suite et restons-y un bout de temps.

— C'est l'une des grandes cités sahariennes, dit-il, comme s'il la lui présentait sur un plateau.

— Je ne compte pas l'acheter, dit-elle. Et même si tu voulais me la vendre ce ne serait pas le moyen. Tu sais que cela ne signifie rien pour moi. El Ga'a, Tombouctou, qu'est-ce que cela peut me faire? C'est intéressant, bien sûr, mais il n'y a pas de quoi vous tourner la tête. Ce qui n'empêche que si tu dois être plus heureux là-bas — je veux dire mieux portant — allons-y, pour l'amour du Ciel!

Elle eut un geste agacé pour essayer de chasser une mouche tenace.

— Oh! Tu crois que mon malaise est cérébral. Tu as dit « plus heureux ».

— Je ne crois rien parce que je ne sais pas. Mais ça me paraît extraordinaire que quelqu'un puisse geler sans discontinuer en septembre au Sahara.

— Tant pis si cela paraît bizarre, dit-il avec irritation. Puis il s'écria tout à coup : ce que ces mouches sont collantes! C'est à devenir complètement fou! Elles veulent qu'on les avale ou quoi?

Il se leva en gémissant; elle posa sur lui un regard interrogateur.

— Je vais m'arranger pour que nous soyons tranquilles. Lève-toi.

Il fouilla dans une valise et en tira un filet bien roulé. Il l'étendit entre les deux montants du lit que, sur son conseil, Kit venait de débarrasser de ses vêtements, en déclarant qu'il n'y avait aucune raison pour qu'une moustiquaire ne servît pas contre les mouches. Quand l'installation fut terminée, ils se glissèrent tous les deux à l'intérieur, munis de la bouteille, et demeurèrent étendus à parler tranquillement pendant que l'après-midi passait. Quand le soir tomba, ils étaient agréablement ivres et peu enclins à sortir de leur tente. La soudaine apparition des étoiles dans le carré de ciel qu'encadrait la fenêtre contribua peut-être à déterminer le cours de leur conversation. A chaque instant, sur le fond de plus en plus sombre, de nouvelles étoiles venaient emplir des espaces vides. Kit tira sur sa robe et dit : « Quand j'étais jeune... »

— Jeune?

— Avant d'avoir vingt ans, je veux dire, je croyais que le mouvement de l'existence ne cessait de s'accélérer, qu'elle devenait chaque année plus riche et plus profonde, qu'on apprenait davantage, qu'on gagnait en sagesse, en compréhension, qu'on allait plus loin dans la vérité...

Elle hésita. Port eut un rire brusque.

— Et maintenant tu sais que ce n'est pas comme ça? Oui? Ça ressemble plutôt à une cigarette. Les premières bouffées sont merveilleuses, et on n'imagine pas qu'on en verra le bout. Puis ça devient naturel. Et tout à coup on s'aperçoit qu'on l'a presque finie. Et c'est alors qu'on en sent le goût amer.

— Mais je suis toujours consciente de son amertume et je sais toujours qu'il n'y en a pas pour longtemps, dit-elle.

— Alors tu devrais cesser de fumer.

— Que tu es mesquin ! s'écria-t-elle.

Il se souleva sur un coude pour boire et manqua de renverser son verre.

— Je ne suis pas mesquin! protesta-t-il. Ça paraît logique, non? A moins que vivre soit une habitude comme de fumer. Tu passes ton temps à dire que tu vas y renoncer, et ça ne t'empêche pas de continuer.

— Toi, tu ne penses même pas à t'arrêter, dit-elle sur un ton de reproche.

— Pourquoi y penserais-je? Je veux continuer.

— Mais tu te plains tellement, tout le temps.

— Oh! pas de l'existence; seulement des gens.

— Les deux choses ne peuvent pas être considérées séparément.

— Certainement si. Cela ne demande qu'un petit effort! Pourquoi est-ce que personne n'en fait? J'imagine très bien un monde différent. Il ne s'agirait que de mettre à leur place quelques accents.

— Il y a des années que j'entends ça, dit Kit.

Elle s'assit dans l'ombre, dressa la tête et dit : « Écoute. »

Dehors, non loin, peut-être sur la place du marché, jouait un orchestre de grands tambours, captant peu à peu les brins flottants de la force rythmique universelle en une masse compacte de sons lourds qui tournait et, roue encore imparfaite, avançait pesamment vers la nuit. Port demeura un moment silencieux, puis dit dans un murmure : « Ça, par exemple. »

— Je ne sais pas, dit Kit avec impatience. Je sais que je n'éprouve pas du tout la sensation de faire corps avec ces tambours, même si j'admire leur son. Et je ne vois pas plus pourquoi je devrais *vouloir* faire corps avec eux.

Elle croyait qu'une déclaration si nette mettrait fin à la discussion, mais Port s'obstinait ce soir-là.

— Je sais que tu n'aimes jamais parler sérieusement, dit-il, mais ça ne te fera pas de mal pour une fois.

Kit sourit avec mépris. Elle tenait ces vagues généralités pour un bavardage absolument vain — un moyen facile de se laisser porter par l'émotion. Selon elle, il n'était pas question de se demander s'il pensait vraiment ou non ce qu'il disait, puisqu'il disait n'importe quoi. Aussi demanda-t-elle ironiquement :

— Et quelle est l'unité d'échange dans ton nouveau monde?
Il n'hésita pas.

— Les larmes.

— Ce n'est pas honnête, objecta Kit. Certains doivent se donner beaucoup de mal pour une larme. D'autres n'ont qu'à y penser pour pleurer.

— Y a-t-il un seul système d'échange honnête? cria-t-il, et sa voix semblait vraiment celle d'un homme ivre. Et d'ailleurs qui a jamais inventé le concept d'honnêteté? Est-ce que tout ne devient pas plus facile si on renonce complètement à l'idée de justice? Tu crois, toi, que les sommes de plaisir, les degrés de souffrance sont égaux pour tous les hommes? Que cela finit par s'équilibrer? Tu le crois? Si cela tombe juste pour finir, c'est parce que le total est zéro.

— Et j'imagine que cela te console, dit-elle avec l'impression que, si l'entretien se prolongeait, elle finirait par être vraiment en colère.

— Pas du tout. Tu es folle! Ça ne m'intéresse pas de connaître le total. Mais ça m'intéresse de voir par quels procédés compliqués on arrive inévitablement à ce résultat, quelles que soient les données primitives.

— C'est la fin de la bouteille, murmura-t-elle. Peut-être le zéro parfait est-il un but comme un autre.

— Il n'y en a plus? Merde! Mais ce n'est pas nous qui l'atteignons, c'est lui qui nous atteint. Ce n'est pas la même chose.

« Il est vraiment plus ivre que moi », pensa Kit.

— Non, ce n'est pas la même chose, approuva-t-elle.

Et comme il disait : « Tu as bougrement raison! » en se retournant violemment pour s'allonger sur le ventre, elle songeait au gaspillage d'énergie que représentait cette conversation et se demandait comment elle pourrait s'y prendre pour l'empêcher de se mettre dans de tels états.

— Ah! je suis trop écœuré et malheureux! cria-t-il dans un soudain éclat de fureur. Je ne devrais jamais boire une goutte, ça me flanque toujours par terre. Mais ce n'est pas de la faiblesse comme pour toi. Pas du tout. Il me faut plus de volonté pour boire qu'à toi pour t'en passer. J'en connais d'avance les effets et cela me fait horreur.

— Alors pourquoi bois-tu? Personne ne te demande de le faire.

— Je te l'ai expliqué, dit-il, je ne voulais pas te laisser boire seule. Et puis j'imagine toujours que je vais pouvoir pénétrer quelque part. Mais quand je crois m'en approcher, je me perds. Je ne pense d'ailleurs plus qu'il y ait vraiment un endroit à trouver. Je pense que, vous autres buveurs, vous êtes tous victimes d'une hallucination collective.

— Je refuse de discuter la question, dit Kit avec hauteur, et elle descendit du lit en se débattant dans les plis de la moustiquaire qui traînait jusqu'au sol.

Il roula sur lui-même et s'assit.

— Je sais pourquoi je suis écœuré, cria-t-il. C'est quelque chose que j'ai mangé. Il y a dix ans.

— Je ne sais pas de quoi tu parles. Couche-toi et dors, dit-elle en sortant de la chambre.

Il marmonna :

— Moi, je le sais.

Il rampa hors du lit, se dressa, alla à la fenêtre. L'air sec du désert fraîchissait comme tous les soirs. Les parois du cañon étaient maintenant noires, les bouquets de palmiers invisibles. On ne voyait aucune lumière; la chambre tournait le dos à la ville. Et c'était bien ce qu'il avait voulu dire. Il s'accrocha à l'appui de la fenêtre pour se pencher dehors et pensa : « Elle ne sait pas de quoi je parle. C'est quelque chose que j'ai mangé il y a dix ans. Il y a vingt ans. » Le paysage était là et il songea plus que jamais qu'il ne pouvait pas l'atteindre. Les rochers et le ciel étaient là, partout, prêts à l'absoudre, mais, comme toujours, il portait l'obstacle en lui. Il lui semblait que, sous son regard, les rochers et le ciel cessaient d'être eux-mêmes, qu'ils perdaient leur pureté en lui devenant présents. Il éprouvait une piètre consolation à pouvoir se dire : « Je suis plus fort qu'eux. » Comme il se retournait vers la chambre, une lueur brillante attira ses yeux vers le miroir fixé sur la porte ouverte du placard. C'était la nouvelle lune qui scintillait à travers l'autre fenêtre. Il s'assit sur le lit et se mit à rire.

20

Port occupa les deux journées suivantes à s'efforcer d'obtenir des renseignements sur El Ga'a. L'ignorance des habitants de Bou Noura à ce sujet était stupéfiante. Tout le monde en parlait avec un certain respect comme d'une grande ville, éloignée, où le climat était plus chaud qu'à Bou Noura, et la vie chère. A part cela, nul ne semblait capable d'en donner la moindre description, pas même ceux qui y avaient été, comme le conducteur du car auquel Port s'était adressé, ou le cuisinier de la pension. Abd-el-Kader était la seule personne qui aurait sans doute pu fournir d'autres détails, mais leurs relations se bornaient à de vagues saluts. Port s'aperçut qu'il éprouvait un certain plaisir à partir sans aucune preuve de son identité pour une ville perdue dont il ignorait tout. Aussi fut-il moins intéressé qu'il aurait pu l'être quand le caporal Dupeyrier, rencontré par hasard, lui déclara en l'entendant parler d'El Ga'a : « Mais le lieutenant de Messignac y a passé de longs mois ! Il vous dira tout ce que vous voulez savoir. » C'est alors qu'il comprit qu'il ne souhaitait rien savoir, hormis le fait que l'endroit était véritablement isolé. Il décida donc de ne pas en parler avec le lieutenant. Il ne voulait pas risquer de perdre ses illusions.

Dans l'après-midi, Ahmed, qui avait repris ses fonctions auprès du lieutenant de Messignac, vint à la pension demander Port. Kit lisait au lit et fit envoyer le boy au hammam où Port s'était rendu dans l'espoir de se dégeler une fois pour toutes. Il était allongé, presque assoupi, dans l'obscurité, sur une dalle mouillée et chaude, quand un employé le réveilla. Une serviette humide autour des reins, il alla à la porte. Ahmed attendait, l'air renfrogné; c'était un Arabe jeune et mince dont les joues portaient les deux rides révélatrices que la débauche creuse parfois dans la peau tendre de ceux qui n'ont pas encore de poches ou de rides.

— Le lieutenant vous demande tout de suite.

— Dis-lui que je viens dans une heure, répondit Port en clignant des yeux devant la lumière du jour.

— Non, tout de suite, répéta Ahmed d'un ton ferme. J'attends ici.

— Ah ! c'est un ordre ?

Port rentra dans la pièce et se fit arroser d'un seau d'eau froide — il en aurait souhaité davantage, mais l'eau coûtait cher et chaque seau était compté en supplément sur la note — puis masser rapidement avant de se rhabiller. En sortant dans la rue, il eut l'impression de se sentir moins mal. Ahmed, adossé au mur, parlait avec un camarade ; il se redressa dès qu'il aperçut Port et lui emboîta le pas jusqu'à la demeure du lieutenant.

Vêtu d'une affreuse robe de chambre lie de vin en soie artificielle, le lieutenant fumait dans son salon.

— Vous m'excuserez si je reste assis, dit-il. Je vais beaucoup mieux, mais bouger ne me réussit pas. Asseyez-vous. Voulez-vous du sherry, du cognac ou du café ?

Port murmura qu'il préférait du café. Ahmed reçut l'ordre d'aller en préparer.

— Je n'ai pas l'intention de vous retenir, Monsieur. Mais j'ai des nouvelles pour vous. On a mis la main sur vos papiers. Grâce à l'un de vos compatriotes, dont le passeport avait également disparu, on avait effectué une perquisition avant que je n'entre en contact avec Messad. Les deux passeports avaient été vendus à des légionnaires. Heureusement, on les a retrouvés.

Il fouilla dans sa poche et en tira un bout de papier.

— Cet Américain, dont le nom est Tunner, dit qu'il vous connaît et qu'il va arriver ici, à Bou Noura. Il propose de vous apporter votre passeport, mais j'ai besoin de votre consentement pour que les autorités le lui remettent. Etes-vous d'accord ? Connaissez-vous ce M. Tunner ?

— Oui, oui, dit Port distraitement.

A l'idée de l'arrivée imminente de Tunner, il était épouvanté de se rendre compte qu'il n'avait jamais vraiment pensé le revoir.

— Quand sera-t-il là ?

— D'un jour à l'autre, j'imagine. Vous n'êtes pas pressé de quitter Bou Noura?

— Non, dit Port dont l'esprit s'affolait comme un animal traqué, tentant de se rappeler la date de départ du car pour le sud, celle du jour même, et combien de temps il faudrait à Tunner pour arriver de Messad. Non, non, répéta-t-il, je ne suis pas pressé.

Le son de sa propre voix lui parut ridicule. Ahmed entra sans bruit en portant sur un plateau deux petits récipients de fer d'où la vapeur s'échappait. Le lieutenant en vida le contenu dans deux verres et en tendit un à Port, qui but une gorgée et se renversa dans son fauteuil.

— Mais j'espère bien finir par aller à El Ga'a, poursuivit-il malgré lui.

— Ah! El Ga'a. Vous trouverez ça très impressionnant, très pittoresque et très chaud. El Ga'a a été mon premier poste au Sahara. Je le connais par cœur. C'est une ville très étendue, tout à fait plate, pas trop sale, mais assez sombre, parce que les rues ont été construites à travers les maisons comme des tunnels. On n'a absolument rien à y craindre. Votre femme et vous pourrez vous promener où vous voudrez. C'est la dernière ville un peu importante de ce côté du Soudan. Et c'est loin, le Soudan. Oh! là là!

— Et il y a bien un hôtel?

— Un hôtel? Oh! Une espèce d'hôtel, dit le lieutenant en riant. Vous trouverez des chambres avec des lits dedans, et ce sera peut-être propre. Ce n'est pas si sale qu'on le dit dans le Sahara. Le soleil est un grand purificateur. Avec un minimum d'hygiène les gens pourraient bien se porter. Mais naturellement il n'y a pas ce minimum. Malheureusement pour nous, d'ailleurs.

— Oui... Non, malheureusement, dit Port.

Il n'arrivait pas à ramener son esprit à la conversation. Il venait de se rappeler que le car partait le soir même et qu'il n'y en aurait pas d'autre avant huit jours; Tunner serait là avant. Ces réflexions déclenchèrent une décision presque automatique. Port n'était certainement pas conscient de l'avoir prise, mais, quelques instants plus tard, il se détendit et commença d'interroger le lieutenant sur les détails de son existence et de son travail à Bou Noura. Le lieutenant paraissait content; il sortit l'une après l'autre les inévitables anecdotes chères au colonial, et qui toutes avaient trait à la juxtaposition, parfois tragique, mais généralement ridicule, de deux civilisations incompatibles. Port se leva enfin.

— C'est bien dommage, dit-il, avec un accent de sincérité, que je ne reste pas ici plus longtemps.

— Mais vous êtes encore à Bou Noura pour plusieurs jours? Je compte absolument vous voir avec Mme Moresby avant votre départ. Dans deux ou trois jours je serai tout à fait bien. Ahmed ira vous chercher de ma part. Je vais donc aviser Messad qu'ils aient à remettre votre passeport à M. Tunner.

Il se leva, tendit la main. Port sortit. Il traversa le petit jardin planté de palmiers rabougris, franchit la grille et se retrouva sur la route poussiéreuse. Le soleil s'était couché et l'air fraîchissait rapidement. Port demeura un instant immobile, les yeux levés. Il s'attendait presque à entendre le ciel craquer sous la pression du froid nocturne. Derrière lui, dans le camp des nomades, les chiens aboyaient en chœur. Il se remit en route, pressant le pas pour cesser le plus vite possible de les entendre. Le café lui avait accéléré le pouls d'une façon anormale, à moins que ce ne fût l'énervement à l'idée de manquer le car pour El Ga'a. Passé la porte de la ville, il tourna à gauche et, par les rues silencieuses, se dirigea vers les bureaux des Transports Généraux.

La pièce où il entra était sombre et sentait le renfermé. Dans l'obscurité, derrière le comptoir, un Arabe somnolait sur une pile de sacs. Aussitôt entré, Port demanda :

— A quelle heure part le car pour El Ga'a?

— A huit heures, Monsieur.

— Y a-t-il encore des places?

— Oh! non, elles sont toutes louées depuis trois jours.

— *Ah! mon Dieu!* s'écria Port.

Ses entrailles lui parurent tout à coup plus pesantes. Il s'agrippa au comptoir.

— Vous êtes malade? demanda l'Arabe en le regardant, et son visage exprima une nuance d'intérêt.

« Malade », pensa Port. Il dit :

— Non, mais ma femme est très souffrante. Il faut qu'elle soit à El Ga'a demain.

Port scrutait la figure de l'Arabe pour deviner s'il se laisserait prendre à un mensonge si flagrant. Mais, sans doute, dans ces régions, était-il aussi logique pour une personne malade de fuir la civilisation et les soins médicaux que de les rechercher, car l'expression de l'Arabe se modifia lentement jusqu'à marquer de la compréhension et de la sympathie. Il n'en leva pas moins les mains dans un geste d'impuissance.

Port avait déjà tiré un billet de mille francs qu'il étala sur le comptoir.

— Il faut que tu nous trouves deux places pour ce soir, dit-il d'un ton ferme. Ceci est pour toi. Tu décideras deux personnes à remettre leur départ d'une semaine.

Par courtoisie, il s'abstint de suggérer que ces deux personnes se trouveraient plus facilement parmi les indigènes bien qu'il sût parfaitement comment les choses se passeraient.

— Combien coûte le billet pour El Ga'a? demanda-t-il en tirant de nouveau son portefeuille.

L'Arabe se leva, puis il demeura silencieux à gratter son turban.

— Quatre cent cinquante francs la place, répondit-il enfin, mais je ne sais pas...

Port posa douze cents francs devant lui, et dit :

— Cela fait neuf cents francs. Et douze cent cinquante pour toi quand tu en auras retiré le prix de la location. (Il voyait que l'homme s'était décidé.) J'amènerai la dame à huit heures.

— Sept heures et demie, dit l'Arabe, à cause des bagages.

Revenu à la pension, Port était tellement surexcité qu'il se précipita chez Kit sans frapper. Elle s'habillait et protesta avec indignation :

— Vraiment, tu as perdu la tête?

— Pas du tout, dit-il. J'espère seulement que tu pourras voyager dans cette tenue.

— Qu'est-ce que tu veux dire?

— Nous avons deux places dans le car de ce soir.

— Oh ! non. Oh ! mon Dieu ! Pour où ? El Ga'a ?

Il inclina la tête. Ni l'un ni l'autre ne parla.

— Bon, dit-elle enfin, qu'est-ce que ça me fait, après tout ? Tu sais ce que tu veux. Mais il est déjà six heures. Toutes ces valises...

— Je vais t'aider.

Il y avait maintenant dans l'attitude de Port une agitation fébrile qu'elle ne pouvait s'empêcher de remarquer. Elle l'observait tandis qu'il arrachait ses robes de la penderie et les faisait glisser des cintres avec des gestes saccadés; sa façon d'être lui paraissait tout à fait étrange, mais elle ne dit rien. Quand il eut terminé tout ce qu'il pouvait pour Kit, il alla dans sa chambre, emballa ses affaires en dix minutes et traîna ses valises dans le couloir. Puis il descendit en courant et Kit l'entendit parler aux boys avec animation. A sept heures moins le quart, ils étaient à table. En moins de rien, Port eut avalé son potage.

— Ne mange pas si vite, conseilla Kit, tu vas avoir une indigestion.

— Nous devons être au car à sept heures et demie, dit-il en frappant dans ses mains pour réclamer le second plat.

— Nous y serons, ou on nous attendra.

— Non, non. Il y aurait des ennuis pour les places.

Ils mangeaient leurs cornes de gazelle quand il demanda sa note et la paya.

— As-tu vu le lieutenant de Messignac ? interrogea Kit pendant qu'il attendait la monnaie.

— Oui.

— Et toujours pas de passeport ?

— Pas encore, répondit-il, et il ajouta : Je ne crois pas qu'on le retrouve jamais. Comment veux-tu que ce soit possible. Il a probablement déjà été expédié à Alger ou à Tunis.

— Je continue à penser que tu aurais dû télégraphier d'ici au consul.

— Je peux lui envoyer une lettre d'El Ga'a par le car qui nous y aura conduits, quand il en reviendra. Cela ne fera que deux ou trois jours de retard.

— Je ne te comprends pas, dit Kit.

— Qu'est-ce que tu ne comprends pas? demanda-t-il d'un air innocent.

— Je ne comprends rien. Ta soudaine indifférence, par exemple. Ce matin, tu étais dans un état terrible parce que tu n'avais pas de passeport. On aurait cru que tu ne pourrais pas vivre un jour de plus sans passeport. Et maintenant quelques jours de retard n'ont aucune importance. Tu voudras bien reconnaître que ça ne se tient pas?

— Tu voudras bien reconnaître que trois jours de plus ou de moins n'ont guère d'importance?

— Non, je ne le reconnais pas. Cela pourrait bien en avoir. D'ailleurs, ce n'est pas ce qui m'intéresse. Pas du tout. Et tu le sais.

— Ce qui est intéressant pour le moment, c'est de ne pas manquer le car.

Il se leva bruquement et courut vers Abd-el-Kader qui cherchait toujours la monnaie. Kit les rejoignit un instant plus tard. Sous les lampes au carbure qui se balançaient à l'extrémité de fils de fer fixés au plafond, les boys descendaient les bagages. Ils étaient six, chargés de valises, et formaient une procession le long de l'escalier. Une petite troupe de gamins s'était formée dans la nuit devant la pension, avec l'espoir tacite qu'on leur donnerait quelque chose à porter jusqu'au terminus du car.

Abd-el-Kader dit : « J'espère qu'El Ga'a vous plaira. »

— Oui, oui, répondit Port qui répartissait sa monnaie entre ses poches. J'espère que je ne vous ai pas trop ennuyé avec mes soucis.

Abd-el-Kader regarda ailleurs.

— Ah ! ça, dit-il, mieux vaut ne pas en parler.

Les excuses de Port avaient été présentées avec trop de désinvolture; il ne pouvait les accepter.

Le vent nocturne s'était levé. Les fenêtres et les volets battaient à l'étage supérieur. Les lampes oscillaient en grésillant.

— Nous nous reverrons peut-être à notre retour, insista Port.

Abd-el-Kader aurait dû répondre : « Inch'allah ! » Il se

contenta de regarder Port avec tristesse et sympathie. Pendant un instant il parut sur le point de dire quelque chose; puis il détourna la tête. « Peut-être », fit-il enfin, et quand il regarda Port de nouveau, celui-ci vit sur ses lèvres un sourire — un sourire qui ne lui était pas adressé, qui l'ignorait même. Ils se serrèrent la main et Port se hâta vers Kit qui se tenait sur le seuil, occupée à se maquiller soigneusement sous la lumière vacillante d'une lampe, tandis que les visages enfantins et curieux, tournés vers elle, suivaient chaque mouvement du rouge à lèvres entre ses doigts.

— Allons, viens ! cria-t-il. Ce n'est pas le moment.

— J'ai fini, dit-elle, en s'écartant pour n'être pas interrompue.

Elle laissa tomber le rouge dans son sac, dont elle fit claquer le fermoir.

Ils sortirent. La route était sombre; la nouvelle lune éclairait à peine. Quelques-uns des gamins traînaient encore derrière eux, mais la plupart avaient renoncé, en voyant les boys de la pension au grand complet accompagner les voyageurs.

— Quelle guigne qu'il y ait du vent ! dit Port. Il y aura de la poussière.

Kit ne craignait pas la poussière. Elle ne répondit pas. Mais elle remarqua le ton de voix qui n'était pas habituel : pour quelque raison inconnue, Port était ravi.

« J'espère seulement que nous n'aurons pas de montagne à franchir », se dit-elle en regrettant encore une fois, mais plus ardemment, de ne pas se trouver en Italie ou dans n'importe quel autre petit pays aux limites précises, où les villages ont des églises, où l'on se rend à la gare en taxi ou en fiacre, où l'on peut voyager de jour et où l'on ne se fait pas inévitablement remarquer chaque fois qu'on met le pied hors de l'hôtel.

— Oh ! Bon Dieu ! j'oubliais, s'écria Port. Tu es une femme très malade. (Et il lui expliqua comment il avait obtenu les places.) Nous sommes presque arrivés, ajouta-t-il, laisse-moi te passer mon bras autour de la taille. Marche comme si tu souffrais. Traîne un peu les pieds.

— C'est ridicule, dit-elle fâchée. Que vont penser nos boys?

— Ils sont trop occupés pour rien remarquer. Tu t'es tordu la cheville. Allons, traîne un peu. C'est si facile.

Il l'attira à lui en marchant.

— Et les gens dont nous avons pris la place?

— Qu'est-ce que c'est qu'une semaine pour eux? Ils n'ont aucune notion du temps.

Le car était là, entouré d'hommes et de jeunes garçons bruyants. Port et Kit entrèrent dans le bureau. Kit éprouvait une réelle difficulté à marcher tant Port la serrait contre lui.

— Tu me fais mal. Lâche-moi, murmura-t-elle.

Mais il ne desserra pas son étreinte et ils s'approchèrent du comptoir. L'Arabe qui avait vendu les billets à Port dit :

— Vous avez les places 21 et 22. Allez vite les prendre. Les autres ne veulent pas les lâcher.

Les numéros 21 et 22 se trouvaient à l'arrière du car. Port et Kit se regardèrent avec inquiétude; c'était la première fois qu'ils n'étaient pas assis près du conducteur.

— Est-ce que tu crois que tu le supporteras? lui demanda-t-il.

— Oui, si tu le supportes, dit-elle.

En apercevant derrière la vitre un vieillard à barbe grise coiffé d'un haut turban jaune dont l'expression lui parut pleine de reproche, Port dit :

— Je t'en prie, appuie-toi et prends l'air fatiguée, veux-tu? Il faudra jouer le jeu jusqu'au bout.

— J'ai horreur des mensonges, dit-elle avec chaleur.

Puis tout à coup elle ferma les yeux et parut vraiment malade. Elle pensait à Tunner. En dépit de la ferme résolution qu'elle avait prise à Aïn Krorfa de rester pour l'attendre comme convenu, elle avait permis à Port de l'entraîner à El Ga'a sans même laisser à Tunner un mot d'explication. Maintenant qu'il était trop tard pour revenir là-dessus, il lui semblait brusquement incroyable de s'être laissée aller à un geste pareil. Mais une seconde plus tard, elle se dit que, si elle venait de se rendre coupable d'une trahison impardonnable envers Tunner, elle trahissait encore plus gravement

Port en ne lui avouant pas son infidélité ! Son départ lui parut aussitôt justifié; dans les circonstances actuelles elle ne pouvait rien refuser à Port. Elle courba la tête repentante.

— Parfait, approuva-t-il, en lui pinçant le bras.

Il escalada les paquets empilés dans l'étroit passage entre les banquettes et sortit s'assurer que leurs bagages avaient bien été montés sur le toit. En revenant, il trouva Kit dans la même attitude.

On ne leur fit pas de difficultés. Quand le moteur commença à tourner, Port, par la fenêtre, vit de nouveau le vieillard à côté d'un autre homme, plus jeune. Ils se tenaient tout près de la vitre et regardaient à l'intérieur, l'air déçu. « Comme des enfants à qui on n'a pas permis de prendre part au pique-nique de famille », pensa-t-il.

Dès que le car eut démarré, Kit se redressa et commença à siffler. Port, gêné, lui donna un coup de coude.

— Non, ça suffit, dit-elle. Tu ne crois quand même pas que je vais jouer les malades tout au long du voyage? Tu es fou. D'ailleurs, personne ne fait la moindre attention à nous.

C'était vrai. Le car bourdonnait de conversations animées; leur présence semblait passer totalement inaperçue.

La route devint tout de suite mauvaise. A chaque secousse Port glissait un peu plus bas sur son siège. Comme elle remarquait qu'il ne faisait aucun effort pour se retenir, Kit protesta enfin : « Où vas-tu? Par terre? » Quand il répondit, ce fut seulement pour dire « Comment? » et sa voix était si étrange qu'elle se retourna brusquement pour le regarder. La lumière était trop faible. Elle ne distingua pas son expression.

— Tu dors? demanda-t-elle.

— Non.

— Ça ne va pas? Tu as froid? Pourquoi ne mets-tu pas ton manteau sur toi?

Cette fois, il ne répondit pas.

— Eh bien ! gèle si ça t'amuse, dit-elle en regardant le mince quartier de lune, très bas dans le ciel.

Un peu plus tard, le car commença de grimper laborieusement une côte raide. Les vapeurs d'essence se firent lourdes et âcres; leur odeur, combinée au bruit du moteur ahanant et au froid toujours plus vif, arracha Kit à la torpeur où elle avait sombré. Complètement réveillée, elle regarda autour d'elle dans la demi-obscurité du car. Les voyageurs paraissaient tous endormis ; ils avaient pris des postures bizarres, enroulés dans leurs burnous qui ne laissaient voir ni œil, ni nez. Un léger mouvement auprès d'elle attira son attention vers Port. Il avait glissé si bas qu'il se trouvait assis sur les reins. Pour l'obliger à se redresser elle lui tapa vigoureusement sur l'épaule. Il ne répondit que par un faible gémissement.

— Redresse-toi, dit-elle en tapant de nouveau. Tu auras le dos cassé.

Cette fois il gémit : « Oh-h-h ! »

— Port, pour l'amour du ciel, redresse-toi, dit-elle avec irritation.

Elle s'efforça de le tirer par la tête, dans l'espoir de le réveiller assez pour le décider à faire un effort.

— Oh ! Dieu ! dit-il en se hissant lentement pour se relever. Oh ! Dieu ! répéta-t-il quand il y fut enfin parvenu.

Maintenant que la tête de Port était au niveau de la sienne, Kit se rendait compte qu'il claquait des dents.

— Tu as attrapé froid ! dit-elle avec colère, bien qu'elle s'en voulût plus qu'à lui. Je t'ai dit de te couvrir et tu es resté à te geler comme un imbécile !

Il ne répondit pas, et demeura penché, sans bouger. Sa tête rebondissait sur sa poitrine aux cahots de la voiture. Kit s'efforça de tirer le manteau qu'il avait jeté sur son siège en entrant dans le car et sur lequel il était assis. Elle parvint peu à peu à l'extraire et l'étendit sur lui en le bordant des deux côtés avec des gestes excédés. Des mots s'inscrivaient à la surface de son esprit : « Cela lui ressemble bien d'être mort au monde quand je suis réveillée et à bout. » Mais ce n'était là qu'un écran destiné à lui masquer une peur sourde, la peur qu'il ne fût vraiment malade. Elle considéra l'immense étendue vide balayée par le vent. La nouvelle lune avait disparu derrière l'arête vive de la terre. Ici dans le désert, encore plus que devant la mer, Kit avait l'impression de se trouver sur une grande table, et que l'horizon formait le bord de l'espace. Elle imagina une planète cubique située quelque part entre la terre et la lune et où ils se trouveraient transportés. La lumière y serait dure et irréelle comme elle l'était ici, l'air aurait cette même âpre sécheresse, les lignes du paysage manqueraient de ces réconfortantes courbes terrestres comme elles en manquaient à travers ces vastes régions, et le silence, au suprême degré, ne serait rompu que par le bruit de l'air en mouvement. Elle toucha la vitre glacée. Le car tressautait et oscillait en poursuivant sa courbe ascendante sur le plateau.

21

La nuit n'en finissait pas. Ils atteignirent un bordj construit dans la paroi d'une falaise. L'intérieur du car s'éclaira. Le jeune Arabe assis devant Kit se retourna, lui sourit en rejetant le capuchon de son burnous, et montra plusieurs fois le sol en disant : « Hassi Inifel ! »

— Merci, dit-elle en lui rendant son sourire.

Elle avait envie de descendre et regarda Port. Il était plié en deux sous son manteau ; il avait le visage en feu.

« Port », commença-t-elle, et elle fut surprise de l'entendre répondre aussitôt : « Oui? » A sa voix il paraissait tout à fait éveillé.

— Descendons, allons boire quelque chose de chaud. Il y a des heures que tu dors.

Il se redressa lentement.

— Je n'ai pas dormi du tout, si tu veux le savoir.

Elle ne le croyait pas.

— Ah non? dit-elle. Eh bien ! veux-tu venir là-bas? Moi, j'y vais.

— Si je peux. Je me sens horriblement mal. Je dois avoir la grippe ou je ne sais quoi.

— Quelle sottise ! Où l'aurais-tu attrapée? Tu t'es probablement donné une indigestion en mangeant si vite.

— Vas-y, toi. Je me sens mieux quand je ne bouge pas.

Elle descendit du car et demeura un instant debout dans le

vent, sur les rochers, en aspirant profondément. L'aube ne s'annonçait nulle part.

Dans l'une des pièces près de l'entrée du bordj, des hommes chantaient ensemble en frappant des paumes sur un rythme rapide et compliqué. Elle trouva du café dans une pièce voisine, plus petite, et s'assit sur le plancher en se chauffant les mains au-dessus d'un récipient de terre rempli de braises. « Il ne *peut pas* tomber malade ici, pensait-elle. Aucun de nous ne le peut. » Il n'y avait rien d'autre à faire que de refuser d'être malade, une fois qu'on se trouvait si loin de tout. Elle revint au car et regarda à l'intérieur. La plupart des passagers y dormaient, emmitouflés dans leurs burnous. Elle découvrit Port et frappa à la vitre.

— Port ! appela-t-elle. Du café chaud !

Il ne bougea pas.

« Qu'il aille au diable ! pensa-t-elle. Il essaie de se rendre intéressant. Il *veut* être malade. » Elle monta et se fraya un chemin jusqu'au siège où il demeurait inerte.

— Port ! Je t'en prie, viens prendre du café. Pour me faire plaisir.

Elle avança la tête et le regarda de près, puis lui passant la main sur les cheveux, elle demanda :

— Tu te sens mal?

Il parla dans son manteau.

— Je ne veux rien. Je t'en prie. Je ne veux pas bouger.

Elle détestait se prêter à ses caprices; si elle s'occupait de lui, c'était peut-être justement ce qu'il escomptait. Mais au cas où il aurait pris froid il devait boire quelque chose de chaud. Elle décida de le lui faire prendre d'une façon ou d'une autre. Aussi demanda-t-elle :

— Le boiras-tu si je te l'apporte?

La réponse fut longue à venir, mais il dit enfin :

— Oui.

Le conducteur, un Arabe qui portait une casquette à visière au lieu d'un turban, sortait déjà du bordj quand elle s'y précipita.

— Attendez ! lui dit-elle.

Il s'arrêta et se retourna en l'examinant de la tête aux pieds.

Il ne pouvait faire part à personne de ses observations, puisqu'il n'y avait là que des Arabes qui, n'étant pas de la ville, n'auraient rien compris à ses commentaires obscènes.

Port se redressa et but le café en soupirant après chaque gorgée..

— Tu as fini? Il faut que je rende le verre.

— Oui.

Le verre passa de main en main jusqu'à l'avant où un enfant, près de la portière, l'attendait sans le quitter des yeux dans la crainte que le car ne partît avant qu'il l'eût récupéré.

Le véhicule démarra lentement. Maintenant que les portes avaient été ouvertes, il faisait plus froid à l'intérieur.

— Je crois que le café m'a fait du bien, dit Port. Merci mille fois. J'ai sûrement quelque chose qui ne va pas. Dieu sait que je ne me suis jamais senti comme ça. Si seulement je pouvais me mettre au lit et ne plus bouger, je crois que ça irait.

— Mais qu'est-ce que tu crois que c'est ? dit Kit sentant tout à coup surgir devant elle toutes les craintes qu'elle s'efforçait d'écarter depuis tant de jours.

— Si seulement je le savais ! Nous n'arriverons pas avant midi, n'est-ce pas? Quelle sale histoire !

— Essaie de dormir, chéri. (Elle ne l'avait pas appelé ainsi depuis au moins un an.) Appuie-toi de ce côté, comme ça, mets ta tête là. As-tu assez chaud?

Pendant quelques minutes elle essaya de lui épargner les cahots en s'appuyant de toutes ses forces sur le dossier pour lui servir de tampon, mais ses muscles se fatiguèrent bientôt; alors elle y renonça et se détendit. La tête de Port sautait sur sa propre poitrine. Il chercha la main de Kit sur ses genoux, la trouva, la tint serrée d'abord, puis l'étreinte se relâcha. Elle décida qu'il dormait et ferma les yeux en pensant : « Et maintenant, je ne pourrai plus m'échapper. Je suis prise. »

A l'aube ils arrivèrent devant un autre bordj situé sur une étendue de terrain parfaitement plate. Le car franchit le portail pour entrer dans une cour où se dressaient plusieurs tentes. Un chameau vint coller sa tête dédaigneuse à la vitre, tout près du visage de Kit. Cette fois-là, tout le monde descendit. Elle éveilla Port.

— Tu veux manger quelque chose?

— Si incroyable que cela puisse te paraître, j'ai un peu faim.

— Pourquoi n'aurais-tu pas faim? dit-elle gaiement. Il est presque six heures.

Ils prirent de nouveau du café très sucré, avec des œufs durs et des dattes. Le jeune Arabe qui leur avait dit le nom de l'autre bordj passa près d'eux pendant qu'ils mangeaient, assis par terre. Kit ne put s'empêcher de remarquer combien il était beau, si grand et droit dans ses vêtements blancs qui flottaient. Pour effacer le sentiment de culpabilité qu'elle éprouvait à s'y intéresser si peu que ce fût, elle se sentit obligée d'attirer l'attention de Port sur lui.

— Tu ne le trouves pas magnifique? dit-elle comme l'Arabe sortait de la pièce.

Cette phrase qui ne lui ressemblait guère lui parut complètement ridicule dans sa propre bouche; elle attendit, un peu gênée, la réaction de Port. Mais Port, très pâle, se tenait le ventre.

— Qu'est-ce que tu as? cria-t-elle.

— Empêche le car de repartir, dit-il.

Il se leva en chancelant et quitta précipitamment la pièce. Accompagné par un boy il tituba à travers la vaste cour, dépassa les tentes où brûlaient des feux et criaient des enfants. Il marchait plié en deux, tenant sa tête d'une main et son ventre de l'autre.

Dans un coin éloigné une petite enceinte de pierre ressemblait à une tourelle. Le boy l'indiqua du doigt « Daoua », dit-il. Port monta les quelques marches qui y conduisaient, y entra, claqua derrière lui la porte de bois. L'odeur était infecte dans le réduit obscur. Port s'adossa au mur de pierre glacée et entendit les toiles d'araignées qui se déchiraient sous sa tête. Il éprouvait une double souffrance, faite à la fois d'une crampe violente et de nausée. Il demeura un moment immobile, à avaler sa salive en respirant péniblement. Une faible lueur montait de l'orifice carré aménagé dans le plancher. Quelque chose courut sur la nuque de Port. Il s'écarta et se pencha sur le trou, en s'appuyant des deux bras au mur devant lui. Sous lui, la terre et les pierres souillées d'excréments vibraient de mouches. Il ferma les yeux et se tint quelques minutes dans cette position d'attente en gémissant. Le conducteur du car commença à souffler dans sa trompe; le son accrut encore l'angoisse de Port. « Assez! Bon Dieu! » hurla-t-il, et il gémit de nouveau. Mais la trompe ne s'arrêtait pas et mêlait de coups brefs ses appels prolongés. Le moment vint enfin où la douleur sembla brusquement se calmer. Port ouvrit les yeux et leva la tête en sursautant, car il avait cru apercevoir des flammes. C'était l'éclat rouge du soleil levant qui se reflétait sur le rocher et les immondices. Quand il voulut sortir, Kit et le jeune Arabe se tenaient debout à la porte; ils l'aidèrent à descendre les quelques marches puis à gagner le car qui les attendait.

Au long de la matinée, le paysage prit une gaieté et une douceur qui ne ressemblaient à rien de ce que Kit avait jamais vu. La roche avait fait place au sable. Des arbres au feuillage transparent poussaient par endroits, surtout aux alentours des agglomérations de huttes dont le nombre augmentait. Ils dépassèrent des groupes d'hommes à peau sombre montés sur des méhara. Ces hommes tenaient leurs rênes avec fierté et leurs yeux fardés de khôl luisaient durement au-dessus des voiles indigo qui dissimulaient leurs visages.

Pour la première fois, Kit éprouva un petit frisson de plaisir. « C'est quand même merveilleux, pensait-elle, de rencontrer des gens pareils en pleine ère atomique. »

Port était renversé sur le dossier, les yeux clos.

— Oublie-moi, avait-il dit en quittant le bordj, cela m'aidera à en faire autant. Encore quelques heures — et je me coucherai, grâce à Dieu.

Le jeune Arabe parlait juste assez de français pour ne pas se laisser impressionner par l'impossibilité évidente d'engager une véritable conversation. Il lui suffisait d'un substantif et d'un verbe pourvu qu'ils fussent prononcés avec conviction, et Kit se sentait dans le même état d'esprit. Doué comme tous les Arabes pour faire surgir une légende d'un simple énoncé des faits, il lui décrivit El Ga'a, ses hauts murs et ses portes que l'on ferme au coucher du soleil, ses rues sombres et tranquilles, ses grands marchés où les hommes vendent ce qui vient du Soudan et de plus loin encore : barres de sel, plumes d'autruche, poussière d'or, peaux de léopard. Il en énuméra la liste et, quand le mot français lui manquait, il utilisait le mot arabe sans se laisser déconcerter. Elle écoutait, attentive, hypnotisée par le charme extraordinaire de son visage et de sa voix, fascinée par la nouveauté de ses propos autant que par son étrange façon de s'exprimer.

Ils traversaient maintenant une vaste zone sablonneuse, piquée çà et là de buissons, d'arbustes tourmentés et courbés sous le soleil ardent. Devant eux, le bleu du firmament blanchissait avec un éclat plus dur qu'elle ne l'aurait cru possible : c'était l'atmosphère de la ville. Avant qu'elle eût pu le prévoir, le car roulait déjà entre les murs de boue grise. Des enfants criaient sur son passage, de leurs voix semblables à des aiguilles d'acier. Port gardait toujours les yeux clos; Kit décida de ne pas le déranger avant l'arrêt. Ils prirent un virage rapide sur la gauche en soulevant un nuage de poussière, et pénétrèrent par une grande porte dans une énorme cour carrée — sorte d'antichambre à la ville, au bout de laquelle s'élevait une autre porte, encore plus large. Au delà, gens et animaux se perdaient dans l'ombre. Le car stoppa sur une secousse; le conducteur en descendit aussitôt et s'éloigna comme s'il s'en désintéressait une fois pour toutes. Des passagers continuaient à dormir, d'autres bâillaient ou commençaient à chercher leurs paquets qui ne se trouvaient plus à l'endroit où ils les avaient posés la veille au soir.

Kit indiqua par mots et par gestes que Port et elle ne bougeraient pas de leurs places avant que tout le monde eût quitté le véhicule. Le jeune Arabe déclara que, dans ces conditions, il en ferait autant, car elle aurait besoin de son aide pour conduire Port à l'hôtel. Pendant que les voyageurs descendaient sans hâte, il expliqua que cet hôtel se trouvait de l'autre côté de la ville, près du fort, car il ne servait qu'aux officiers sans domicile : on s'y rendait rarement du terminus du car.

171

— Vous êtes bien gentil, dit-elle, en s'appuyant de nouveau au dossier.

— Oui, madame.

Son visage n'exprimait qu'une sollicitude amicale et elle lui faisait aveuglément confiance.

Lorsque enfin le car fut vide et qu'il n'y resta plus, sur le plancher et les sièges, que des peaux de grenades et des noyaux de dattes, l'Arabe sortit et appela des porteurs.

— Nous sommes arrivés, dit Kit à voix haute.

Port remua, ouvrit les yeux et dit :

— J'ai fini par dormir. Quel voyage infernal ! Où est l'hôtel ?

— Quelque part par là, dit-elle vaguement.

Elle n'avait guère envie de lui apprendre que c'était de l'autre côté de la ville.

Il se redressa lentement.

— Bon Dieu ! j'espère qu'il est près d'ici. Sinon je n'y arriverai jamais. Je suis vraiment mal fichu.

— Il y a ici un Arabe pour nous aider qui va nous y conduire. Il semble que ce ne soit pas tout près de ce terminus.

Elle préférait lui taire elle-même la vérité; ainsi elle n'y serait pour rien, et, si Port en éprouvait de la rancune, ce ne serait pas à elle qu'il s'en prendrait.

Dehors, dans la poussière, s'étalait le désordre africain, mais dépouillé pour la première fois de toute influence européenne, si bien que le spectacle avait une pureté qui lui avait fait défaut dans les autres villes, une plénitude inattendue qui effaçait l'impression de chaos. Port lui-même, tandis qu'on l'aidait à descendre, remarqua l'unité harmonieuse du décor.

— C'est magnifique ici, dit-il, du moins ce que je peux en voir.

— Ce que tu peux en voir, répéta Kit. Tu as quelque chose aux yeux ?

— J'ai des vertiges. J'ai de la fièvre, ça, j'en suis sûr.

Elle lui toucha le front et se contenta de dire : « En tout cas, ne restons pas au soleil. »

Le jeune Arabe marchait à la gauche de Port et Kit à sa droite; ils le soutenaient tous deux. Les porteurs les précédaient.

— Le premier endroit qui vaille la peine, dit Port amèrement, et il faut que je me sente comme ça.

— Tu vas rester couché jusqu'à ce que tu sois tout à fait bien. Nous aurons tout le temps plus tard de nous lancer à la découverte.

Port ne répondit pas. Ils franchirent la porte intérieure et prirent un long tunnel tortueux. Des passants les frôlaient dans l'ombre. Assis le long des murs, des gens modulaient, d'une voix assourdie, de longues phrases pareilles à des mélopées. Bientôt ils se retrouvèrent au soleil, puis de nouveau dans un défilé obscur quand la rue s'enfonça entre les maisons aux murs épais.

— Ne t'a-t-il pas dit où c'était? Je ne tiendrai pas le coup beaucoup plus longtemps, dit Port.

Pas une fois il ne s'était adressé directement au jeune Arabe.

— Dix, quinze minutes, dit celui-ci.

Port continua à l'ignorer.

— Il n'en est pas question, dit-il à Kit en haletant un peu.

— Mon pauvre garçon, *il le faut*, tu ne vas pas t'asseoir au milieu de la rue.

— Quoi? dit l'Arabe qui les regardait attentivement.

Quand il eut compris, il héla un homme qui passait et échangea quelques mots avec lui.

— Fondouk là, dit-il, en tendant le doigt. Il peut... (L'Arabe mit sa joue sur sa main et ferma les yeux.) Alors hôtel, chercher hommes et *rfed, très bien!*

Il fit un geste comme pour soulever Port et l'emporter dans ses bras.

— Non, non, cria Kit, qui crut qu'il allait vraiment le faire.

L'Arabe rit et demanda à Port : « Toi vouloir aller là? »

— Oui.

Ils revinrent sur leurs pas, refirent une partie du labyrinthe. Le jeune Arabe parla de nouveau à un passant, puis se retourna avec un sourire :

— Fini. Le dernier passage noir.

Le fondouk était une version sale, petite et encombrée des bordjs qu'ils avaient rencontrés dans les précédentes semaines, mais le centre en était recouvert d'un entrelacs de roseaux qui l'abritait du soleil. Il était rempli de gens et de chameaux pressés sur le sol les uns contre les autres. Ils entrèrent tous trois et l'Arabe parla à l'un des gardiens, qui fit évacuer une stalle et y empila dans le coin de la paille fraîche pour Port. Les porteurs s'étaient assis sur les bagages, dans la cour.

— Je ne peux pas te laisser ici, dit Kit en considérant l'immonde alcôve. Enlève ta main !

La main de Port reposait sur de la fiente de chameau, mais il l'y laissa.

— Va, je t'en prie, tout de suite, dit-il. Ça ira bien jusqu'à ton retour. Mais va vite. Va vite !

Elle lui lança un dernier regard angoissé et sortit dans la cour, suivie de l'Arabe. Dans la rue, elle éprouva du soulagement à pouvoir marcher d'un pas rapide.

— Vite ! Vite ! ne cessait-elle de répéter comme une machine.

Ils se firent un chemin à travers les foules lentes, traversèrent en haletant le cœur de la ville. Au delà, ils aperçurent enfin la colline dominée par le fort. Ce quartier était plus aéré que l'autre. Il consistait surtout en jardins séparés de la rue par de hauts murs qui dépassaient quelques grands cyprès noirs. Au bout d'une longue allée, une plaque de bois à peine visible portait une flèche tournée vers la gauche et trois mots peints : *Hôtel du Ksar.* « Enfin ! » s'écria Kit. Même ici, à l'extrémité de la ville, c'était encore un labyrinthe; les rues étaient construites de telle sorte que chacune semblait une impasse bornée de murs. Ils durent trois fois revenir sur leurs pas. Il n'y avait pas de portes, pas de boutiques, même pas de passants — mais seulement les impassibles murs roses qui cuisaient au soleil, sans un souffle d'air.

Ils découvrirent enfin une porte minuscule mais fermée par un puissant loquet, au milieu d'un mur immense. *Entrée de l'Hôtel,* disait un écriteau. L'Arabe y frappa à grands coups.

Un long moment s'écoula sans réponse. Kit avait la gorge sèche et douloureuse; son cœur continuait de battre trop vite. Elle ferma les yeux et écouta. Elle n'entendit rien.

— Frappez encore, dit-elle en se préparant à le faire elle-même. Mais il avait toujours la main sur le heurtoir, et le frappa avec plus d'énergie encore que la première fois. Un chien se mit à aboyer quelque part dans le jardin et comme les aboiements se rapprochaient il s'y mêla des reproches. «*Askout!*» cria une voix de femme en colère. Le chien aboya de plus belle. Puit Kit entendit une pierre rebondir sur le sol, puis une autre, puis une troisième.

Le chien se taisait maintenant. Dans son impatience, elle repoussa la main de l'Arabe, saisit le heurtoir et martela la porte sans arrêt. Elle ne cessa que lorsque la voix de la femme cria, derrière la porte : « *Echkoun? Echkoun?*»

Le jeune Arabe et la femme se lancèrent dans une grande discussion qu'il ponctuait de gestes extravagants; de toute évidence, elle refusait d'ouvrir. La femme finit par s'éloigner. Kit entendit ses sandales qui traînaient sur l'allée, puis de nouveau les aboiements du chien, les réprimandes de la femme, les gémissements de l'animal qui venait d'être battu, puis plus rien.

— Qu'est-ce qu'il y a? s'écria Kit désespérée. *Pourquoi on ne nous laisse pas entrer?*

L'Arabe sourit et haussa les épaules.

— Madame vient, dit-il.

— Oh! Dieu! s'exclama-t-elle en anglais.

Elle saisit le marteau et frappa violemment, en même temps qu'elle donnait de toutes ses forces des coups de pied dans le bas de la porte. La porte ne bougea pas. Toujours souriant, l'Arabe secoua doucement la tête. «*Peut pas*», dit-il. Mais elle continua à frapper. Bien qu'elle se sentît parfaitement injuste, elle était furieuse contre lui parce qu'il n'avait pas su se faire ouvrir. Au bout d'un moment, elle s'arrêta, prête à s'évanouir. Elle tremblait de fatigue, un goût métallique avait envahi sa bouche et sa gorge. Le soleil se déversait sur la terre nue; il n'y avait pas un pouce d'ombre, sauf à leurs pieds. Kit se rappela ses nombreuses expériences d'enfant, quand elle tenait une loupe au-dessus d'un malheureux insecte qu'elle poursuivait à travers le jardin dans ses efforts désespérés pour échapper au foyer toujours plus intense de la lentille, jusqu'au moment où, touché par le minuscule point aveuglant, il cessait comme par magie de courir, et qu'elle le voyait alors grésiller

175

et commencer à fumer. Kit avait maintenant l'impression que, si elle levait les yeux, le soleil lui apparaîtrait grossi dans des proportions monstrueuses. Elle s'adossa au mur et attendit.

Il y eut des pas dans le jardin. Elle écouta le bruit croître en netteté et en volume jusqu'à la porte. Sans même tourner la tête, elle attendit de la voir s'ouvrir; mais elle ne s'ouvrit pas.

— *Qui est là?* dit en français une voix de femme.

De crainte que le jeune Arabe ne parlât et ne se vît peut-être refuser l'entrée comme indigène, Kit rassembla toutes ses forces pour crier :

— Vous êtes la propriétaire?

Il y eut un court silence. Puis la femme, avec un accent corse ou italien, commença sur un ton suppliant :

— *Ah! madame, allez-vous-en, je vous en supplie!... Vous ne pouvez pas entrer ici!* Je regrette! C'est inutile d'insister. Je ne peux pas vous laisser entrer! Personne n'est entré ou sorti de l'hôtel depuis une semaine. C'est désolant, mais vous ne pouvez pas entrer!

— Mais, madame, cria Kit qui sanglotait presque, mon mari est malade!

— *Aïe!*

La femme avait poussé un cri aigu et Kit eut l'impression qu'elle avait dû reculer de plusieurs pas; sa voix, plus lointaine, le confirma.

— *Ah! mon Dieu!* Allez-vous-en! Je ne peux rien pour vous!

— Mais où? hurla Kit. Où puis-je aller?

La femme s'éloignait. Elle s'arrêta pour crier.

— Loin d'El Ga'a! Quittez la ville! N'espérez pas que je vous laisse entrer! Jusqu'ici, à l'hôtel, nous n'avons pas été touchés par l'épidémie.

Le jeune Arabe essayait d'entraîner Kit. Il n'avait rien compris, sinon qu'on ne les laisserait pas entrer. « Viens, nous trouver fondouk », disait-il. Elle le repoussa, se fit un porte-voix de ses deux mains, et cria :

— Madame, quelle épidémie?

La voix venait maintenant de très loin :

— Mais, la méningite. Vous ne saviez pas? *Mais oui, madame! Partez! Partez!*

Le bruit de ses pas pressés s'affaiblit, s'éteignit. Au coin du passage, un aveugle avait débouché. Il avançait vers eux lentement, en frôlant le mur. Kit, les yeux écarquillés, regardait le jeune Arabe. Elle se disait : « C'est une crise. On n'en traverse qu'un certain nombre dans la vie. Il faut être calme, et réfléchir. » Lui, voyant ses yeux fixes et ne comprenant toujours rien, lui mit la main sur l'épaule pour la réconforter en disant : « Viens. » Elle ne l'entendit pas, mais elle se laissa arracher du mur juste avant que l'aveugle ne les eût atteint. Et il la ramena dans la ville tandis qu'elle continuait à penser : « C'est une crise. » L'obscurité d'un tunnel vint rompre son état d'auto-hypnose.

— Où allons-nous? demanda-t-elle.

La question fit plaisir au jeune Arabe; il y vit la preuve qu'elle se confiait à lui.

— Fondouk, répondit-il, mais sa voix dut laisser percer un peu de son triomphe, car Kit s'arrêta et s'écarta de lui.

— *Balek!* cria quelqu'un près d'elle, et elle fut heurtée par un homme chargé d'un gros paquet. Le jeune Arabe tendit la main et tira doucement Kit à lui.

— Le fondouk, répéta-t-elle d'un air vague. Ah oui!

Ils reprirent leur marche.

Dans l'étable bruyante, Port semblait dormir. Sa main reposait toujours sur la fiente de chameau, il n'avait pas bougé du tout. Pourtant il les entendit entrer et fit un léger mouvement pour leur montrer qu'il était conscient de leur présence. Kit s'accroupit dans la paille et lui caressa les cheveux. Elle n'avait aucune idée de ce qu'elle allait lui dire ni, bien entendu, de ce qu'ils allaient faire, mais elle se sentait mieux d'être si près de lui. Elle demeura longtemps ainsi, aussi longtemps que sa position fut supportable. Puis elle se leva. Le jeune Arabe était assis par terre à l'entrée. « Port n'a pas dit un mot, pensait-elle, mais il s'attend à voir les gens de l'hôtel venir le prendre et l'emporter. » Sa tâche la plus difficile consistait encore à lui annoncer qu'il ne pouvait pas rester à El Ga'a. Elle résolut de n'en rien dire. A cet instant, sa décision se prit d'elle-même.

Et tout fut réglé rapidement. Kit envoya le jeune Arabe au marché. N'importe quelle voiture, n'importe quel camion, n'importe quel car ferait l'affaire, lui avait-elle dit, et l'argent ne comptait pas. Cette dernière précision n'eut, bien entendu, aucun effet — il perdit presque une heure à discuter le prix du transport de trois personnes à l'arrière d'un camion de ravitaillement qui partait.pour Sbâ dans l'après-midi. Mais, quand il revint, l'accord était conclu. Une fois le camion chargé, le conducteur l'amènerait à la Porte Neuve, la porte la plus proche du fondouk, et il enverrait son copain le mécanicien les prévenir et recruter les hommes nécessaires au transport du malade jusqu'au véhicule.

— C'est de la chance, dit le jeune Arabe. (Le camion ne faisait le trajet que deux fois par mois.)

Kit le remercia. Durant son absence, Port n'avait pas bougé et elle n'avait pas osé le réveiller. Elle s'agenouilla près de lui, la bouche collée à son oreille, et l'appela doucement à plusieurs reprises.

— Oui, Kit, dit-il enfin. Sa voix était très faible.

— Comment te sens-tu? murmura-t-elle.

Il attendit longtemps avant de répondre.

— J'ai sommeil, dit-il.

Elle lui caressa la tête.

— Dors encore un peu. Les hommes vont venir bientôt.

Mais ils n'arrivèrent pas avant le coucher du soleil. Le jeune Arabe, pendant ce temps, était allé chercher pour Kit un bol de nourriture. Malgré son appétit dévorant, elle put à peine avaler ce qu'il lui avait apporté : la viande consistait en abatis divers et impossibles à identifier, frits dans une graisse lourde et accompagnés de moitiés de coings coriaces, cuits à l'huile d'olive. Il y avait aussi du pain; Kit s'en nourrit plus que du reste. Le jour baissait déjà et les gens de la cour préparaient leur souper, quand le mécanicien entra avec trois noirs à l'air farouche. Aucun d'eux ne parlait un mot de français. Le jeune Arabe leur désigna Port. Ils l'enlevèrent sans cérémonie de son lit de paille et l'emportèrent dans la rue. Kit les suivait en essayant de se maintenir à la hauteur de Port pour empêcher sa tête de glisser. Ils marchèrent rapidement dans les ruelles de plus en plus obscures, traversèrent le marché aux chameaux et aux chèvres où l'on n'entendait plus que le son de quelques clochettes qui tintaient au cou des animaux. Et bientôt ils atteignirent le mur d'enceinte. Le camion attendait; on ne voyait rien du désert au delà de la lueur des phares.

— Derrière, il va derrière, expliqua le jeune Arabe à Kit, tandis que les trois noirs laissaient tomber leur fardeau sur des sacs de pommes de terre.

Elle lui donna de l'argent en le priant de régler le Soudanais et les porteurs. La somme n'était pas suffisante, elle dut la compléter. Les noirs s'en allèrent. Le conducteur faisait tourner le moteur pour le chauffer. Le mécanicien sauta à côté de lui et ferma la porte. Le jeune Arabe aida Kit à monter à l'arrière, d'où elle le regarda, appuyée contre une pile de casiers à bouteilles. Il parut vouloir sauter pour la rejoindre, mais, à ce moment, le camion démarra. Il le suivit en courant, persuadé que Kit crierait au chauffeur d'arrêter, puisqu'il avait bien l'intention de l'accompagner. Mais, au contraire, dès qu'elle eut repris son équilibre, elle s'accroupit et s'allongea près de Port sur le plancher, au milieu des sacs et des colis. Elle ne regarda pas au dehors avant que le camion eût franchi plusieurs kilomètres. Elle leva alors la tête et jeta un coup d'œil furtif, comme si elle s'attendait à le voir là, dans ce désert glacé, courant après elle sur les traces du camion.

Le véhicule avançait avec moins de heurts qu'elle n'avait craint, sans doute parce que la piste était plate et presque sans virages. La route semblait suivre une vallée étroite et interminable, bordée au loin, des deux côtés, par de hautes dunes. Kit leva les yeux vers la lune, encore très mince, mais déjà plus grosse que la veille. Puis elle frissonna en serrant son sac contre sa poitrine. Elle éprouva un moment de plaisir à penser à ce petit univers sombre, ce sac qui sentait le cuir et les crèmes et protégeait son corps de l'atmosphère hostile. Rien n'y était changé; les mêmes objets s'y entre-choquaient dans le même chaos limité, et les mêmes noms représentaient toujours les mêmes choses. Mark Cross, Caron, Helena Rubinstein. Kit prononça tout haut : « Helena Rubinstein », et elle rit. « Je vais avoir une crise de nerfs », se dit-elle. Elle saisit la main inerte de Port, et en serra les doigts aussi fort qu'elle put. Puis elle s'assit et consacra toute son attention à pétrir et à masser cette main, dans l'espoir de la sentir se réchauffer sous la pression. Une terreur soudaine l'envahit. Elle toucha la poitrine de Port. Naturellement son cœur battait. Mais il semblait glacé. En rassemblant toutes ses forces, elle le mit sur le côté et s'allongea dans son dos en se collant à lui par tous les points possibles pour essayer de lui tenir chaud. Elle se détendit et fut frappée de s'apercevoir qu'elle avait eu froid elle-même et qu'elle se sentait beaucoup mieux ainsi. Le besoin de se réchauffer avait-il inconsciemment formé son désir de se coller à Port? « Sans doute, se répondit-elle, sinon je n'y aurais jamais pensé. » Elle dormit un peu.

Et se réveilla en sursaut. Son esprit redevenu clair, il était naturel qu'elle éprouvât de l'horreur. Elle essaya de ne pas l'identifier. Ce n'était pas Port. C'était là, en elle, depuis longtemps déjà. Une horreur nouvelle qui évoquait le soleil, la poussière... Elle fit tous ses efforts pour s'en détourner, en sachant que son esprit allait brusquement prendre contact avec l'idée qu'elle fuyait. Dans un quart de seconde, il ne serait plus possible de l'ignorer... Elle était là. La méningite !

Il y avait une épidémie de méningite à El Ga'a et elle s'y était exposée. Dans les tunnels étouffants des rues, elle avait respiré l'air empoisonné, elle s'était blottie dans la paille contaminée du fondouk. Le virus l'avait certainement envahi et se multipliait en elle. A cette pensée, elle sentit son dos se raidir. Mais Port ne pouvait pas avoir la méningite : il n'avait cessé d'être glacé depuis Aïn Krorfa, il devait déjà avoir de la fièvre dès l'arrivée à Bou Noura, bien qu'à eux deux ils n'eussent pas eu l'intelligence de s'en apercevoir. Elle essaya de se rappeler les symptômes qu'elle connaissait, non seulement ceux de la méningite, mais de toutes les principales maladies contagieuses. La diphtérie commençait par un mal de gorge, le choléra par la diarrhée, mais le typhus, la typhoïde, la peste, la malaria, la fièvre jaune, la kala azar, toutes ces maladies, à sa connaissance, débutaient par de la fièvre et des malaises d'un genre ou d'un autre. C'était une loterie. « Peut-être est-ce de la dysenterie amibienne compliquée d'un retour de malaria », réfléchit-elle. « Mais, quoi que ce soit, il l'a déjà, et ce que je ferai ou ce que je ne ferai pas n'y changera rien. » Elle refusait de se sentir le moins du monde responsable; une telle charge supplémentaire lui aurait été intolérable en cet instant. Et elle pensait que, dans les circonstances actuelles, elle tenait assez bien le coup. Elle se rappela des histoires de guerre terribles, qui se terminaient toujours par la même moralité : « On ne sait jamais ce dont une personne est capable avant de l'avoir vue dans les moments difficiles; la plus timorée se révèle souvent la plus courageuse. » Elle se demanda si elle était courageuse ou seulement résignée. « Ou lâche », se dit-elle. C'était possible aussi et il n'y avait pas moyen de savoir. Port ne pourrait pas l'y aider, car il en savait encore moins qu'elle. Si elle le soignait et le tirait d'affaire — quoi qu'il eût — il lui dirait sans aucun doute qu'elle avait été courageuse, une vraie martyre, et beaucoup d'autres compliments, mais il le dirait par reconnaissance. Elle se demanda alors pourquoi elle tenait tant à être fixée : c'était vraiment un détail bien futile !

Le camion roulait toujours dans le grondement du moteur. L'arrière était ouvert heureusement, ce qui leur épargnait les vapeurs d'essence. Kit en respirait de temps en temps l'odeur âcre. Mais l'instant d'après l'air froid de la nuit la dissipait. La lune se coucha, les étoiles brillaient toujours, Kit n'avait aucune idée de l'heure. Le bruit du moteur étouffait tout écho d'une conversation possible entre le chauffeur et le mécanicien, et la rendait incapable de communiquer avec eux. Elle passa les bras autour de Port et se serra davantage contre lui pour chercher la chaleur. « Quoi qu'il ait, il ne me le souffle pas dans la figure », pensa-t-elle. Dans ses minutes de sommeil, elle enfouissait les jambes sous les sacs pour les garder chaudes; leur poids la réveillait souvent, mais elle le préférait au froid. Elle avait disposé des sacs vides sur les jambes de Port. La nuit n'en finissait pas.

22

Allongé à l'arrière du camion, plus ou moins protégé du froid grâce à Kit, il prenait par moments conscience de la piste rectiligne qui défilait au-dessous de lui. Les routes sinueuses des semaines précédentes lui devenaient étrangères, s'estompaient dans son souvenir; un seul chemin sans détours l'avait conduit dans le désert et, maintenant, il était sur le point d'en atteindre le centre.

Combien de fois ses amis, enviant son existence, lui avaient dit : « Ta vie est si simple ! » « Ta vie semble toujours suivre une ligne droite. » Et, chaque fois, Port découvrait dans ces phrases un reproche implicite : ce n'est pas difficile de construire une route droite sur une plaine nue. Il lui semblait les entendre dire : « Tu as choisi le terrain le plus facile. » Mais s'ils choisissaient, eux, d'élever des obstacles sur leur route — ce qu'ils faisaient, de toute évidence, en s'encombrant d'obligations inutiles — ce n'était pas une raison pour lui reprocher d'avoir simplifié sa vie. Aussi répondait-il avec une certaine irritation : « Chacun mène la vie qu'il veut, non ? » comme s'il n'y avait rien de plus à dire.

Les autorités d'immigration n'avaient pas été satisfaites, à son débarquement, par le blanc qui suivait sur son passeport le mot *Profession*. (Ce passeport, preuve officielle de son existence, qui courait après lui quelque part dans le désert !) On lui avait dit : « Monsieur fait sûrement quelque chose. » Et Kit, le voyant prêt à protester, était aussitôt intervenue : « Oui, naturellement, Monsieur est un écrivain, mais il est modeste ! » Ils avaient ri, rempli le blanc du mot *écrivain*, et exprimé le vœu qu'il fût inspiré par le Sahara. Il avait d'abord été furieux devant leur entêtement à lui imposer une étiquette, un *état civil*. Puis, pendant quelques heures, l'idée d'écrire véritablement un livre l'avait amusé. Un journal, rempli chaque soir des idées de la journée, soigneusement relevé de couleur locale, et dans lequel il devrait démontrer avec clarté, avec calme, la vérité absolue du théorème qu'il aurait posé au départ : il n'existe pas de différence entre quelque chose et rien. Il avait gardé son idée pour lui : Kit l'aurait étouffée par son enthousiasme. Depuis que son père était mort, Port n'avait plus travaillé à rien parce que ce n'était pas nécessaire, mais elle conservait l'espoir qu'il recommencerait à écrire — n'importe quoi, du moment qu'il travaillerait. « Il est *un peu* moins insupportable quand il travaille », expliquait-elle aux autres, et c'était loin de n'être qu'une plaisanterie. Et sa mère aussi, quand il la voyait, rarement, lui demandait : « Tu travailles? » en le regardant de ses grands yeux tristes. Il répondait : « Non, bien sûr », avec insolence. Au moment même où ils se rendaient à l'hôtel en taxi, tandis que Tunner s'exclamait d'horreur devant la misère des rues, il avait pensé que Kit se réjouirait trop de son projet; il lui faudrait le réaliser en secret — ce serait la seule façon de le mener à bien. Mais, une fois installés dans l'hôtel, et dans leur petite vie au café d'Eckmuhl-Noiseux, il n'avait plus rien trouvé à écrire : il n'arrivait pas à établir de rapports entre les mille riens absurdes de la vie quotidienne et la tâche sérieuse de mettre des mots sur le papier. C'était Tunner, pensait-il, le responsable, en l'empêchant de se sentir complètement à l'aise; sa présence créait un trouble qui, même infime, l'empêchait d'atteindre cet état de méditation qu'il jugeait essentiel. Tant qu'il vivait sa vie, il ne pouvait pas l'écrire. Toute circonstance qui exigeait de lui une participation quelconque suffisait à chasser la création littéraire du domaine des possibilités. Mais c'était bien ainsi. Il n'aurait rien fait de bon, et n'en aurait donc pas éprouvé de plaisir. Et si même il avait écrit une œuvre valable, combien de personnes l'auraient lue? C'était excellent de s'enfoncer dans le désert sans laisser de traces derrière lui.

Tout à coup il se rappela qu'ils étaient en route pour l'hôtel d'El Ga'a. La nuit était revenue sans qu'ils l'eussent encore atteint, il y avait là une contradiction qu'il ressentait sans avoir la force de l'éclaircir. Par moments la fièvre faisait rage en lui, comme une entité isolée; il eut la vision d'un joueur de baseball prenant son élan pour lancer la balle. Et cette balle c'était lui. Il tournait, tournait encore, puis il était projeté dans l'espace où il se dissolvait en plein vol.

Ils étaient penchés sur lui. La lutte avait été longue et il était harassé. Kit était l'un des deux; l'autre un soldat. Ils parlaient, mais leurs mots n'avaient pas de sens. Il les abandonna penchés sur lui et retourna là d'où il venait.

— Il sera aussi bien ici que n'importe où de ce côté de Sidi-bel-Abbès, disait le soldat. Avec la typhoïde, tout ce qu'on peut faire, même à l'hôpital, c'est de maintenir la température aussi basse que possible, et d'attendre. Ici, à Sbâ, nous avons très peu de choses en fait de médicaments, mais ça (il désigna un tube de pilules posé sur une caisse retournée en guise de table près de la couchette), ça fera tomber la fièvre, et c'est déjà beaucoup.

Kit ne le regarda pas.

— Et la péritonite? demanda-t-elle tout bas.

Le capitaine Broussard fronça les sourcils.

— Ne pensez pas aux complications, Madame, dit-il sévèrement. C'est déjà bien assez grave. Oui, bien sûr, péritonite, pneumonie, arrêt du cœur, qui sait? Et vous-même, peut-être avez-vous la fameuse méningite d'El Ga'a contre laquelle Mme Luccioni a eu la bonté de vous mettre en garde. Bien sûr! Et peut-être y a-t-il cinquante cas de choléra à Sbâ en ce moment. Je ne vous le dirais pas, même si cela était.

— Et pourquoi pas? dit-elle en levant enfin les yeux.

— Ce serait absolument inutile, et en outre cela attaquerait votre moral. Non, non. J'isolerais les malades et prendrais des mesures pour empêcher le mal de se propager, rien de plus. A chaque jour suffit sa peine. Nous avons ici un homme qui a la typhoïde. Nous devons faire tomber sa température. C'est tout. Et ces histoires de péritonite pour lui, de méningite pour vous, ne m'intéressent pas le moins du monde. Il faut être réaliste, Madame. Quand on cesse de l'être, on nuit à tout le monde. Vous n'avez qu'à lui donner ces pilules toutes les deux heures et tâcher de lui faire prendre autant de soupe que possible. La cuisinière s'appelle Zina. Il serait prudent d'aller la voir de temps en temps pour être sûre qu'il y a bien toujours un feu allumé et une grande marmite de soupe constamment chaude. Zina est magnifique ; elle nous fait la cuisine depuis douze ans. Mais les indigènes ont besoin d'être surveillés, toujours ! Ils oublient. Et maintenant, Madame, si vous voulez bien m'excuser, je retourne à mon travail. L'un des hommes vous apportera cet après-midi de chez moi le matelas que je vous ai promis. Ce ne sera certainement pas très confortable, mais vous ne pouvez pas vous attendre... vous êtes à Sbâ ici, pas à Paris ! (Il se retourna sur le seuil.) *Enfin, Madame soyez courageuse!* dit-il en fronçant de nouveau les sourcils. Et il sortit.

Kit demeura immobile, puis parcourut lentement des yeux la petite pièce nue avec la porte d'un côté et la fenêtre de l'autre. Allongé sur la couchette branlante, tourné vers le mur, et le drap tiré sous le menton, Port avait une respiration régulière. Cette pièce était l'hôpital de Sbâ ; elle possédait le seul lit de la ville, avec de vrais draps et de vraies couvertures, et, si Port l'occupait, c'était parce qu'aucun membre de l'armée ne se trouvait malade en ce moment. La lumière du ciel mourant s'y déversait par-dessus un mur de boue élevé à l'extérieur jusqu'à mi-hauteur de la fenêtre. Kit prit le drap que le capitaine lui avait donné pour elle-même, le plia en un petit rectangle de la taille de la fenêtre et, avec des punaises trouvées dans la valise de Port, en masqua l'ouverture. Même devant la fenêtre, elle fut frappée du silence de l'endroit. On aurait pu croire qu'il n'y avait pas un être vivant à mille lieues à la ronde. Le fameux silence du Sahara. Elle se demanda si, les jours aidant, sa propre respiration lui paraîtrait moins bruyante, et elle s'habituerait au son ridicule que faisait sa salive quand elle l'avalait, ou si, en ayant pris conscience, elle parviendrait à l'avaler moins souvent.

— Port, dit-elle très doucement.

Il ne bougea pas. Elle sortit de la chambre dans la lumière aveuglante de la cour sablonneuse. Personne en vue. Il n'y avait que les murs blancs étincelants, le sable immobile à ses pieds et le bleu intense du ciel au-dessus de sa tête. Elle fit quelques pas et, se sentant un peu mal, revint dans la chambre. Il n'y avait pas de chaise — rien que la couchette et la petite caisse retournée. Elle s'assit sur l'une des valises.

185

Une étiquette y était accrochée : *Bagage de cabine*. La chambre avait un aspect banal d'entrepôt. Avec cet encombrement au milieu de la pièce, il n'y aurait même plus la place d'y mettre le matelas qu'on allait apporter; il faudrait entasser toutes les valises dans un coin. Elle regarda ses mains, puis ses pieds chaussés d'escarpins en lézard. Il n'y avait pas de miroir; dans une autre valise, elle chercha son sac, en retira la poudre et le rouge à lèvres. En ouvrant le poudrier, elle constata que la lumière ne lui permettait plus de voir son visage dans la petite glace. Debout sur le seuil, elle se maquilla lentement, avec soin.

— Port, dit-elle de nouveau, aussi doucement que la première fois.

Il continuait à respirer régulièrement. Elle enferma son sac dans une valise, regarda l'heure à son bracelet-montre, et ressortit dans la cour étincelante après avoir mis ses lunettes de soleil.

Dominant la ville, le fort chevauchait une haute colline de sable, c'était une succession de bâtiments épars protégés par un rempart extérieur au tracé irrégulier. Il formait une cité à part, étrangère au paysage environnant et d'aspect candidement militaire. Les sentinelles indigènes la regardèrent avec curiosité quand elle franchit la porte. La ville, couleur de sable, s'étendait au pied du fort avec ses maisons d'un étage, à toit plat. Kit lui tourna le dos et contourna le mur en grimpant jusqu'au sommet de la colline. La chaleur et la lumière lui donnaient des vertiges et ses souliers se remplissaient de sable. De l'endroit où elle était parvenue, elle pouvait entendre les sons aigus et clairs de la ville : des voix d'enfants et des aboiements. A tous les coins de l'horizon, là où la terre et le ciel se rencontraient, traînait une brume légère et vibrante.

— Sbâ, dit-elle tout haut.

Ce nom ne signifiait rien pour elle; il ne représentait même pas le tas hétéroclite de huttes qu'elle voyait à ses pieds.

Quand elle rentra dans la pièce, quelqu'un y avait déposé au beau milieu un énorme pot de chambre en porcelaine. Port était allongé sur le dos; il avait rejeté ses couvertures et regardait le plafond.

186

Elle se précipita vers la couchette pour le recouvrir. Il n'y avait pas moyen de le border. Elle lui prit sa température : la fièvre était un peu tombée.

— Ce lit me fait mal au dos, dit-il en haletant à demi, et elle fut surprise de l'entendre parler.

Kit recula pour examiner la couchette. Elle était, en effet, défoncée en son milieu.

— Nous allons arranger ça, dit-elle, mais pour le moment, sois sage et couvre-toi.

Il la regarda d'un air de reproche.

— Tu n'as pas besoin de me parler comme à un enfant, dit-il, je suis toujours le même.

— C'est automatique, je pense, quand les gens sont malades, dit-elle gênée. Excuse-moi.

Il la regardait toujours.

— Je ne demande aucune espèce de pitié, dit-il d'une voix lente. Puis il ferma les yeux et soupira profondément.

Quand le matelas arriva, elle envoya l'Arabe qui l'avait apporté chercher un autre homme en renfort. Ensemble, ils soulevèrent Port de la couchette et le déposèrent sur le matelas étalé par terre. Puis Kit leur fit empiler quelques valises sur la couchette. Ils sortirent.

— Où vas-tu dormir? demanda Port.

— Par terre, près de toi, dit-elle.

Il ne posa plus de question. Elle lui donna ses pilules et dit : « Maintenant, dors. » Puis elle sortit et alla à la porte du fort pour essayer de parler aux sentinelles. Ils ne savaient pas le français et répétaient : « Non, m'si. » Comme elle essayait de s'expliquer par gestes, le capitaine Broussard parut sur le seuil d'une porte voisine et la regarda avec une certaine méfiance.

— Désirez-vous quelque chose, Madame?

— Je voudrais que quelqu'un m'accompagne au marché pour m'aider à acheter des couvertures.

— Ah! je regrette, Madame, dit-il. Il n'y a personne ici, dans le poste, qui puisse vous rendre ce service et je ne vous conseillerais pas d'y aller seule. Mais, si vous le voulez, je peux vous envoyer des couvertures de chez moi.

Kit se confondit en remerciements. Elle retourna dans la cour intérieure et s'arrêta sans courage devant la porte de la chambre. « C'est une prison, pensait-elle. Je suis prisonnière ici, et Dieu sait pour combien de temps ! » Elle entra, s'assit sur une valise près de la porte, et se mit à regarder fixement le sol. Puis elle se leva, ouvrit un sac, en retira un gros roman français qu'elle avait acheté avant de quitter Boussif, et tenta de lire. Elle en était à la page 5 quand elle entendit quelqu'un traverser la cour. C'était un jeune soldat français qui portait trois épaisses couvertures en poil de chameau. Elle se leva et s'effaça pour le laisser entrer en disant : *Ah merci ! Comme vous êtes aimable !* Mais il resta à la porte en lui tendant les couvertures à bout de bras. Elle les prit et les étala sur le sol à ses pieds. Quand elle se redressa, le soldat s'éloignait déjà. Elle le suivit des yeux un instant, vaguement perplexe, puis choisit parmi ses vêtements de quoi constituer une sorte de matelas. Le lit achevé, elle s'y allongea et eut l'agréable surprise de le trouver confortable. Tout à coup elle éprouva une irrésistible envie de dormir. Port ne devait prendre ses pilules que dans une heure et demie. Elle ferma les yeux et pendant un instant se trouva à l'arrière du camion qui l'amenait d'El Ga'a à Sbâ. Bercée par la sensation du mouvement, elle s'endormit aussitôt.

Elle fut réveillée par un frôlement sur sa figure. Elle se dressa, vit qu'il faisait sombre et que quelqu'un marchait dans la pièce.

— Port ! cria-t-elle.

Une voix de femme dit :

— *Voici mangi, Madame.*

La femme se tenait juste au-dessus d'elle. Une autre personne traversait sans bruit la cour avec une lampe au carbure. C'était un jeune garçon qui, arrivé à la porte, entra, et déposa la lampe par terre. Kit leva la tête et vit une femme aux formes massives avec des yeux encore magnifiques. « C'est Zina », pensa-t-elle, et elle l'appela par son nom. La femme sourit et se baissa pour poser le plateau près du lit de Kit. Puis elle sortit.

Il ne fut pas facile de faire manger Port ; une grande

partie de la soupe lui coulait sur la figure et dans le cou.

— Tu pourras peut-être t'asseoir demain pour manger, dit-elle en lui essuyant la figure avec un mouchoir.

— Peut-être, dit-il d'une voix faible.

— Oh! mon Dieu! s'écria-t-elle.

Elle avait trop dormi; il aurait dû prendre ses pilules depuis longtemps. Elle les lui donna avec une gorgée d'eau tiède. Il fit la grimace.

— L'eau, dit-il.

Kit renifla la carafe qui empestait le chlore. Elle y avait mis par erreur une double ration de comprimés d'ozone.

— Ça ne te fera pas de mal, dit-elle.

Elle mangea avec délices; Zina était une excellente cuisinière. Elle n'avait pas encore terminé qu'en levant les yeux vers Port elle s'aperçut qu'il dormait déjà. Les pilules semblaient chaque fois produire cet effet. Elle songea à faire une petite promenade après son repas, mais elle craignit que le capitaine Broussard n'eût donné l'ordre aux sentinelles de l'empêcher de passer. Elle sortit dans la cour et en fit le tour plusieurs fois en contemplant les étoiles. Un accordéon jouait quelque part, à l'autre extrémité du fort; on l'entendait à peine. Elle rentra, ferma la porte à clé, se déshabilla et s'étendit sur les couvertures près du matelas de Port, en attirant la lampe à elle pour lire. Mais la lumière n'était pas assez forte et la flamme trop vacillante. Elle commençait à éprouver des picotements aux yeux et l'odeur de la lampe l'écœurait. Elle la souffla à regret, et la chambre retomba dans l'obscurité la plus profonde. Elle était à peine allongée qu'elle se dressa d'un bond et chercha à tâtons les allumettes par terre. Elle ralluma la lampe qui empestait encore plus depuis qu'elle l'avait éteinte et se dit à elle-même, en remuant les lèvres : « Toutes les deux heures. Toutes les deux heures. »

Au milieu de la nuit, elle se réveilla en éternuant. Elle crut d'abord que c'était à cause de l'odeur de la lampe, mais en portant la main à son visage, elle sentit du sable sur sa peau. Elle tâta l'oreiller; il était couvert d'une couche de poussière. Elle prit alors conscience du vent qui soufflait au dehors. On aurait dit le grondement de la mer. Craignant de réveiller

189

Port, elle s'efforça d'étouffer l'éternuement qui montait; mais en vain. Elle se leva. Il faisait froid dans la chambre. Elle couvrit Port de son peignoir. Puis elle tira deux grands mouchoirs d'une mallette et en noua un sous ses yeux, à la façon des bandits. Avec le second, elle comptait en faire autant pour Port, quand elle l'éveillerait au moment des pilules. Il n'y avait plus que vingt minutes à attendre. Elle s'allongea et la poussière soulevée par le mouvement des couvertures la fit éternuer de nouveau. Elle demeura parfaitement immobile à écouter le vent qui se déchaînait derrière la porte.

« Me voici au plus profond de l'horreur », pensa-t-elle. Elle s'efforçait de noircir la situation pour se persuader elle-même que le pire était arrivé, qu'elle n'avait plus à le craindre. Mais elle n'en fut pas dupe. La soudaine apparition du vent était un présage nouveau, qui ne pouvait se rapporter qu'aux jours à venir. Elle entendit sous la porte sa plainte étrange, animale. Si seulement elle pouvait renoncer, se détendre, et vivre dans la certitude que tout espoir était perdu. Mais une telle certitude n'existait pas; plus d'une voie s'ouvrait toujours dans les jours à venir. On ne pouvait même pas abandonner tout espoir. Le vent soufflerait, le sable redeviendrait immobile, et, d'une façon imprévisible, le temps amènerait une transformation qui ne pourrait être que terrifiante puisqu'elle ne serait pas un prolongement du présent.

Elle demeura éveillée le reste de la nuit et donna régulièrement les pilules à Port, en s'efforçant de se détendre dans l'intervalle. Chaque fois qu'elle le réveillait, il se laissait faire docilement et avalait l'eau et les comprimés sans parler ni même ouvrir les yeux.

Dans la clarté blafarde et malsaine de l'aube, elle l'entendit qui se mettait à sangloter. Elle s'assit comme électrisée et fixa le coin où reposait la tête de Port. Son cœur battait très vite, sous le coup d'une émotion étrange qu'elle ne parvenait pas à identifier. Elle écouta un moment, décida que c'était de la compassion qu'elle éprouvait et se pencha pour se rapprocher de lui. Les sanglots montaient automatiquement, comme des hoquets ou des renvois. L'excitation de Kit se calma peu à peu, mais elle demeura assise, tendue vers les deux sons conjugués : les sanglots dans la chambre et le vent au dehors. Deux sons de la nature, impersonnels. Après un bref et soudain silence, elle entendit Port appeler d'une voix tout à fait distincte : « Kit, Kit. » « Oui ? » dit-elle, les yeux dilatés. Mais il ne répondit pas. Après un long moment, elle se glissa subrepticement sous sa couverture et s'endormit. Quand elle se réveilla, c'était déjà le matin. Les traits enflammés du soleil lointain tombaient tamisés par la poussière fine ; le vent têtu semblait prêt à emporter ces pauvres rayons de lumière.

Elle se leva, engourdie par le froid, alla et vint dans la chambre pour faire sa toilette en essayant de soulever aussi peu de poussière que possible. Mais le sable s'étalait partout en une couche épaisse. Kit avait conscience qu'un de ses rouages ne fonctionnait plus, il lui semblait que toute une partie de son esprit était paralysée. Elle sentait en elle le poids d'une énorme masse aveugle, qu'elle ne pouvait pas localiser. Comme une spectatrice lointaine, elle observait la maladresse de ses mains à saisir les objets ou les vêtements. « Il faut que cela finisse, se répétait-elle, il faut que cela finisse. » Mais elle ne savait pas bien ce qu'elle voulait dire. Rien ne pouvait finir ; tout continuait toujours.

Zina arriva, emmitouflée dans une couverture blanche. Elle claqua la porte devant la rafale et extirpa des plis qui l'enveloppaient un petit plateau chargé d'une théière et d'un verre.

— Bonjour, Madame. R'mleh bzef, dit-elle en montrant le ciel. Et elle posa le plateau par terre, près du matelas.

Le thé chaud rendit un peu de force à Kit ; elle le but jusqu'à la dernière goutte et demeura assise un moment à écouter le bruit du vent. Tout à coup, elle réalisa que Port n'avait rien pris. Du thé ne lui suffirait pas. Elle décida de partir à la recherche de Zina pour savoir s'il ne serait pas possible d'obtenir du lait chaud. Elle sortit dans la cour et appela : « Zina ! Zina ! » Le vent furieux couvrait sa voix et quand elle reprenait son souffle, le sable lui craquait sous les dents.

Personne ne parut. Après s'être égarée dans plusieurs pièces vides qui ressemblaient à des niches, elle découvrit un couloir qui menait à la cuisine. Zina s'y trouvait, accroupie par terre, mais Kit ne put lui faire comprendre ce qu'elle voulait. La vieille femme proposa par gestes d'aller chercher le capitaine Broussard et de l'envoyer à Kit. Revenue dans la demi-obscurité de la chambre, Kit s'étendit sur son grabat en toussant et en frottant ses yeux pleins de sable. Port dormait toujours.

Elle était presque endormie elle-même quand le capitaine entra. Il ôta le capuchon de son burnous en poil de chameau, le secoua, ferma la porte derrière lui et chercha son chemin dans la pénombre. Kit se leva. Ils échangèrent les demandes et les réponses de rigueur sur l'état du malade. Mais quand elle lui parla de lait, il la regarda d'un air de pitié. Le lait condensé était entièrement rationné, et réservé aux nourrissons.

— Et le lait de brebis est toujours aigre et imbuvable, ajouta-t-il.

Chaque fois qu'il la regardait, Kit avait l'impression d'être soupçonnée de machinations secrètes et coupables. Le ressentiment qu'elle éprouvait devant ce regard accusateur lui permit de reprendre un peu le sens de la réalité. « Je suis certaine qu'il ne regarde pas tout le monde de cette façon, pensa-t-elle. Alors, pourquoi moi? Qu'il aille au diable ! » Mais elle dépendait trop de cet homme pour pouvoir s'offrir la satisfaction de se laisser aller devant lui, si peu que ce fût. Elle prit un air malheureux et étendit la main droite au-dessus de la tête de Port dans un geste de compassion, pour émouvoir le cœur du capitaine; elle était convaincue qu'il pouvait lui procurer tout le lait concentré qu'elle souhaitait.

— Le lait est absolument inutile à votre mari, madame, dit-il sèchement. La soupe que j'ai commandée pour lui est tout à fait suffisante, et beaucoup plus digeste. Je vais dire à Zina de vous en apporter tout de suite un bol.

Il sortit. Le vent chargé de sable continuait à mugir.

Kit passa la journée à lire et à s'occuper régulièrement des pilules et de la nourriture de Port. Il ne semblait pas disposé à parler; peut-être n'en avait-il pas la force. En lisant, elle oubliait parfois, pendant quelques minutes, la chambre et les conditions où elle se trouvait, et, quand elle levait la tête

192

et que tout lui revenait à la mémoire, elle se sentait comme frappée en pleine figure. Une fois, elle faillit même en rire; tout cela ressemblait si ridiculement peu à ce qu'ils avaient espéré. « Sbâ », dit-elle en traînant sur la voyelle, et le mot eut l'air d'un bêlement.

Vers la fin de l'après-midi, lassée de son livre, elle se glissa hors du lit avec mille précautions pour ne pas réveiller Port. Mais en se tournant vers lui, elle eut un choc désagréable : ses yeux grands ouverts la regardaient. Il était si près, et l'impression fut si pénible, qu'elle se dressa d'un bond, le regarda attentivement à son tour, et dit sur un ton de sollicitude forcée :

— Comment te sens-tu?

Il fronça un peu les sourcils, mais ne répondit pas.

Elle poursuivit en hésitant :

— Est-ce que tu crois que les pilules te font du bien? Elles ont au moins l'air de faire tomber un peu la fièvre.

La réponse vint, surprenante :

— Je suis très mal, dit-il lentement d'une voix basse mais claire. Je ne sais pas si j'en reviendrai.

— Si tu en reviendras? répéta-t-elle stupidement. Puis elle caressa son front brûlant et, dégoûtée elle-même des mots qu'elle prononçait, ajouta : « Tu seras bientôt guéri. »

Tout à coup, elle décida qu'il lui fallait sortir de la chambre un moment, avant la nuit — ne fût-ce que quelques minutes. Un changement d'air. Elle attendit qu'il eût fermé les yeux. Alors, sans plus le regarder de crainte qu'il ne les eût ouverts de nouveau, elle se leva et sortit dans le vent. Il semblait s'être un peu calmé et l'air était moins chargé de poussière. Mais elle sentait encore la piqûre des grains de sable sur ses joues. D'un pas précipité, elle franchit le haut portail de boue, sans regarder les sentinelles ni s'arrêter en atteignant la route, et elle continua à descendre jusqu'à la rue qui menait à la place du marché. Le vent y était moins violent. A part quelques Arabes couchés çà et là, entièrement enveloppés dans leurs burnous, tout était désert. Tandis qu'elle marchait sur le sable fin de la rue, elle vit le soleil lointain descendre rapidement derrière le toit plat de la hammada; les murs et les arcades prirent la teinte rose du crépuscule. Kit était un peu honteuse d'avoir cédé à son désir nerveux de quitter la chambre. Mais elle s'en défendit en pensant que les infirmières ont besoin comme tout le monde de se reposer de temps en temps.

Elle parvint au marché, large espace carré à ciel ouvert, entouré d'arcades blanches à la chaux dont les arches innombrables formaient un dessin monotone, de quelque côté qu'on tournât la tête. Des chameaux assis grognaient au centre de la place, des feux de palmes brûlaient encore, mais les vendeurs étaient partis avec leurs marchandises. Kit entendit alors la voix des muezzins dans trois parties distinctes de la ville, et vit les quelques hommes qui étaient restés là commencer leur prière du soir. Elle traversa le marché, et prit une rue adjacente, aux bâtiments illuminés de la passagère lueur orange du couchant. Les portes des petites boutiques étaient closes — sauf une, devant laquelle elle s'arrêta un instant en essayant vaguement de regarder à l'intérieur. Un homme qui portait un béret y était accroupi devant un petit feu ; ses mains en éventail touchaient presque la flamme. Il leva les yeux, l'aperçut, se leva et s'avança sur le seuil.

— *Entrez. Madame*, dit-il avec un grand geste.

Ne sachant trop quoi faire, elle obéit. C'était une boutique minuscule ; dans la pénombre, elle distingua quelques pièces d'étoffe blanche sur les étagères. L'homme prépara une lampe au carbure, y porta une allumette et regarda monter la flamme effilée.

— Daoud Zoseph, dit-il en tendant la main

Elle fut légèrement surprise : elle l'aurait cru Français. Ce n'était certainement pas un indigène de Sbâ. Elle s'assit sur le tabouret qu'il lui offrait et ils causèrent ensemble. Il parlait très bien le français, sur un ton doux, avec un obscur accent de reproche. Elle devina tout à coup qu'il devait être juif et lui posa la question. Il sembla surpris et amusé.

— Bien entendu, dit-il. Je laisse ma boutique ouverte à l'heure de la prière. Il vient toujours quelques clients après.

Ils parlèrent d'abord des difficultés qu'il y avait à être juif à Sbâ, et Kit s'entendit bientôt raconter ses propres soucis, et comment Port était malade et seul dans le poste militaire. L'homme se penchait vers elle par-dessus le comptoir, il lui semblait que ses yeux noirs brillaient de sympathie. Cette simple impression, aussi vague fût-elle, lui fit comprendre pour la première fois à quel point ses contacts humains avaient été dépourvus jusqu'ici de ce sentiment dans cette région, et combien elle en avait été cruellement privée, sans même s'en rendre compte. Aussi continua-t-elle à parler, allant même jusqu'à expliquer ce que les présages représentaient pour elle. Elle s'interrompit brusquement, regarda son interlocuteur avec un peu de crainte, et rit. Mais il demeurait grave; il paraissait la suivre très bien.

— Oui, oui, disait-il en caressant d'un air songeur son menton imberbe, vous avez raison pour tout ça.

Logiquement, elle n'aurait pas dû trouver rassurante une telle déclaration, mais elle se sentait merveilleusement réconfortée de le voir d'accord. Il poursuivit :

— Votre erreur, c'est d'en être effrayée. Ça, c'est la grande erreur. Les signes nous sont donnés pour notre bien, pas pour notre mal. Mais, quand on a peur, on les interprète de travers, et on fait des choses mauvaises, quand ce sont des bonnes qu'on devrait faire.

— Mais j'ai peur, protesta Kit. Je ne peux rien y changer. C'est impossible.

Il la regarda en hochant la tête.

— Ce n'est pas la vraie façon de vivre, dit-il.

— Je sais, fit-elle tristement.

Un Arabe entra dans la boutique, dit bonsoir à Kit et acheta un paquet de cigarettes. En sortant, il se retourna et cracha sur le seuil. Puis il jeta dédaigneusement l'un des pans de son burnous sur son épaule et s'éloigna. Kit regarda Daoud Zoseph.

— A-t-il fait exprès de cracher?

Il rit.

— Oui. Non. Qui sait? On m'a craché dessus tant de milliers de fois que je ne le remarque plus. Vous voyez ! Vous devriez être un Juif de Sbâ, vous apprendriez à ne plus avoir peur. A ne plus avoir peur de Dieu, en tout cas.

Vous verriez que, même lorsqu'Il est terrible, Il n'est jamais cruel comme le sont les hommes.

Kit le trouva soudain ridicule. Elle se leva, tira sur sa jupe et déclara qu'il lui fallait partir.

— Un instant, dit-il en soulevant un rideau pour passer dans la pièce voisine.

Il revint bientôt avec un petit paquet. Derrière le comptoir il reprit son air anonyme de commerçant et tendit le paquet à Kit.

— Vous m'avez dit que vous souhaitiez du lait pour votre mari, déclara-t-il. En voilà deux boîtes. C'était la ration de notre bébé. (Il leva la main pour empêcher Kit de l'interrompre.) Mais il est mort-né, la semaine dernière; venu trop tôt. Si nous en avons un autre l'année prochaine, nous aurons d'autre lait.

Devant l'expression angoissée de Kit, il se mit à rire.

— Je vous promets qu'aussitôt que ma femme le saura, je réclamerai des tickets. Nous n'aurons pas d'ennuis. *Allons!* Qu'est-ce qui vous fait peur maintenant?

Et comme elle continuait à le regarder, il lui présenta le paquet d'un geste si résolu qu'elle le saisit machinalement. « Voici une de ces occasions où on n'essaie pas de mettre en mots ce que l'on sent », pensa-t-elle. Elle remercia Daoud Zoseph en lui disant que son mari allait être très content, et qu'elle espérait le revoir bientôt. Elle sortit. Le vent s'était de nouveau levé avec la nuit. Elle frissonna en grimpant la colline pour regagner le fort.

Son premier geste en rentrant dans la chambre fut d'allumer la lampe. Puis elle prit la température de Port : elle fut horrifiée de la trouver si élevée. Les pilules n'agissaient plus. Il la regardait avec une expression inhabituelle dans ses yeux brillants.

— C'est mon anniversaire, aujourd'hui, murmura-t-il.

— Certainement pas, dit-elle d'un ton sec. Mais elle réfléchit un instant et demanda avec un intérêt feint : C'est vraiment ton anniversaire?

— Oui. C'est cet anniversaire-là que j'attendais.

Elle ne lui demanda pas ce qu'il voulait dire. Il poursuivit :

— Est-ce que c'est beau dehors?

— Non.

— J'aurais voulu que tu puisses dire oui.

— Pourquoi?

— J'aurais aimé que ce soit beau.

— Ça peut paraître beau, mais ce n'est pas agréable de s'y promener.

— Enfin, nous n'y sommes pas, dit-il.

Le calme de ce dialogue rendit plus monstrueux les gémissements de douleur qui lui échappèrent un instant plus tard.

— Qu'est-ce qu'il y a? cria-t-elle affolée.

Mais il ne pouvait pas l'entendre. Elle s'agenouilla sur ses couvertures et le regarda, sans savoir quoi faire. Le silence revint peu à peu, mais Port ne rouvrit pas les yeux. Elle observa un moment le corps inerte sous les draps qui se soulevaient et retombaient au rythme rapide de la respiration. « Il a cessé d'être humain », se dit-elle. La maladie réduit l'homme à son état fondamental : un cloaque où persistent les processus chimiques. L'hégémonie sans signification de l'involontaire. C'était l'ultime tabou étendu là près d'elle, sans défense, et terrifiant au delà de tout raisonnement. Elle refoula une nausée soudaine.

On frappa : Zina entra avec la soupe de Port et du couscous pour elle. Kit lui fit signe de nourrir elle-même le malade; la vieille femme parut enchantée et entreprit de décider Port à s'asseoir. Elle n'obtint d'autre résultat qu'une légère accélération du souffle. Elle se montra patiente, persévérante, mais en vain. Kit fit remporter la soupe en décidant que, s'il avait besoin de nourriture plus tard, elle ouvrirait une des boîtes de lait pour en mélanger un peu avec de l'eau chaude.

Le vent soufflait de nouveau, mais sans acharnement, et il avait changé de direction. Il se lamentait par à-coups à travers les fissures de la fenêtre, soulevant de temps à autre le drap replié. Kit fixait la flamme blanche et sifflante de la lampe en s'efforçant de dominer son désir d'évasion. Elle n'éprouvait plus cette terreur familière, mais une sensation croissante de dégoût. Pourtant, elle demeurait immobile à se blâmer. « Si je n'ai aucun sens du devoir envers lui, pensait-

197

elle, je pourrais au moins en jouer la comédie. » En même temps, elle faisait entrer un élément d'auto-punition dans son immobilité. « Tu ne dois pas bouger ton pied s'il s'engourdit. Et j'espère qu'il te fera mal. » Le temps passait, souligné par le murmure du vent qui cherchait à pénétrer dans la chambre, un murmure qui s'élevait et retombait, mais ne se taisait jamais complètement. Tout à coup, Port poussa un profond soupir et se retourna sur le matelas. Et, *fait* incroyable, il se mit à parler :

— Kit.

Sa voix faible n'était pas du tout changée. Elle retint son souffle comme si le moindre mouvement risquait de briser le fil qui le rattachait à la raison.

— Kit.

— Oui.

— J'essayais de revenir. Ici.

Il gardait les yeux clos.

— Oui...

— Et je suis revenu.

— Oui !

— Je voulais te parler. Il n'y a personne ?

— Non, non !

— La porte est fermée à clef ?

— Je ne sais pas.

Elle bondit, tourna la clef, revint à son grabat d'un seul élan.

— Oui, elle est fermée.

— Je voulais te parler.

Elle ne savait quoi répondre. Elle dit :

— Tu es gentil.

— Je veux te dire tant de choses. Je ne sais plus lesquelles. Je les ai toutes oubliées.

Elle lui tapota la main.

— C'est toujours comme ça.

Il demeura silencieux un moment.

— Est-ce que tu ne veux pas un peu de lait chaud ? demanda-t-elle d'un ton gai.

Il parut désemparé :

— Je ne crois pas qu'on ait le temps. Je ne sais pas.

— Je vais te le préparer, dit-elle en s'asseyant, heureuse de se libérer.

— Reste ici, je t'en prie.

Elle s'allongea de nouveau en murmurant :

— Je suis si contente que tu te sentes mieux. Tu ne sais pas la différence que cela me fait de t'entendre parler. Je devenais folle ici. Il n'y a pas une âme aux environs...

Elle s'interrompit en sentant s'amasser derrière elle comme des réserves d'hystérie. Mais Port ne semblait pas l'avoir entendue.

— Reste ici, je t'en prie, répéta-t-il, tandis que ses doigts tâtonnaient sur le drap.

Elle savait qu'il cherchait sa main, mais elle ne pouvait se résoudre à la lui abandonner. En même temps, elle était consciente de son refus, et des larmes lui montèrent aux yeux — des larmes de pitié pour Port. Elle ne bougea pourtant pas.

Il soupira de nouveau.

— Ça ne va pas du tout. Je me sens très mal. Il n'y a pas de raison d'avoir peur, mais j'ai peur. Par moments je ne suis plus ici et je n'aime pas ça. Parce qu'alors je suis très loin et tout seul. Personne ne pourrait jamais arriver là-bas. C'est trop loin. Et là-bas, je suis seul.

Elle aurait voulu l'interrompre, mais sous le courant calme des mots elle entendait encore la supplication : « Reste ici, je t'en prie ». Et elle n'aurait pas pu le faire taire sans se lever, aller et venir. Mais ses mots la rendaient malheureuse; c'était comme lorsqu'il lui racontait un rêve — pire encore.

— Tellement seul que je ne peux même plus me représenter ce que c'est que de n'être pas seul, disait-il. (Sa fièvre allait monter.) Je ne peux même pas imaginer ce que ce serait s'il y avait quelqu'un d'autre là-bas. Quand j'y suis, je ne peux pas me rappeler que j'ai été ici. J'ai peur, simplement peur. Mais ici, je me souviens d'avoir été là-bas. Si seulement je pouvais l'oublier. C'est effrayant d'être deux choses à la fois. Tu connais cela? (Sa main cherchait désespérément celle de Kit.) Tu connais cela, n'est-ce pas? Tu comprends comme c'est épouvantable ? Il faut que tu comprennes.

Elle laissa Port lui prendre la main, l'attirer à sa bouche. Il y frotta ses lèvres sèches avec une avidité terrible qui la bouleversa et fit se hérisser ses cheveux. Elle regardait les lèvres de Port s'ouvrir et se fermer sur ses phalanges et sentait l'haleine brûlante sur ses doigts.

— Kit, Kit. J'ai peur, mais ce n'est pas seulement pour ça. Kit ! Depuis des années j'ai vécu pour toi. Je ne le savais pas, et maintenant je le sais, oh ! oui, je le sais ! Mais maintenant tu t'en vas !

Il s'efforça de se soulever pour s'appuyer sur le bras de Kit; il lui serrait la main de plus en plus fort.

— Je ne m'en vais pas ! cria-t-elle.

Les jambes de Port eurent des mouvements convulsifs. Elle hurla :

— Je suis ici !

Elle essayait d'imaginer comment sa voix résonnait en lui à travers le dédale obscur qui menait à son chaos. Et comme il demeurait de nouveau immobile, la respiration haletante, elle se prit à songer : « Il dit que ce n'est pas seulement de la peur. Mais ce n'est pas vrai. Il n'a jamais vécu pour moi. Jamais. Jamais. » Elle s'hypnotisa sur cette idée avec une telle violence qu'elle la chassa de son esprit; allongée, les muscles raidis, sans pensée, elle écoutait le monologue insensé du vent. Cela dura longtemps; elle ne se détendit pas. Puis, peu à peu, elle essaya d'arracher sa main à l'étreinte désespérée de Port. Il se fit soudain un grand mouvement près d'elle, et elle se retourna pour le trouver à moitié assis.

— Port ! cria-t-elle en se forçant à se lever et en lui mettant les mains sur les épaules. Il faut rester couché !

Elle pesait sur lui de toutes ses forces; il ne broncha pas. Ses yeux étaient ouverts et il la regardait.

— Port ! cria-t-elle encore, d'une autre voix.

Il leva une main et lui saisit le bras.

— Mais, Kit..., dit-il doucement.

Ils se regardèrent. Elle remua légèrement la tête et la laissa tomber sur la poitrine de Port. Comme il baissait les yeux pour la regarder, un premier sanglot monta en elle et ouvrit le chemin aux autres. Il referma les yeux et eut un instant l'illusion de tenir le monde dans ses bras — un monde brûlant de tropiques, battu par la tempête.

— Non, non, non, non, non, non, non, dit-il.

C'est tout ce qu'il eut la force de dire. Mais, aurait-il pu dire davantage, il aurait seulement dit : « Non, non, non, non. »

Ce n'était pas une vie entière dont elle pleurait la perte dans ses bras, mais c'en était une grande part; surtout, elle en connaissait exactement les limites et cette connaissance augmentait son amertume. Et bientôt, au plus profond d'elle-même, au delà du chagrin des années gaspillées, elle sentit se développer une épouvante effroyable dont elle n'avait pas encore pris conscience. Elle leva les yeux et le regarda avec tendresse et terreur. La tête de Port était retombée sur une épaule, ses paupières étaient closes. Elle lui passa les bras autour du cou et lui embrassa le front plusieurs fois. Puis, moitié le tirant, moitié le caressant, elle parvint à le recoucher. Elle le couvrit, lui donna ses pilules, se déshabilla silencieusement, s'allongea face à lui et laissa la lampe allumée pour le voir en s'endormant. Le vent derrière la fenêtre intensifiait la sensation qu'elle éprouvait de s'être enfoncée plus profondément encore dans les ténèbres de la solitude.

23

« Du bois ! » cria le lieutenant de Messignac qui regardait la cheminée où mouraient les flammes. Mais Ahmed refusait d'en être prodigue; il n'apporta qu'une petite brassée de branches maigres et noueuses. Il se rappelait les matins de froid cuisant où sa mère et sa sœur se levaient bien avant l'aube pour traverser les hautes dunes dans la direction de Hassi-Mokhtar; il se rappelait leur retour au crépuscule et leurs visages tirés de fatigue quand elles arrivaient dans la cour, pliées en deux sous leur charge. Le lieutenant aurait

volontiers jeté d'un seul coup sur le feu autant de bois que sa
sœur en ramassait en une journée entière; mais lui ne le voulait
pas. Le lieutenant se rendait parfaitement compte que c'était
là pure obstination; il ne voyait pourtant rien à faire contre
cette absurde excentricité.

— Ahmed est toqué, disait-il en sirotant son vermouth-
cassis, mais il est honnête et fidèle. Ce sont les principales
qualités à exiger d'un domestique. Même la stupidité et
l'entêtement sont acceptables si le reste les compense. Ce
n'est pas qu'Ahmed soit idiot, loin de là. Quelquefois il a de
meilleures intuitions que moi-même. Dans le cas de votre ami,
par exemple. La dernière fois que celui-ci est venu me voir,
je l'ai invité à dîner avec sa femme. Je lui ai dit que j'enverrai
Ahmed lui fixer la date. J'étais malade à ce moment-là.
Je crois que ma cuisinière avait essayé de m'empoisonner.
Vous comprenez tout ce que je dis, monsieur?

— Oui, oui, répondit Tunner qui comprenait le français
mieux qu'il ne le parlait. (Il n'éprouvait qu'une très légère
difficulté à suivre la conversation du lieutenant.)

— Quand votre ami est parti, Ahmed m'a dit : « Il ne
reviendra jamais. » J'ai répondu : « Quelle sottise ! Bien
sûr qu'il reviendra, et avec sa femme. » « Non, a dit Ahmed,
je l'ai bien vu sur sa figure. Il n'a aucune intention de revenir. »
Et vous voyez, il avait raison ! Le soir même, ils sont partis
tous les deux pour El Ga'a. Je ne l'ai su que le lendemain.
C'est étonnant, n'est-ce pas?

— Oui, dit Tunner de nouveau.

Il était penché en avant dans son fauteuil, les mains sur
les genoux, l'air très sérieux.

— Ah ! oui, dit son hôte qui se leva en bâillant pour jeter
d'autre bois sur le feu. Des types surprenants, ces Arabes.
Il y a ici, bien entendu, un grand mélange de Soudanais,
depuis l'époque de l'esclavage...

Tunner l'interrompit :

— Mais vous dites qu'ils ne sont pas à El Ga'a en
ce moment?

— Vos amis? Non. Ils sont allés à Sbâ, comme je vous l'ai
dit. Le chef de poste là-bas est le capitaine Broussard; c'est

lui qui m'a télégraphié à propos de la typhoïde. Vous le trouverez un peu sec, mais c'est un homme de valeur. Seulement, le Sahara ne lui convient pas, à lui. Il convient à certains, à d'autres non. Moi, par exemple, je suis dans mon élément ici.

Tunner l'interrompit une fois de plus :

— Quand croyez-vous que je puisse être à Sbâ?

Le lieutenant eut un rire indulgent.

— *Vous êtes bien pressé.* Vous avez tout le temps avec la typhoïde. Il se passera des semaines avant que votre ami se soucie de vous voir ou non. Et il n'aura pas besoin de son passeport d'ici là! Oui, vous pouvez prendre votre temps.

Il se sentait tout à fait attiré par cet Américain qui lui paraissait beaucoup plus sympathique que le premier. L'autre lui avait semblé sournois, l'avait mis vaguement mal à l'aise (mais peut-être cette impression venait-elle de son propre état d'esprit, à l'époque). En tout cas, malgré la hâte évidente que mettait Tunner à vouloir quitter Bou Noura, il le trouvait sympathique et souhaitait l'y retenir.

— Vous restez dîner? demanda-t-il.

— Oh! dit Tunner désemparé, merci beaucoup.

D'abord, il y avait la chambre. Rien ne pourrait changer la petite coque dure de son existence, ses murs blanchis à la chaux et son plafond légèrement cintré, son sol de ciment et sa fenêtre où avait été fixé un drap plié sur plusieurs épaisseurs pour cacher la lumière. Rien ne pouvait la changer parce qu'elle n'était pas autre chose que cela, et le matelas où il était couché. Quand, par moments, un rayon de lumière tombait sur lui, il ouvrait les yeux pour voir la réalité et savoir où il était vraiment. Il fixait alors dans sa mémoire les murs, le plafond et le sol pour retrouver son chemin la fois suivante. Car il y avait tant d'autres régions dans le monde, tant d'autres moments dans le temps à visiter! Il n'était jamais sûr que la route du retour se trouverait bien là. Compter était impossible. Combien d'heures il était demeuré ainsi couché sur le matelas brûlant, combien de fois il avait vu Kit, étendue par terre à côté de lui, se retourner en l'entendant, puis se lever pour venir lui donner de l'eau, il n'aurait pas su le dire, même s'il avait songé à se le demander. Son esprit était occupé de divers problèmes. Parfois il parlait tout haut, mais cela ne donnait rien; cela suspendait plutôt le développement naturel des idées. Elles s'échappaient de sa bouche sans qu'il sût jamais s'il les avait exprimées en termes justes. Les mots étaient devenus beaucoup plus vivants et beaucoup plus difficiles à manier, au point même que Kit ne semblait pas comprendre ceux qu'il employait. Ils se glissaient dans sa tête comme le vent dans une pièce et éteignaient la lueur vacillante de l'idée qui se formait dans le noir. Il s'en servait de moins en moins. Le mécanisme devenait plus souple; il suivait le cours des pensées parce qu'il était accroché derrière elles. La route était souvent vertigineuse, mais il ne pouvait pas se détacher. Il n'y avait pas de répétitions dans le paysage : c'était toujours des régions nouvelles et le danger augmentait sans cesse. Lentement, impitoyablement, le nombre des dimensions diminuait. Il y avait de moins en moins de directions possibles. Le processus n'était pas clair, rien de précis ne lui permettait de dire : « Il n'y a plus « d'en haut ». Pourtant il avait constaté en quelques occasions que deux dimensions différentes s'étaient délibérément confondues par malveillance, comme pour lui dire : « Essaie donc de savoir laquelle est laquelle. » Sa réaction était toujours la même : toutes les parties extérieures de son être se précipitaient à l'intérieur pour chercher protection, ce mouvement que l'on voit parfois dans un kaléidoscope, quand les morceaux du dessin tombent d'un seul coup au centre. Mais le centre ! Quelquefois il était gigantesque, douloureux, cru et faux, il s'étendait d'un bout de la création à l'autre, on ne pouvait dire où il se trouvait : il était partout. Et quelquefois il disparaissait et c'était l'autre centre, le vrai, le point noir minuscule et ardent qui prenait sa place, fixe et invraisemblablement aigu, dur, lointain. Il appelait « Cela » chacun des centres. Il les reconnaissait l'un de l'autre, et savait lequel était le vrai, car, lorsqu'il revenait parfois dans la chambre — et la voyait, et voyait Kit, et se disait : « Je suis à Sbâ » — il pouvait se les rappeler tous les deux et les distinguer tout en les haïssant également; et il savait que celui qui n'était que *là-bas* était le vrai, tandis que l'autre était faux, faux, faux.

C'était une vie d'exil loin de la terre. Il ne voyait jamais une silhouette, jamais un visage humain, ni même un animal; il n'y avait sur sa route aucun objet familier, ni de sol en bas, ni de ciel en haut, et pourtant l'espace était rempli de choses. Il les voyait parfois tout en sachant qu'en réalité il ne pouvait que les entendre. Parfois elles étaient absolument immobiles, comme une page imprimée, et il avait conscience de leur terrible mouvement souterrain et de ce qu'elles présageaient pour lui parce qu'il était seul. Parfois il pouvait les toucher de ses doigts et en même temps elles entraient à flots dans sa bouche. Tout cela était absolument familier et parfaitement horrible : une existence que rien ne pouvait modifier, qu'il était inutile de discuter, qu'il fallait supporter. Jamais il ne lui viendrait à l'idée d'appeler au secours.

Le lendemain matin, la lampe brûlait toujours et le vent n'était plus là. Kit avait été incapable de le réveiller pour lui donner son médicament, mais elle lui avait pris sa température dans sa bouche à demi ouverte : la fièvre avait beaucoup monté. Alors elle s'était précipitée à la recherche du capitaine Broussard, et l'avait ramené au chevet du malade où il s'était montré évasif, en essayant de la rassurer sans lui donner aucune raison d'espoir. Elle avait passé la journée assise sur le bord de sa couche dans une attitude désespérée. Elle regardait Port de temps en temps, écoutait sa respiration difficile, le voyait se tordre dans l'angoisse d'un tourment intérieur. Zina ne réussit à lui faire prendre aucun aliment.

Quand la nuit vint et que la vieille femme alla prévenir l'officier que la dame américaine ne voulait toujours pas manger, le capitaine Broussard décida d'agir d'une façon très simple. Il alla à la chambre et frappa. Après un court silence il entendit Kit demander : « *Qui est là?* » Puis elle ouvrit la porte. Elle n'avait pas allumé la lampe; la chambre était obscure derrière elle.

— Est-ce vous, madame? (Il essayait de prendre une voix aimable.)

— Oui.

— Pourriez-vous venir un instant? Je voudrais vous parler.

Elle le suivit à travers plusieurs cours intérieures jusqu'à une pièce brillamment éclairée. A l'une des extrémités flambait un feu. Il y avait une profusion de tapis indigènes sur les murs, le divan et le plancher. A l'autre extrémité se trouvait un petit bar où un Soudanais en jaquette et en turban très blanc s'apprêtait à servir. Le capitaine eut un geste nonchalant vers Kit.

— Prendrez-vous quelque chose?

— Oh! non. Merci.

— Un petit apéritif.

Éblouie par la lumière, Kit continuait à cligner des yeux.

— Je ne pourrais pas, dit-elle.

— Vous allez boire un Cinzano avec moi. (Il fit signe au barman.) *Deux Cinzanos*. Allons, allons, asseyez-vous, je vous en prie. Je ne vous retiendrai pas longtemps.

Kit obéit, prit un verre sur le plateau qui lui était présenté. Le goût de l'apéritif lui plut, mais elle ne voulait pas éprouver de plaisir, elle ne voulait pas être tirée de sa torpeur. D'ailleurs, elle ne cessait d'observer la singulière lueur de méfiance qui brillait dans les yeux du capitaine quand il la regardait. Il était assis et l'examinait pendant qu'elle buvait : il avait presque abandonné sa première opinion et pensait qu'après tout elle pouvait bien être la femme du malade.

— En tant que chef de poste, dit-il, je suis plus ou moins obligé de vérifier l'identité des personnes qui passent par Sbâ. Bien entendu, les arrivées sont très rares. Je regrette naturellement d'avoir à vous tracasser dans un pareil moment. Il ne s'agit que de voir vos papiers. Ali!

Le barman s'approcha sans bruit et remplit les verres. Kit ne répondit pas tout de suite. L'apéritif lui avait donné une faim terrible.

— J'ai mon passeport.

— Parfait. Demain je ferai donc prendre les deux passeports et vous les rendrai dans l'heure.

— Mon mari a perdu le sien. Je ne pourrai vous donner que le mien.

— *Ah ça!* cria le capitaine.

C'était bien comme il s'y attendait. Il se sentit furieux; en même temps il éprouvait une certaine satisfaction à penser que sa première impression avait été la bonne. Et comme il avait bien fait d'interdire à ses subalternes d'entrer en rapports avec elle! Il avait prévu quelque chose de ce genre, avec cette différence que, généralement, ce sont les papiers des femmes plutôt que ceux des hommes sur lesquels il est difficile de mettre la main.

— Madame, dit-il en se penchant vers elle dans son fauteuil, veuillez comprendre que je ne cherche aucunement à m'immiscer dans des questions que je considère comme d'ordre strictement personnel. Ce n'est qu'une formalité, mais elle est indispensable. Je dois voir les deux passeports. Je n'attache aucune importance aux noms. Mais deux personnes, deux passeports, n'est-ce pas? A moins que vous n'en ayez qu'un pour vous deux?

Kit crut qu'il ne l'avait pas bien entendue.

— Le passeport de mon mari a été volé à Aïn Krorfa.

Le capitaine hésita.

— Il faudra, bien entendu, que je fasse un rapport. Au commandant du territoire.

Il se leva.

— Vous auriez dû le déclarer dès votre arrivée vous-même.

Il avait commandé au domestique de mettre un couvert à sa table pour Kit, mais maintenant il ne voulait plus dîner avec elle.

— Oh! mais nous l'avons fait, le lieutenant de Messignac à Bou Noura est au courant de tout, dit Kit en finissant son verre. Pourrais-je avoir une cigarette? (Il lui tendit une Chesterfield, l'alluma, et la regarda aspirer la fumée.) Je n'en ai plus, dit-elle en souriant, les yeux fixés sur le paquet qu'il tenait.

Elle se sentait mieux, mais la faim la tenaillait plus profondément de minute en minute. Le capitaine ne dit rien. Elle poursuivit :

— Le lieutenant de Messignac a fait tout ce qu'il a pu pour mon mari en essayant de faire revenir son passeport de Messad.

207

Le capitaine ne croyait pas un mot de ce qu'elle disait, il y voyait un mensonge bien construit. C'était non seulement une aventurière, mais un personnage vraiment suspect.

— Je vois, dit-il, en considérant le tapis. Très bien, madame. Je ne vous retiendrai pas plus longtemps. (Elle se leva.) Demain, vous me donnerez votre passeport. J'établirai mon rapport et nous verrons ce qu'il en adviendra.

Il la reconduisit à sa chambre et revint dîner seul, très monté contre elle parce qu'elle avait voulu à toutes forces essayer de le tromper. Kit se tint une seconde dans la pénombre, puis entrebâilla la porte pour regarder disparaître la lueur de la torche sur le sable. Elle partit ensuite à la recherche de Zina, qui la servit dans la cuisine.

Quand elle eut fini, elle revint à la chambre et alluma la lampe. Le corps de Port se tordit et son visage protesta contre cette clarté soudaine. Alors elle plaça la lampe dans un coin, derrière des valises, et demeura debout un moment au milieu de la pièce sans penser à rien. Quelques minutes plus tard, elle prit son manteau et sortit dans la cour.

Le toit du fort était fait d'une grande terrasse de boue, plate mais de hauteurs irrégulières selon les inégalités du terrain sur lequel le bâtiment était construit. Les rampes et les escaliers qui réunissaient les différentes ailes se distinguaient à peine dans l'obscurité. Malgré un mur bas qui formait parapet, les innombrables cours étaient comme autant de puits qu'il fallait contourner avec précaution. Les étoiles éclairaient assez pour préserver Kit d'un faux pas. Elle respira profondément, avec la vague impression de se trouver sur un bateau. La ville, à ses pieds, était invisible — sans une lumière — mais au nord brillait l'erg blanc, le vaste océan de sable avec ses crêtes en tourbillons figés, son silence immuable. Elle pivota lentement sur elle-même, examinant l'horizon. L'air, doublement calme depuis la disparition du vent, semblait paralysé. De quelque côté qu'elle se tournât, le paysage nocturne ne lui suggérait que la négation du mouvement, la suspension de toute continuité. Mais tandis qu'elle se tenait là, momentanément intégrée au vide qu'elle venait de créer, un doute s'insinua peu à peu dans son esprit: la sensation lui vint, d'abord faible, puis plus certaine, qu'une partie du paysage se déplaçait sous ses yeux mêmes. Elle les leva et son visage se tordit. Le ciel monstrueux rempli d'étoiles, le ciel entier tournait devant elle. Il paraissait d'une immobilité de mort, et pourtant il bougeait. A chaque seconde, une étoile, jusque-là invisible, surgissait d'un côté de l'horizon, tandis qu'une autre tombait du côté opposé. Kit toussa volontairement, reprit sa marche, et tenta de se rappeler combien elle détestait le capitaine Broussard. Il ne lui avait même pas offert un paquet de cigarettes malgré son allusion. « Oh ! Dieu ! » s'écria-t-elle tout haut, en regrettant d'avoir fini ses dernières Players à Bou Noura.

Il ouvrit les yeux. La chambre était maléfique. Elle était vide. « Maintenant, pour finir, je dois me battre contre cette chambre. » Mais un peu plus tard il eut un instant de clarté vertigineuse. Il se trouvait sur la frange d'un monde où chaque idée, chaque image, était douée d'une existence arbitraire, où toute relation entre une chose et la suivante avait été coupée. Comme il s'efforçait de saisir l'essence de cette forme de conscience, il glissa en arrière et retomba dans son enclos sans soupçonner qu'il n'était plus entièrement à l'air libre, qu'il n'était plus en mesure de considérer l'idée d'assez loin. Il lui paraissait que c'était là une façon de penser nouvelle, où la nécessité d'être relié à l'existence avait disparu. « La pensée en elle-même, se dit-il, un fait gratuit comme un graphisme pur. » Ces pensées revenaient, passaient en éclair à sa portée. Il essaya d'en saisir une, crut la tenir : « Mais une pensée de quoi ? Qu'est-ce que c'est ? » Et même elle lui fut alors arrachée par la poussée des autres qui se pressaient derrière elle. Il voulut endiguer le courant, mais sentit sa résistance défaillir. Comme il succombait à la lutte, il ouvrit les yeux pour chercher du secours : « La chambre ! La chambre ! Encore ici ! » C'était dans le silence de la chambre qu'il localisait maintenant toutes ces forces hostiles ; le fait même que la vigilance inerte de la chambre se manifestait de tous les côtés l'incitait à se méfier d'elle. En dehors de lui, c'était tout ce qui restait. Il regarda la ligne formée par la rencontre du mur et du sol, entreprit de la fixer dans sa mémoire pour avoir quelque chose à quoi se raccrocher quand il fermerait les yeux. Il y avait une inégalité terrible entre la vitesse à laquelle il se mouvait et l'immobilité calme de cette ligne, mais il persista. Pour ne pas s'en aller. Pour rester en arrière. Pour surnager, s'enraciner dans ce qui demeurerait ici. Un mille-pattes y parvient quand on le met en pièces. Chaque morceau peut marcher seul. A plus forte raison, chaque jambe peut fléchir, abandonnée par terre à elle-même.

Il y avait un cri dans chacune de ses oreilles, et la différence entre les deux sons était si infime que la vibration ressemblait au frottement de l'ongle sur l'arête d'une pièce de monnaie neuve. Devant ses yeux naissaient des groupes de points ronds; c'étaient les petits points d'un bélinogramme agrandi plusieurs fois pour un journal. Des agglomérations moins denses, des masses plus sombres, çà et là de petites régions inhabitées. Chaque point prit lentement une troisième dimension. Il essaya de reculer devant la dilatation des globules de matière. Avait-il appelé au secours? Pouvait-il bouger?

La mince distance qui séparait les deux cris aigus s'étrécit, ils n'en formaient presque plus qu'un; la différence était maintenant le fil d'un rasoir, posé contre le bout de chaque doigt. Les doigts devaient être tranchés dans leur longueur.

Un domestique comprit que les cris provenaient de la chambre où l'Américain était couché. On appela le capitaine Broussard. Il alla à la porte, tambourina, et, n'entendant d'autre bruit à l'intérieur que le hurlement continu, entra. Avec l'aide d'un domestique, il réussit à maintenir Port assez immobile pour lui faire une piqûre de morphine. Quand il eut fini, pris d'un accès de rage, il parcourut la pièce d'un regard furieux.

— Et cette femme! cria-t-il. Nom de Dieu, où est-elle?

— Je ne sais pas, mon capitaine, dit le domestique qui avait cru que la question lui était adressée.

L'officier gronda :

— Reste ici. Ne bouge pas de la porte !

Il était décidé à trouver Kit et, quand il l'aurait trouvée, à lui dire ce qu'il pensait d'elle. Si c'était nécessaire, il placerait une sentinelle devant la porte pour l'obliger à rester dans la pièce et à veiller le malade. Il se dirigea d'abord vers l'entrée principale, qui était fermée la nuit pour éviter une garde. Elle était ouverte. *Ah, ça, par exemple!* s'écria-t-il hors de lui. Il fit un pas au dehors et ne vit rien que la nuit. En rentrant, il claqua le haut portail et le verrouilla sauvagement. Puis il revint à la chambre, attendit que le domestique fût allé chercher une couverture et lui ordonna de rester là jusqu'au matin. Il retourna ensuite à son appartement et but un verre de cognac, pour calmer sa fureur avant d'essayer de dormir.

Tandis qu'elle faisait les cent pas sur le toit, deux choses se passèrent en même temps. D'une part, une énorme lune se leva rapidement derrière la crête du plateau, d'autre part, dans l'air lointain, un grondement à peine perceptible se fit entendre, s'évanouit, s'éleva de nouveau. Elle écouta : chaque fois qu'il reparaissait, il devenait un peu plus fort. Et ainsi de suite pendant un long moment. Maintenant, bien qu'il fût encore assez éloigné, le bruit était tout à fait reconnaissable : un moteur. Elle pouvait entendre les changements de vitesse selon que le véhicule montait une côte ou qu'il se trouvait de nouveau en terrain plat. On lui avait dit qu'à une distance de vingt kilomètres sur la piste on entendait venir un camion. Elle attendit. Enfin, comme il lui semblait que la voiture devait avoir déjà touché la ville, elle aperçut très loin dans la hammada une minuscule zone rocheuse balayée par les phares d'un véhicule qui prenait un tournant en descendant vers l'oasis. Un instant plus tard, elle vit les deux points de lumière. Puis ils disparurent derrière les rochers, mais le bruit du moteur s'accrut encore. Avec la lune qui, de minute en minute, jetait plus de clarté, et le camion qui amenait des voyageurs à la ville, même si ce n'étaient que des êtres anonymes en robes blanches, le monde rentrait dans le domaine du possible. Brusquement, elle souhaita d'assister à leur arrivée sur la place du marché. Elle descendit en hâte, traversa les cours sur la pointe des pieds, parvint à ouvrir le lourd portail, et courut de la colline vers la ville. Le camion ferraillait bruyamment entre les hauts murs de l'oasis; au moment où elle atteignit la mosquée, il apparut au sommet de la dernière côte. Quelques hommes en haillons se tenaient sur la place. Le vaste véhicule y déboucha dans le fracas de son moteur et s'arrêta. Il y eut une seconde de silence, puis une explosion de voix surexcitées.

Un peu à l'écart, elle observait la descente laborieuse des indigènes et le débarquement sans hâte de leurs biens : selles de chameaux qui brillaient sous la lune, gros baluchons informes enveloppés dans des couvertures rayées, coffrets, sacs, et deux femmes géantes, si grosses qu'elles pouvaient à peine marcher; leurs poitrines, leurs bras, leurs jambes étaient chargés de kilos d'ornements en argent massif. Toutes ces richesses disparurent aussitôt avec leurs propriétaires sous les arcades sombres. Kit contourna le camion pour en voir l'avant; à la clarté des phares, le chauffeur et le mécanicien s'entretenaient avec quelques autres hommes. Elle entendit parler français — un mauvais français — et arabe. Le chauffeur remonta dans le camion et éteignit les lumières. Les hommes se mirent lentement en route vers le centre de la place. Personne ne l'avait remarquée. Elle demeurait immobile, à écouter.

Elle cria :

— Tunner !

L'une des silhouettes en burnous s'arrêta, revint vers elle en courant et en criant : « Kit ! » Elle se mit, elle aussi, à courir, vit un autre homme se retourner, et se retrouva suffocante dans le burnous de Tunner qui l'étreignait. Elle avait l'impression qu'il ne la lâcherait jamais, mais il la laissa aller et dit :

— Vous êtes donc bien ici !

Deux des hommes s'étaient approchés.

— C'est cette dame que tu cherchais? demanda l'un.

— Oui, oui ! cria Tunner, et les hommes lui dirent bonsoir. Ils demeuraient seuls sur la place du marché.

— Mais c'est merveilleux, Kit ! dit-il.

Elle voulut parler; elle sentit qu'à la première tentative ses mots deviendraient des sanglots. Elle hocha la tête et l'entraîna machinalement vers le petit jardin public près de la mosquée. Elle se sentait faible, elle voulait s'asseoir.

— Mes affaires sont enfermées dans le camion pour la nuit.

Je ne savais pas où je dormirais. Dieu ! quel voyage depuis
Bou Noura ! Trois pneus crevés en route, et ces animaux
pensent que, pour changer une roue, deux heures est
un minimum.

Il poursuivit son récit en détail. Ils étaient parvenus à
l'entrée du jardin. La lune brillait comme un froid soleil
blanc. Les ombres aiguës et noires des palmes inscrivaient sur
le sable, tout le long de l'allée, un dessin monotone et dentelé.

— Mais que je vous voie ! s'écria-t-il en la faisant tourner
pour que la clarté de la lune frappât son visage. Ah ! pauvre
Kit ! Cela a dû être un enfer ! murmura-t-il, comme elle cli-
gnait les yeux sous la lumière, les traits crispés par l'imminence
des larmes.

Ils s'assirent sur un banc de ciment et elle pleura longtemps, la tête enfouie dans les genoux de Tunner, en la
frottant contre la laine rêche. Il prononçait parfois quelques
mots pour la consoler puis, s'apercevant qu'elle frissonnait, il
l'enveloppa dans l'un des pans de son vaste burnous. Elle
détestait le goût salé des larmes et encore plus l'ignominie
de se trouver là, à se faire réconforter par Tunner. Mais elle
ne pouvait pas, elle ne pouvait vraiment pas s'arrêter ; plus
elle pleurait, plus elle sentait que la situation échappait à son
contrôle. Elle était incapable de se redresser, de sécher ses
larmes, de s'arracher au réseau de complications qu'elle sentait
se tisser autour d'elle. Elle ne voulait plus de complications.
Sa mémoire conservait encore trop vif le souvenir de sa culpabilité. Pourtant, elle ne voyait devant elle que la volonté de
Tunner, qui n'attendait qu'un signal pour prendre le com-
mandement. Et elle donnerait ce signal. Même en sachant cela,
elle avait conscience d'une immense détente contre laquelle
il serait fou de lutter. Quel bonheur de n'être plus responsable, de n'avoir rien à décider de ce qui allait arriver !
D'être sûre, même si tout espoir était perdu, qu'aucun acte,
positif ou négatif, ne pourrait modifier en quoi que ce soit
l'issue finale, qu'il était impossible de commettre la moindre
faute et, par conséquent, d'éprouver du regret et, surtout,
du remords ! Elle concevait l'absurdité d'espérer se maintenir
dans un pareil état. Cet espoir, pourtant, ne la quittait pas.

La rue grimpait une colline escarpée où brillait le soleil ardent. Sur les trottoirs, une foule de piétons regardait les vitrines. Il avait l'impression que dans les rues transversales la circulation était animée, mais les ombres y étaient épaisses. Une atmosphère d'expectative se dégageait de plus en plus de la foule; elle attendait quelque chose. Mais quoi? Il ne le savait pas. L'après-midi entière était tendue, en équilibre, prête à tomber. Au sommet de la rue, une énorme automobile surgit soudain, scintillante dans le soleil. Elle franchit la crête et descendit la côte en faisant de curieuses embardées. Un long hurlement s'éleva de la foule. Il se retourna, affolé, pour chercher l'abri d'une porte. A l'angle le plus proche se trouvait une pâtisserie dont la devanture était remplie de gâteaux et de meringues. Il tâtonna contre le mur. S'il pouvait atteindre la porte... Il pivota sur lui-même, resta figé sur place. Dans l'éclat aveuglant du soleil réfléchi par la vitrine ·mise en miettes il se vit cloué à la pierre par le métal. Il s'entendit crier ridiculement et sentit ses entrailles transpercées. Comme il essayait de s'écrouler, de perdre conscience, il vit à quelques centimètres de son visage les gâteaux toujours intacts sur leur rayon garni de papier.

Ils s'étaient transformés en une rangée de puits de boue dans le désert. A quelle distance? Il n'aurait su le dire : les débris l'avaient immobilisé à terre. Seule, la douleur existait. Toute l'énergie qu'il pourrait dépenser ne le ferait pas bouger de l'endroit où il était empalé, les entrailles sanglantes au soleil. Il imagina un ennemi venant piétiner son ventre ouvert. Il s'imagina se levant, courant le long des allées sinueuses, entre les murs. Pendant des heures, dans toutes les directions, sans jamais trouver une porte, sans jamais trouver la sortie. La nuit allait venir, les ennemis se rapprocheraient, le souffle lui manquerait. Et quand il l'appellerait d'une volonté assez puissante, la porte apparaîtrait, mais, au moment même de la franchir en haletant, il comprendrait sa terrible erreur.

Trop tard! Il n'y avait devant lui que l'interminable mur noir, l'escalier de fer branlant qu'il était obligé de monter, et, au sommet, ses ennemis qui l'attendaient en balançant l'énorme pierre dont ils se préparaient à l'assommer. Et quand il approcherait du faîte ils lanceraient la pierre qui viendrait le frapper de tout le poids du monde. Il cria de nouveau quand elle le frappa, les mains sur le ventre pour protéger le trou béant. Il cessa d'imaginer, et demeura immobile sous la masse. La douleur ne pouvait pas se prolonger. Il ouvrit les yeux, les ferma, ne vit que le ciel mince étendu au-dessus de lui pour le protéger. La déchirure se ferait lentement, le ciel reculerait, et il verrait, au delà, cette chose, dont il n'avait jamais douté, s'approcher à la vitesse de millions de vents. Son cri ne faisait pas partie de lui-même, il était à côté de lui dans le désert. Il se prolongeait sans fin. ·

La lune avait atteint le milieu du ciel quand ils arrivèrent au fort et qu'ils trouvèrent le portail fermé. Kit, qui tenait la main de Tunner, leva les yeux vers lui : ·
— Qu'allons-nous faire?
Il hésita, et désigna la montagne de sable qui dominait le fort. Ils grimpèrent lentement le long des dunes. Le sable froid remplissait leurs souliers : ils les ôtèrent et poursuivirent leur chemin. En haut, la clarté était intense; chaque grain de sable réfléchissait un fragment de la lumière polaire qui tombait du ciel. Ils ne pouvaient avancer de front, le faîte de la plus haute dune était trop escarpé. Tunner drapa son burnous autour des épaules de Kit et passa le premier. La crête était infiniment plus haute et plus éloignée qu'ils n'avaient cru. Quand ils l'eurent enfin atteinte, l'erg les entourait de toutes parts avec sa mer aux vagues immobiles. Ils ne s'arrêtèrent pas à regarder : le silence absolu est trop puissant dès que l'on se confie à lui, même un instant; l'enchantement est trop difficile à briser.
— Là, dit Tunner.
Ils se laissèrent glisser dans une grande vasque baignée par la lune. Kit roula et perdit le burnous. Tunner dut creuser des marches dans le sable pour remonter le chercher. Il essaya de le plier et de le lancer à Kit comme une balle, mais le burnous tomba à mi-chemin. Elle se laissa rouler jusqu'en bas et demeura allongée à attendre. Quand il l'eut rejointe, il étendit sur le sable le vaste vêtement blanc. Ils s'y couchèrent côte

à côte, en ramenèrent les pans sur eux. Les rares mots qu'ils avaient échangés dans le jardin avaient concerné Port. Maintenant, Tunner regardait la lune. Il prit la main de Kit.

— Vous rappelez-vous notre nuit dans le train? dit-il.

Comme elle ne répondit pas, il craignit d'avoir commis une erreur de tactique et poursuivit rapidement :

— Je ne crois pas qu'il soit tombé une seule goutte de pluie depuis ce soir-là sur tout ce maudit continent.

Mais Kit ne répondit pas davantage. L'évocation de ce voyage de nuit vers Boussif avait réveillé des souvenirs redoutés. Elle vit se balancer les lampes voilées, sentit l'odeur du gaz carbonique et entendit la pluie sur les vitres. Elle se rappela l'horreur confuse du fourgon plein d'indigènes; son esprit refusa d'aller plus loin.

— Kit, qu'y a-t-il?

— Rien. Vous savez comment je suis. Rien, vraiment.

Elle lui pressa la main. La voix de Tunner prit un ton un peu paternel.

— Ça va aller pour lui, Kit. Mais cela dépend aussi de vous, bien sûr. Il faut que vous restiez en bonne forme pour vous occuper de lui, vous le savez bien. Et comment pourrez-vous vous occuper de lui si vous tombez malade?

— Je sais, je sais, dit-elle.

— J'aurais alors deux malades sur les bras.

Elle se redressa.

— Quels hypocrites nous faisons, vous et moi! cria-t-elle Vous savez parfaitement que je l'ai quitté depuis des heures. Qu'est-ce qui nous dit qu'il n'est pas déjà mort? Il pourrait mourir là, tout seul! Nous n'en saurions jamais rien. Qui le retiendrait?

Il lui saisit le bras, d'une main ferme.

— Un instant, s'il vous plaît. Simplement pour faire une mise au point, je voudrais vous poser une question : qui le retiendrait, même si nous étions tous les deux près de lui? Qui? (Il se tut un moment.) Si vous voulez absolument voir tout en noir, allez jusqu'au bout avec un peu de logique, ma petite fille. Mais il ne va pas mourir. Vous ne devriez même pas y penser. C'est de la folie. (Il lui secoua le bras doucement comme lorsqu'on veut tirer quelqu'un d'un profond sommeil.) Soyez raisonnable. Vous ne pouvez pas aller le retrouver avant demain matin. Alors, détendez-vous. Tâchez de vous reposer un peu. Allons !

Comme il la prenait dans ses bras, elle fondit de nouveau en larmes et se cramponna désespérément à lui.

— Oh ! Tunner ! Je l'aime tant ! sanglota-t-elle en se pressant contre lui. Je l'aime ! Je l'aime.

Sous la lumière de la lune, il sourit.

Son cri traversa la vision finale : les taches de sang frais sur la terre. Du sang sur des excréments. Le moment suprême, très haut au-dessus du désert, quand les deux éléments, le sang et l'excrément, longtemps séparés, se confondent. Une étoile noire apparaît, point sombre dans la clarté du ciel. Point sombre et porte du repos. Va plus loin, crève la fine toile du ciel protecteur, repose-toi.

24

Elle ouvrit la porte. Il était couché dans une position bizarre, les jambes étroitement serrées dans les couvertures. Ce coin de la chambre était comme une photographie immobile projetée sur un écran parmi le flot des images mouvantes. Elle ferma doucement la porte, donna un tour de clé et se dirigea lentement vers le matelas. Elle retint son souffle, se pencha, et regarda dans les yeux vides. Mais elle savait déjà, même avant de baisser convulsivement la main vers la poitrine nue, même avant de pousser violemment le torse inerte. En portant ses mains à son propre visage, elle cria : « Non ! » une fois — pas plus. Elle demeura immobile longtemps, longtemps, la tête droite, face au mur. Rien ne bougeait en elle; elle n'était consciente de rien dans la chambre, ni au dehors. Si Zina était venue à la porte, elle ne l'aurait sans doute pas entendue frapper. Mais personne ne vint. En bas, dans la ville, une caravane en route pour Atar quittait la place du marché et zigzaguait à travers l'oasis; les chameaux grognaient, les hommes à barbe noire qui les accompagnaient, silencieux, pensaient aux vingt jours et aux vingt nuits qui les séparaient du moment où ils verraient se dresser les murs d'Atar au-dessus des rocs. A quelques centaines de mètres, le capitaine Broussard, dans sa chambre à coucher, lisait d'un bout à l'autre la nouvelle d'un magazine qu'il avait reçu le matin, au courrier apporté par le camion de la nuit précédente. Dans la chambre, rien ne se passait.

Beaucoup plus tard dans la matinée, et sans doute par pure fatigue, Kit se mit à marcher dans un tout petit espace au milieu de la pièce, quelques pas d'un côté, quelques pas de l'autre. Un coup violent l'immobilisa, le regard sur la porte; le coup se répéta. La voix contenue de Tunner appela : « Kit ? » Elle se couvrit de nouveau le visage et demeura ainsi, sans mouvement, tout le temps que Tunner resta derrière la porte, à frapper d'abord doucement, puis plus vite et nerveusement, et enfin en tambourinant de toutes ses forces. Quand le bruit se tut, elle s'assit sur son grabat et bientôt s'y étendit, complètement à plat, la tête sur l'oreiller, comme pour dormir. Mais ses yeux demeurèrent ouverts, tournés vers le plafond, presque aussi fixes que les yeux à côté d'elle. C'étaient les premiers moments d'une nouvelle existence, une étrange existence où elle discernait déjà qu'elle ne connaîtrait plus la notion de temps. La personne qui a compté frénétiquement les secondes en courant prendre un train, et qui arrive haletante pour le voir disparaître, en sachant que le suivant ne passera pas avant des heures, éprouve un peu de cette satiété, l'impression passagère de plonger dans un élément trop riche et trop plein pour être consommé, et qui, par conséquent, n'a plus de sens, devient inexistant. Les minutes qui passaient ne lui apportaient aucun désir de bouger; aucune pensée ne tournait autour d'elle. Elle ne se rappelait pas les conversations qu'ils avaient eues si souvent sur l'idée de la mort, peut-être parce qu'aucune idée sur la mort n'a quoi que ce soit de commun avec la présence de la mort. Elle ne se rappelait pas qu'ils avaient convenu ensemble qu'on peut *être* tout, sauf *mort*, parce que les deux mots sont antinomiques. Il ne lui vint pas non plus à l'esprit qu'elle avait pensé que, si Port mourait avant elle, elle ne croirait pas qu'il était vraiment mort, mais, en quelque sorte, rentré en lui-même pour y demeurer en ayant pour toujours perdu conscience d'elle; si bien qu'en réalité c'est elle qui aurait cessé d'exister, du moins dans une grande mesure. C'est elle qui serait entrée en partie dans le royaume de la mort tandis qu'il durerait, angoisse au fond d'elle-même, porte close, chance à jamais perdue. Elle avait complètement oublié cet après-midi d'août, un an plus tôt, quand ils s'étaient assis sur l'herbe, sous les érables, en regardant la tempête remonter vers eux la vallée du fleuve et qu'ils avaient parlé de la mort. Port avait dit : « La mort est toujours en route, mais le fait qu'on ne sait pas quand elle arrivera nous sauve du fini de la vie, cette terrible précision que nous haïssons tellement. A cause de notre ignorance, nous en venons à penser à la vie comme à un puits sans fond. Et pourtant chaque chose ne se produit qu'un certain nombre de fois, un très petit nombre, en réalité. Combien de fois te rappelleras-tu encore certain après-midi de ton enfance, un après-midi qui fait si profondément partie de ton être que tu ne peux même pas concevoir ta vie sans lui? Quatre ou cinq fois peut-être. Ou peut-être jamais. Combien de fois regarderas-tu encore la pleine lune se lever? Vingt fois peut-être. Et tout cela semble illimité. » Elle n'avait pas voulu l'écouter, parce que cette idée la déprimait alors; et maintenant, si elle avait voulu y réfléchir, elle l'aurait trouvée en dehors du sujet. Elle était actuellement incapable de penser à la mort et, comme la mort était près d'elle, elle ne pensait à rien du tout.

Cependant, au-dessous de la région vide qui était sa conscience, dans une partie obscure et intime de son esprit, une pensée devait déjà se trouver en gestation, car, lorsqu'à la fin de l'après-midi Tunner revint marteler la porte, elle se leva et, debout, la main sur la poignée, elle parla :

— C'est vous, Tunner?

— Pour l'amour du ciel, où étiez-vous ce matin? cria-t-il.

— Je vous verrai ce soir vers huit heures dans le jardin.

— Comment va-t-il?

— Pareil.

— Bon. A huit heures.

Il s'éloigna.

Elle regarda sa montre : cinq heures moins le quart. Allant à son nécessaire de toilette, elle entreprit de le vider : un à un, les flacons, les brosses, l'onglier furent déposés sur le sol. L'air extrêmement absorbé, elle en fit autant pour les autres valises, en choisissant, de-ci de-là, un vêtement, un objet qu'elle rangeait avec soin dans un petit sac de voyage. Par moments, elle s'immobilisait pour écouter. Il n'y avait pas d'autre bruit que sa propre respiration régulière. A chaque fois, elle paraissait se rassurer et reprenait ses mouvements réfléchis. Dans les poches latérales, elle plaça son passeport, ses travellers-chèques et l'argent qu'elle possédait. Puis elle se dirigea vers les bagages de Port, fouilla parmi ses vêtements, et revint à son petit sac avec un bon nombre de billets de mille francs, qu'elle entassa comme elle put.

Ce travail lui prit près d'une heure. Quand elle eut terminé, elle ferma le sac, fit jouer la serrure de sûreté, et alla à la porte. Elle hésita une seconde, l'ouvrit, et, la clef à la main, sortit en fermant derrière elle à double tour. Elle se rendit à la cuisine, où le jeune domestique chargé de l'entretien des lampes était assis dans un coin, à fumer.

— Peux-tu faire une course pour moi? demanda-t-elle.

Il se leva d'un bond avec un sourire. Elle lui tendit le sac en lui disant d'aller le porter à la boutique de Daoud Zoseph et de le laisser là, de la part de la dame américaine.

Revenue dans la chambre, elle s'enferma de nouveau et alla à la petite fenêtre. D'un seul geste, elle arracha le drap qui la masquait. Dehors, le mur se teintait de rose à la lumière du soleil qui descendait dans le ciel : le rose envahit la pièce. Lorsqu'elle avait préparé son sac, elle n'avait pas regardé une seule fois dans le coin. Maintenant, elle s'agenouilla, et considéra de tout près le visage de Port, comme si elle ne l'avait encore jamais vu. Effleurant à peine la peau, elle passa la main sur son front lisse avec une délicatesse infinie. Elle se pencha encore et y posa les lèvres. Elle demeura ainsi un long moment. La chambre devint rouge. Doucement, elle mit la joue sur l'oreiller et lui caressa les cheveux. Sans larmes; c'était un adieu silencieux. Un bourdonnement étrangement fort tout près d'elle lui fit ouvrir les yeux. Elle observa, fascinée, deux mouches qui se livraient à leur bref amour frénétique sur la lèvre inférieure de Port.

Elle se leva, mit son manteau, prit le burnous que Tunner lui avait laissé et sortit sans se retourner. Elle ferma la porte et mit la clef dans son sac à main. Devant le portail, la sentinelle fit le geste de vouloir l'arrêter. Elle lui dit bonsoir et passa. Aussitôt, elle l'entendit appeler un camarade dans le corps de garde. Elle soupira profondément et descendit droit devant elle, vers la ville. Le soleil s'était couché; la terre refroidissait et noircissait rapidement, comme une dernière braise dans l'âtre. De l'oasis parvint le roulement d'un tambour. On danserait probablement dans les jardins plus tard. La saison des fêtes était commencée. Elle se hâta vers la boutique de Daoud Zoseph sans avoir jeté un regard autour d'elle.

Elle entra. Daoud Zoseph se tenait debout derrière son comptoir dans la pénombre croissante. Il lui tendit la main.

— Bonsoir, madame.

— Bonsoir.

— Votre valise est ici. Dois-je appeler quelqu'un pour vous la porter?

— Non, non, dit-elle. Du moins, pas tout de suite. Je suis venue vous parler.

Elle regarda la porte ouverte; il ne le remarqua pas.

— J'en suis ravi, dit-il. Un instant. Je vais vous donner une chaise.

Il prit un pliant derrière le comptoir et le plaça à côté d'elle.

— Merci, dit-elle sans s'asseoir. Je voulais vous demander quand part le prochain camion.

— Ah! pour Sbâ. Nous n'avons pas de service régulier. Celui qui est arrivé hier soir est reparti cet après-midi. Nous ne savons jamais quand viendra le suivant. Mais le capitaine Broussard est toujours averti un jour au moins à l'avance. Il vous renseignera mieux que n'importe qui.

— Le capitaine Broussard. ah! oui.

— Et votre mari? Comment va-t-il? Le lait lui a fait plaisir?

— Le lait. Oui, cela lui a fait plaisir, dit-elle lentement, en s'étonnant que les mots eussent un son si naturel.

— J'espère qu'il sera vite remis.

— Il est déjà mieux.

— Ah, *hamdoul' lah!*

— Oui.

Elle ajouta sur un autre ton :

— Monsieur Daoud Zoseph, je voudrais vous demander une faveur.

— Elle est accordée d'avance, madame, répondit-il galamment.

Sans pouvoir le distinguer dans l'ombre, elle eut l'impression qu'il s'inclinait.

— Une grande faveur, précisa-t-elle.

Daoud Zoseph, pensant qu'elle voulait peut-être lui emprunter de l'argent, se mit à s'agiter et à déplacer des objets sur le comptoir.

— On n'y voit rien. Attendez. Je vais allumer une lampe.

— Non, je vous en prie ! s'écria Kit.

— Mais nous ne nous voyons même pas ! insista-t-il.

Elle lui mit la main sur le bras.

— Je sais, mais n'allumez pas, je vous en prie. Je voudrais vous demander cette faveur tout de suite. Puis-je passer la nuit chez vous et votre femme?

Daoud Zoseph fut complètement déconcerté, à la fois surpris et soulagé.

— Cette nuit? demanda-t-il.

— Oui.

Il y eut un court silence.

— Vous comprenez, madame, que nous serions grandement honorés de vous avoir sous notre toit. Mais vous ne vous y trouveriez pas bien. Une maison de pauvres gens n'est pas comme un hôtel ou un poste militaire...

— Mais puisque je vous le demande, dit-elle d'un ton de reproche, vous voyez bien que cela m'est égal. Vous croyez que j'y attache de l'importance? J'ai dormi par terre, ici, à Sbâ.

— Ah! cela ne vous serait pas arrivé chez moi, dit-il d'une voix catégorique.

— Mais je serais enchantée de dormir par terre. N'importe où. Cela n'a aucune importance.

— Ah! non. Non, madame! Pas par terre! *Quand même!* protesta-t-il.

Et comme il prenait une allumette, elle toucha de nouveau son bras.

— *Écoutez, monsieur,* dit-elle sur un ton de confidence, mon mari me cherche et je ne veux pas qu'il me retrouve. Nous avons eu une querelle. Je ne veux pas le voir ce soir. C'est très simple. Je crois que votre femme comprendrait.

Daoud Zoseph rit.

— Bien sûr! Bien sûr!

Sans cesser de rire, il ferma la porte de la rue, la verrouilla et frotta une allumette qu'il tint en l'air. A la lueur d'allumettes successives, il la fit traverser une pièce sombre, puis une petite cour. Les étoiles brillaient au-dessus de leurs têtes. Il s'arrêta devant une porte.

— Vous pouvez dormir ici.

Il ouvrit, entra, gratta une nouvelle allumette. Elle vit une minuscule pièce en désordre; un petit lit de fer défoncé portait un matelas qui perdait son rembourrage de toutes parts.

— J'espère que ce n'est pas votre chambre? hasarda-t-elle tandis que l'allumette s'éteignait.

— Ah! non. Nous avons un autre lit dans notre chambre, ma femme et moi, répondit-il avec une note de fierté. C'est ici que mon frère dort quand il vient me voir de Colomb-Béchar. Il reste un mois par an et quelquefois plus. Attendez. Je vais vous apporter de la lumière.

Il sortit, et elle l'entendit parler à quelqu'un. Il revint bientôt avec une lampe à huile et un petit seau d'eau.

La lumière ajouta à l'aspect misérable de la chambre. Kit eut l'impression que le plancher n'avait jamais été balayé depuis le jour où le maçon avait tassé sur les murs la dernière poignée de boue, cette boue que l'on voyait partout sécher, s'effriter, et qui tombait nuit et jour en fine poussière... Elle leva les yeux et sourit.

Ma femme voudrait savoir si vous aimez les nouilles, dit Daoud Zoseph.

— Oui, bien sûr, répondit-elle en essayant en vain de s'apercevoir dans le miroir écaillé qui pendait au-dessus de la toilette.

Bien. Vous savez, ma femme ne parle pas le français.

— Il faudra que vous nous serviez d'interprète.

Un coup sourd parvint de la boutique. Daoud Zozeph s'excusa et traversa la cour. Elle ferma la porte, constata qu'il n'y avait pas de clef, demeura debout à attendre. Il aurait été si facile à l'un des soldats du fort de la suivre. Mais elle doutait qu'ils y eussent songé assez tôt. Elle s'assit sur le lit misérable, le regard fixé sur le mur. Un filet de fumée âcre montait de la lampe.

Le souper chez Daoud Zoseph fut incroyablement mauvais. Elle se força à avaler les boules de pâte gélatineuse frites dans une graisse lourde et servies froides, les morceaux de viande nerveuse et le pain humide, en murmurant de vagues compliments qui incitèrent ses hôtes empressés à lui en servir davantage. Elle regarda sa montre à plusieurs reprises. Tunner devait être en train de l'attendre dans le jardin; il retournerait au fort en s'en allant. C'est alors que les ennuis commenceraient. Les clients de Zoseph ne manqueraient pas de le mettre au courant le lendemain.

Mme Daoud Zoseph insistait par gestes pour que Kit continuât de manger; son regard brillant était fixé sur les yeux de son invitée. Kit lui sourit.

Dites à madame que l'émotion m'a un peu coupé l'appétit, dit-elle à Daoud Zoseph, mais que j'aimerais avoir quelque chose à manger plus tard dans ma chambre. Un peu de pain, ce serait parfait.

— Mais bien sûr, bien sûr, dit-il.

Quand elle fut rentrée dans la chambre, Mme Daoud Zoseph lui apporta sur une assiette toute une pile de morceaux de pain. Elle la remercia et lui dit bonsoir, mais son hôtesse n'avait aucune envie de s'en aller et lui fit nettement entendre qu'elle souhaitait examiner le contenu du sac de voyage. Kit était résolue à ne pas l'ouvrir devant elle : les billets de mille francs deviendraient vite légendaires à Sbâ. Elle fit semblant de ne pas comprendre, tapota le sac, hocha la tête et rit. Puis elle se tourna de nouveau vers l'assiettée de pain et renouvela ses remerciements. Mais le regard de Mme Daoud Zoseph ne quittait pas la valise. Il y eut dans la cour des piaillements et des bruits d'ailes. Daoud Zoseph apparut, porteur d'une grosse poule qu'il posa au milieu de la pièce.

— Contre la vermine, expliqua-t-il.

— La vermine? répéta Kit.

— Si un scorpion montre la tête quelque part, tac! elle l'avale.

— Ah!

Kit simula un bâillement.

— Je sais que madame est nerveuse. Avec notre amie que voici, elle se sentira mieux.

— Ce soir, dit-elle, j'ai tellement sommeil que rien ne pourrait m'inquiéter.

Ils se serrèrent la main avec cérémonie. Daoud Zoseph poussa sa femme dehors et ferma la porte. La poule gratta une minute la poussière, puis sauta sur le rebord du lavabo et ne bougea plus. Kit, assise sur le lit, fixait la flamme vacillante de la lampe; la chambre était remplie de fumée. Elle n'éprouvait pas d'angoisse, rien qu'un besoin insurmontable de tourner le dos à ce décor grotesque, de l'effacer de sa conscience. Elle se leva, colla son oreille à la porte. Elle entendit des voix, et, par intermittence, un bruit sourd au loin. Elle mit son manteau, remplit ses poches de pain et s'assit à nouveau pour attendre.

De temps à autre, elle soupirait profondément. Une fois, elle se leva pour baisser la mèche de la lampe. Quand sa montre marqua dix heures, elle alla de nouveau écouter à la porte. Elle l'ouvrit; la cour étincelait sous la réverbération de la lune. Elle rentra dans la pièce, ramassa le burnous de Tunner et le jeta sous le lit. Le tourbillon de poussière qu'il souleva la fit presque éternuer. Elle prit son sac à main et la valise et sortit en prenant soin de fermer la porte derrière elle. En traversant l'arrière-boutique, elle buta sur quelque chose et faillit perdre l'équilibre. À pas plus lents, elle pénétra dans la boutique et contourna le comptoir en l'effleurant des doigts de la main gauche. La porte n'avait qu'un verrou très simple, qu'elle tira sans difficulté. Il grinça pourtant avec bruit. Elle ouvrit rapidement la porte et sortit.

La lumière de la lune était si crue que la rue très blanche paraissait baignée de soleil. « N'importe qui pourrait me voir. » Mais il n'y avait personne. Elle se dirigea tout droit vers l'extrémité de la ville, là où l'oasis envahissait les cours des maisons. De l'épaisse masse sombre formée par les cimes des palmiers, montait encore le bruit des tambours. Le son venait de la direction du ksar, le village nègre situé au centre de l'oasis.

Elle tourna dans une allée longue et étroite bordée de hauts murs, derrière lesquels on entendait bruisser les palmiers et ruisseler l'eau vive. Par endroits, des branches sèches de palmiers s'élevaient en piles près du mur. A chaque tas, elle croyait voir un homme assis sous la lune. L'allée zigzaguante la rapprochait des tambours et elle déboucha sur une place couverte de petits canaux et d'aqueducs qui couraient paradoxalement dans toutes les directions; on aurait dit un chemin de fer d'enfant très perfectionné. Plusieurs allées menaient à l'oasis. Elle choisit la plus étroite, qui, pensait-elle, devait plutôt contourner le ksar, et poursuivit sa route. Le sentier serpentait entre les murs.

Le bruit des tambours devenait plus fort. Elle pouvait maintenant entendre des voix répéter un refrain rythmé, toujours le même. C'étaient des voix d'hommes, qui semblaient très nombreuses. Parfois, en passant dans les endroits les plus sombres, elle s'arrêtait et écoutait, un sourire indéchiffrable sur les lèvres.

Le sac de voyage commençait à lui peser. De plus en plus fréquemment, elle le faisait passer d'une main dans l'autre. Elle ne voulait pourtant pas s'arrêter. A chaque instant, elle était sur le point de revenir sur ses pas pour prendre une autre allée, si celle-ci la menait tout à coup au beau milieu du ksar. La musique lui semblait parfois très proche, mais les arbres et le dessin tortueux des murs lui permettaient difficilement d'en juger. Quand elle crut n'en être plus séparée que par un mur et une centaine de mètres de jardins, le bruit s'éloigna et fut presque entièrement recouvert par le sifflement du vent dans les palmiers.

Le murmure liquide des ruisselets qui coulaient de toutes parts fit son effet sans qu'elle s'en rendît compte. Elle éprouva une brusque sensation de sécheresse. La clarté froide de la lune et les ombres doucement mouvantes chassèrent d'abord cette impression, mais il lui parut bientôt qu'elle ne pourrait se sentir entièrement satisfaite si elle n'était pas entourée d'eau. En même temps elle découvrait un jardin par une large brèche du mur. Les troncs gracieux des palmiers se dressaient très haut dans l'air autour d'un vaste étang. Elle demeura immobile, le regard fixé sur la sombre et calme surface de l'eau. L'idée de se baigner lui était-elle venue avant d'avoir vu l'étang, ou après? Elle se le demanda en vain. Quoi qu'il en fût, l'étang était là. Elle se glissa par la brèche et posa son sac, avant d'escalader le monceau de gravats qui lui barrait le passage. Une fois dans le jardin, elle se surprit en train de se déshabiller. Elle s'étonna un peu de se sentir si peu consciente de ses gestes. Chacun de ses mouvements semblait une émanation de légèreté et de grâce. « Fais attention, disait une part d'elle-même, sois prudente. » Mais c'était cette même voix intérieure qui la mettait en garde quand elle buvait trop. Cette nuit, cela n'avait aucun sens. « L'habitude, pensa-t-elle. Chaque fois que je pourrais être heureuse, je me retiens au lieu de me laisser aller. » Elle envoya promener ses sandales et se trouva nue dans l'ombre. Une étrange intensité naissait en elle. Considérant le jardin tranquille, elle eut l'impression de n'avoir jamais rien vu aussi clairement depuis l'enfance. La vie était là, soudain, elle y plongeait, elle ne se contentait plus de la regarder par la fenêtre. La dignité qu'elle éprouvait à se sentir un élément de sa puissance et de sa grandeur était pour elle une impression familière, mais elle ne l'avait pas ressentie depuis des années. Elle s'avança sous la clarté de la lune et se dirigea lentement dans l'eau vers le milieu de l'étang. La terre glaise rendait le sol glissant; l'eau, au centre, lui arrivait à la taille. En s'y enfonçant elle pensa : « Je ne serai plus jamais hystérique. » Cette sorte de tension, cet excessif souci de soi-même, elle devinait qu'elle n'y accéderait plus de toute sa vie.

Elle se baigna longuement; l'eau fraîche sur sa peau éveilla en elle l'envie de chanter. Chaque fois qu'elle se penchait pour recueillir de l'eau dans le creux de ses mains, une bribe de chanson sans paroles lui échappait. Brusquement, elle s'arrêta pour écouter. Elle n'entendait plus les tambours — rien que les gouttes d'eau qui coulaient de son corps dans l'étang. Elle finit de se baigner en silence, son exaltation était retombée; mais la vie ne l'avait pas abandonnée. « Elle est là pour toujours », murmura-t-elle, tandis qu'elle regagnait la berge. Elle se servit de son manteau comme d'une serviette en sautillant par moments pour se réchauffer. Pendant qu'elle se rhabillait, elle sifflotait entre ses dents. Souvent, elle s'interrompait une seconde pour guetter le son des voix ou la reprise des tambours. Le vent se leva, très haut, dans la cime des arbres, et l'on entendait une eau légère couler non loin. Rien de plus. Tout à coup, elle fut saisie du soupçon que le temps lui avait joué un mauvais tour : elle avait dû, sans s'en douter, passer des heures dans l'étang. La fête avait pris fin dans le ksar, les gens s'étaient dispersés, les tambours avaient cessé de battre. Il arrive parfois de ces choses absurdes. Elle se pencha pour reprendre son bracelet-montre sur la pierre où elle l'avait posé. Il n'était plus là; elle ne pouvait pas vérifier l'heure. Elle le chercha un moment, convaincue d'avance qu'elle ne le trouverait jamais : sa disparition faisait partie du jeu. Elle marcha légèrement vers le mur, ramassa la valise, jeta le manteau sur son bras, et dit au jardin tout haut : « Vous croyez que cela me touche ? » Puis elle rit avant d'escalader le mur démoli.

Elle marchait d'un pas vif, l'esprit occupé de ce bonheur solide qu'elle venait de reconquérir. Elle n'avait jamais douté qu'il ne fût là, tout près, dissimulé par d'autres choses, mais elle avait renoncé depuis longtemps à le tenir pour une condition naturelle de l'existence. Puisqu'elle avait retrouvé cette joie de vivre, elle se promit de s'y accrocher, au prix de n'importe quels efforts. Elle tira de sa poche un morceau de pain et le mangea voracement.

L'allée s'élargissait, les murs s'écartaient pour suivre la ligne de la végétation. Elle avait atteint l'oued qui, à cet endroit, formait une vallée ouverte et plate, piquée de petites dunes. Çà et là, un tamaris pleureur s'allongeait sur le sable comme une masse de fumée grise. Sans hésiter, elle se dirigea vers l'arbuste le plus proche et posa la valise à terre. Les branches, tout autour du tronc, balayaient le sable, formant comme une tente. Elle mit son manteau, se glissa sous les feuilles, tira la valise auprès d'elle et s'endormit aussitôt.

25

Le lieutenant de Messignac supervisait dans son jardin le travail d'Ahmed et de plusieurs maçons indigènes qui fixaient sur le haut mur d'enceinte une couronne de tessons de bouteilles. Cent fois, sa femme lui avait conseillé cette précaution supplémentaire et lui, en bon colonial, avait chaque fois promis d'y penser sans jamais tenir sa promesse. Il voulait à présent que ce fût prêt pour son retour de France, comme une bonne surprise de plus. Tout allait bien : l'enfant était solide. M\ :sup:`me` de Messignac heureuse, et il comptait aller les accueillir à Alger à la fin du mois. Ils y passeraient ensemble, dans un gentil petit hôtel, quelques jours agréables — une espèce de second voyage de noces — avant de rentrer à Bou Noura.

Il est vrai que les choses n'allaient bien que dans son propre petit univers. Le lieutenant plaignait le capitaine Broussard, là-bas, à Sbâ, et pensait avec un frisson que, sans une grâce du ciel, tous ces soucis lui seraient tombés sur le dos. Il avait même insisté pour retenir les voyageurs à Bou Noura ! Du moins pouvait-il se sentir innocent de ce côté. Il n'avait pas su que l'Américain était malade, aussi n'était-ce pas sa faute si ce garçon était parti mourir dans le territoire de Broussard. Mais, naturellement, il n'y avait pas de comparaison entre une mort due à la typhoïde et la disparition d'une femme blanche dans le désert. C'était cela qui causait tout l'ennui. Le terrain autour de Sbâ n'était pas favorable aux expéditions en jeeps; d'ailleurs, il n'y avait que deux véhicules de ce genre dans la région et les recherches avaient d'abord été retardées par le souci plus urgent de régler la question de cet Américain mort dans le poste. De plus, tout le monde avait imaginé qu'on la retrouverait quelque part dans la ville. Le lieutenant regrettait de ne l'avoir pas connue. Elle paraissait amusante — une Américaine typique et qui ne manquait pas de cran. Il n'y avait qu'une Américaine pour pouvoir faire une chose aussi inouïe que d'enfermer son mari malade et de s'enfuir dans le désert en le laissant mourir seul. C'était, bien entendu, inexcusable; pourtant, il ne se sentait pas réellement horrifié comme semblait l'être Broussard. Mais Broussard, puritain d'une conduite irréprochable au point d'en être rebutant, se scandalisait pour un rien. Il lui en voulait sans doute d'être séduisante et d'avoir menacé son équilibre; il aurait du mal à le lui pardonner.

Le lieutenant regretta une fois de plus de n'avoir pas rencontré la jeune femme avant qu'elle eût si bien disparu de la surface de la terre. En même temps, le récent retour du troisième Américain à Bou Noura suscitait en lui des sentiments mitigés. L'homme lui plaisait, personnellement, mais il espérait bien ne pas se trouver mêlé à l'affaire, il ne voulait y prendre aucune part. Il priait surtout le ciel que la femme ne fût pas découverte sur son territoire, maintenant qu'elle était devenue la vedette d'une affaire sensationnelle. Il se pouvait bien aussi qu'elle fût malade à son tour, et la curiosité du lieutenant s'effaçait devant la perspective terrifiante des complications que ce retour apporterait dans son travail, des rapports à rédiger. « *Pourvu qu'ils la trouvent là-bas!* » souhaitait-il de toutes ses forces.

On frappa à la porte. Ahmed l'ouvrit toute grande. L'Américain était là; il venait chaque jour dans l'attente des nouvelles, et, chaque jour, paraissait plus abattu en apprenant qu'on ne savait encore rien. « J'avais bien compris que l'autre avait des ennuis avec sa femme : c'était ça ses ennuis », songea le lieutenant quand il vit l'expression anxieuse de Tunner. Il s'avança vers le visiteur.

— *Bonjour, monsieur*, dit-il avec cordialité. Toujours pas de nouvelles. Mais cela ne peut pas durer.

Tunner le salua et hocha la tête d'un air compréhensif en entendant les mots prévus. Le lieutenant se permit un silence de circonstance avant de l'inviter, comme chaque matin, à venir prendre un cognac dans le salon. Depuis sa récente arrivée à Bou Noura, Tunner en était venu à considérer ces visites matinales comme un stimulant indispensable à son moral. Le lieutenant était de nature sanguine, sa conversation facile et le choix de ses mots tel qu'il le comprenait aisément. Il aimait à se trouver assis dans le confortable salon. Le cognac fondait ces divers éléments en un moment privilégié, dont le retour à intervalles réguliers l'empêchait de sombrer dans le désespoir.

Son hôte le fit entrer après avoir appelé Ahmed. Ils s'assirent l'un en face de l'autre.

— Encore quinze jours et je ne serai plus célibataire, dit le lieutenant.

Tout sourires, il songeait qu'il n'était peut-être pas trop tard pour montrer les filles Ouled Naïl à un Américain.

— Très bien, très bien.

Tunner était distrait. « Dieu assiste la pauvre Mme de Messignac, pensait-il, si elle doit passer ici la fin de sa vie ! » Depuis la mort de Port et la disparition de Kit, il haïssait le désert : il lui en voulait obscurément de lui avoir pris ses amis. C'était une entité trop puissante pour que l'on ne fût pas tenté de le personnifier. Le désert ! Son silence même était comme un aveu tacite de la présence à demi consciente qu'il abritait. (Le capitaine Broussard lui avait confié, un soir qu'il était d'humeur bavarde, que les Français qui accompagnaient les pelotons dans le désert trouvaient eux-mêmes le moyen de voir des djinns, bien que la vanité ne leur permît pas d'en convenir.) N'était-ce pas là une interprétation simpliste de cette présence ?

Ahmed apporta la bouteille et les verres. Ils burent un moment sans parler. Puis le lieutenant fit remarquer, autant pour rompre le silence que pour toute autre raison :

— Ah ! oui, la vie est étonnante. Jamais rien ne se passe

comme on l'imagine. On s'en rend particulièrement compte ici; tout votre système philosophique s'écroule. A chaque tournant, on tombe sur l'imprévu. Quand votre ami est venu me trouver en accusant le pauvre Abd-el-Kader de lui avoir pris son passeport. qui aurait jamais pensé que, si peu de temps après, il lui serait arrivé une chose pareille?

S'apercevant alors que sa phrase pouvait donner lieu à une fausse interprétation, il ajouta :

— Abd-el-Kader a été désolé d'apprendre sa mort. Il ne lui en veut pas, vous savez.

Tunner ne parut pas l'entendre. Les idées du lieutenant prirent une autre tournure.

— Dites-moi, demanda-t-il avec une nuance de curiosité, êtes-vous jamais parvenu à convaincre le capitaine Broussard que ses soupçons sur la dame étaient sans fondement? Ou croit-il toujours qu'ils n'étaient pas mariés? Dans sa lettre, il me disait certaines choses fort méchantes sur elle. Vous lui avez montré le passeport de M. Moresby?

— Quoi? dit Tunner en sachant fort bien que son français allait lui donner des soucis. Oh! oui. Oui. Il l'a envoyé au consul d'Alger avec son rapport. Mais il n'a jamais cru qu'ils étaient mariés, parce que Mrs. Moresby lui avait promis son passeport et qu'elle s'est enfuie au lieu de le lui donner. Si bien qu'il ne savait pas du tout qui elle était vraiment.

— Mais ils étaient mari et femme? insista doucement le lieutenant.

— Bien sûr, bien sûr, fit Tunner avec impatience, car écouter de tels propos lui paraissait une trahison.

— Et même sans cela, quelle aurait été la différence?

Le lieutenant remplit de nouveau les verres et voyant son hôte peu enclin à poursuivre cette conversation, il entama un autre sujet, dont les associations lui seraient sans doute moins pénibles. Tunner n'y montra pourtant pas plus d'enthousiasme. Dans le fond de son esprit, il ne cessait de revivre le jour de l'enterrement à Sbâ. La mort de Port était, dans sa vie, le seul fait véritablement inacceptable. Il n'arrivait pas encore à y croire. Il savait déjà qu'il avait subi une perte considérable, que Port était son meilleur ami — comment avait-il tant tardé à s'en apercevoir? — mais il sentait qu'il ne mesurerait l'étendue de cette perte qu'après avoir pleinement accepté la réalité de cette mort.

Tunner était un sentimental, et sa conscience lui reprochait de ne s'être pas élevé assez énergiquement contre le capitaine Broussard, lorsque celui-ci avait insisté pour que l'enterrement comportât une part de cérémonie religieuse. Il éprouvait le sentiment de s'être montré lâche; il était sûr que Port aurait méprisé de telles sottises et compté sur son ami pour s'y opposer. Sans doute avait-il tout de suite répliqué que Port n'était pas catholique, ni même, à strictement parler, chrétien, et qu'il était donc juste de lui épargner toutes ces manigances à son propre enterrement. Mais le capitaine Broussard avait riposté avec vivacité : « Je n'ai que votre parole là-dessus, monsieur. Et vous n'étiez pas près de lui au moment de sa mort. Vous ne pouvez nullement connaître ses dernières pensées ni ses dernières volontés. Même si vous étiez disposé à prendre sur vous une responsabilité si énorme, je ne pourrais pas vous le permettre. Je suis catholique, monsieur, et c'est moi qui commande ici. » Tunner avait cédé. Si bien qu'au lieu d'être enterré anonymement et en silence dans l'hammada ou l'erg, comme il l'aurait certainement souhaité, Port avait été placé officiellement dans le minuscule cimetière chrétien situé derrière le fort, pendant que l'on prononçait des mots latins. Pour l'esprit sentimental de Tunner, c'était une injustice criante, mais il n'avait pas trouvé le moyen de l'empêcher. Il jugeait maintenant qu'il s'était montré faible et, en quelque sorte, déloyal. La nuit, quand cette pensée le tenait en éveil, il songeait même à refaire toute la route jusqu'à Sbâ et à s'introduire dans le cimetière au moment propice pour démolir cette absurde petite croix qu'on avait piquée sur la tombe. Un tel geste l'aurait rendu plus heureux, mais il savait qu'il ne le ferait jamais.

Il avait donc décidé d'agir en homme pratique et rien n'était plus important à présent que de retrouver Kit pour la ramener à New York. Les premiers jours, avec le sentiment que toute cette histoire de disparition semblait un cauchemar ridicule, il avait escompté la voir réapparaître au bout d'une semaine ou deux, comme elle l'avait fait dans le train de nuit pour Boussif. Aussi avait-il résolu d'attendre. Maintenant que le temps avait passé sans qu'elle donnât signe de vie, il comprenait qu'il était prêt à patienter longtemps encore, et même indéfiniment, s'il le fallait.

Il posa son verre près de lui sur la table et, pour répondre à ses propres pensées, déclara :

— Je vais attendre ici jusqu'à ce qu'on ait retrouvé Mrs. Moresby.

Et il se demanda pourquoi il y mettait une telle obstination, comment le retour de Kit pouvait tant l'obséder. Il n'était certainement pas amoureux de cette pauvre fille. Il ne lui avait fait des avances que par pitié (puisqu'elle était femme) et par vanité (parce qu'il était homme) et les deux sentiments réunis avaient éveillé en lui le désir de possession qui caractérise un collectionneur de trophées, rien de plus. A ce point de son raisonnement, il se rendit compte qu'il était porté à rayer de son souvenir tout l'épisode de leur intimité. Il se rappelait seulement cette Kit qui lui était apparue avec Port, lors de leur première rencontre, quand l'un et l'autre lui avaient donné l'impression profonde de se trouver en présence de deux êtres au monde qu'il avait toujours souhaité connaître. Sa conscience en était moins gênée; car, plus d'une fois, il s'était demandé ce qui s'était passé à Sbâ pendant cette journée de folie où elle avait refusé de lui ouvrir la porte du malade, et si elle avait confessé à Port son infidélité. Il espérait ardemment que non; il ne voulait pas y penser.

— Oui, dit le lieutenant de Messignac, je ne vous vois pas bien retourner à New York pour vous entendre demander par tous vos amis : « Qu'avez-vous fait de Mrs. Moresby? » Ce serait très embarrassant.

Tunner tressaillit au fond de lui. Non, il ne s'y résoudrait pas. Ceux qui connaissaient les deux familles devaient déjà se poser mutuellement la question (puisqu'il avait appris les fâcheuses nouvelles à la mère de Port par deux câbles, expédiés à trois jours d'intervalle dans l'espoir que Kit allait revenir), mais ils étaient loin et lui, Tunner, n'avait pas à leur répondre lorsqu'ils disaient : « Nous les avons donc perdus tous les deux, Port et Kit ? » C'était le genre de chose qui ne pouvait, qui ne devait jamais arriver et, s'il restait à Bou Noura assez longtemps, il savait qu'on finirait par mettre la main sur Kit.

— Très embarrassant, reconnut-il avec un rire qui sonnait faux.

La mort de Port était déjà assez difficile à justifier. Il y aurait des gens pour dire : « Mais, bon Dieu ! est-ce que vous ne pouviez pas le mettre dans un avion et le conduire dans un hôpital quelconque, ne fût-ce qu'à Alger ? La typhoïde ne va pas si vite, voyons ! » Et il lui faudrait avouer qu'il les avait abandonnés pour partir de son côté, qu'il lui avait été impossible de « se faire » au désert. Cela encore, il l'envisageait sans trop d'horreur : Port ne s'était préoccupé d'aucun vaccin avant son départ. Mais revenir sans rien savoir du sort de Kit était impensable, à tous points de vue.

« Bien sûr », hasarda le lieutenant en imaginant de nouveau les complications qui surgiraient pour lui si la jeune femme était retrouvée dans un état qui laisserait à désirer et se voyait dirigée sur Bou Noura à cause de Tunner, « bien sûr, que vous restiez ou non n'a rien à voir avec le succès des recherches ».

Ces mots, à peine prononcés, lui firent honte, mais il était trop tard pour les reprendre.

— Je sais, je sais, protesta Tunner véhément. Je resterai néanmoins.

Il n'y avait rien d'autre à en dire, le lieutenant d'Armagnac ne soulèverait plus la question.

La conversation se poursuivit encore un moment. Le lieutenant émit la possibilité d'une visite, un soir, au quartier réservé.

— Un de ces jours, dit Tunner sans entrain.

— Vous avez besoin d'un peu de détente. Ce n'est pas sain de broyer du noir. Je connais justement la fille...

Il s'interrompit en se rappelant par expérience que des suggestions aussi claires détruisent en général l'intérêt qu'elles prétendent éveiller. Aucun chasseur ne souhaite se voir offrir une proie choisie et déjà terrassée, même si c'est pour lui la seule chance d'un coup heureux.

Bon, bon, fit Tunner distrait.

Il se leva bientôt pour se retirer. Il reviendrait le lendemain matin, et le surlendemain, et tous les matins jusqu'au jour où le lieutenant de Messignac l'accueillerait avec une flamme dans les yeux, en lui disant : « *Enfin, mon ami!* Enfin, de bonnes nouvelles? »

Dans le jardin, il regarda à ses pieds la terre nue et grillée par le soleil. D'énormes fourmis rouges grouillaient en brandissant leurs pattes de devant et leurs mandibules. Ahmed ferma la porte derrière lui et, l'humeur sombre, il regagna la pension.

Il déjeunerait dans la petite salle à manger étouffante contiguë à la cuisine, en buvant toute une bouteille de vin rosé pour faire passer la nourriture. Puis, abruti par le vin et la chaleur, il monterait dans sa chambre, se déshabillerait et se jetterait sur son lit pour y dormir jusqu'à l'heure où, sous les rayons plus obliques du soleil, le pays perd un peu de cette lumière empoisonnée qui rayonne des pierres au milieu du jour. La promenade était agréable jusqu'aux villes voisines : Beni Isguen, agglomération plus importante au fond de la vallée, Tadjmout avec ses maisons à terrasses rouges et bleues, et partout la grande palmeraie où les citadins avaient construit des palais d'été de boue rouge aux toits de palmes sèches qui ressemblaient à des jouets, où les puits grinçaient sans cesse, où le murmure de l'eau dans les aqueducs étroits démentait la terrible sécheresse de la terre et de l'air. Parfois, sans quitter Bou Noura, il se contentait d'aller s'asseoir sous les arcades de la grande place pour suivre les interminables marchandages ; acheteur et vendeur se jouaient la comédie et allaient presque jusqu'aux larmes dans leurs efforts pour obtenir une réduction ou la refuser. Certains jours, il éprouvait du mépris pour ces gens absurdes, ces êtres irréels qu'on ne pouvait sérieusement compter au nombre des habitants de la terre. Ces jours-là, le contact des petites mains enfantines le mettait en fureur quand des gamins se pendaient inconsciemment à ses vêtements en se glissant près de lui dans une rue pleine de monde. Il les avait pris tout d'abord pour des pickpockets ; puis il s'était rendu compte qu'ils se servaient de lui comme d'un levier afin d'avancer plus vite dans la foule, exactement comme ils se seraient servis d'un arbre ou d'un mur. Il en était encore plus irrité et les repoussait avec violence. Tous étaient scrofuleux et la plupart, complètement chauves, portaient sur leurs crânes noirs des croûtes et des plaies recouvertes de mouches.

Mais, d'autres jours, quand il se sentait moins nerveux, il demeurait assis à observer l'allure calme des vieillards qui traversaient lentement le marché et il songeait que, si l'âge lui apportait une telle dignité, il n'aurait pas perdu sa vie. Car leur attitude ne pouvait être que l'expression naturelle de la satisfaction intérieure. Sans trop s'attarder à y réfléchir, il en vint à la conclusion que leurs existences avaient dû valoir la peine d'être vécues.

Le soir, dans le salon, il jouait aux échecs avec Abd-el-Kader, adversaire aux mouvements lents, mais de force honorable. Ils étaient devenus de grands amis à la suite de ces parties nocturnes. Quand les boys avaient éteint toutes les lampes et les lanternes de l'établissement, excepté celle du coin où se trouvait l'échiquier, et qu'ils demeuraient seuls à veiller, ils prenaient parfois un pernod ensemble. Abd-el-Kader lavait ensuite les verres avec un sourire de conspirateur avant de les remettre lui-même à leur place; personne ne devait savoir qu'il s'était permis une boisson alcoolisée. Tunner allait se coucher et dormait lourdement. Il se réveillait à l'aube en pensant : « Aujourd'hui peut-être... » et à huit heures, en short, il prenait un bain de soleil sur le toit; c'est là qu'on lui apportait son petit déjeuner, et il buvait son café en étudiant les verbes français. Mais bientôt le besoin de nouvelles se faisait plus pressant et il partait pour sa démarche quotidienne.

L'inévitable se produisit : après d'innombrables randonnées autour de Messad, les Lyle arrivèrent à Bou Noura. Un peu plus tôt dans la journée, un groupe de Français avaient débarqué dans une vieille auto militaire et pris des chambres à la pension. Tunner déjeunait quand il entendit le bruit familier de la Mercedès. Il fit la grimace : ce serait assommant d'avoir ce couple sur le dos. Il n'était pas d'humeur à se forcer à la politesse. Avec les Lyle, il n'avait pas dépassé le stade des relations banales, d'abord parce qu'ils avaient quitté Messad deux jours seulement après l'y avoir amené, mais aussi parce qu'il n'avait eu aucune envie de pousser plus loin ces relations. Mrs. Lyle lui apparaissait comme une grosse femelle aigrie et bavarde, Eric comme un gamin mal élevé et prétentieux; tels étaient ses sentiments, et il n'avait pas l'intention d'en changer. Il n'avait pas établi de lien entre Eric et l'affaire des passeports; il pensait qu'ils avaient été volés ensemble dans l'hôtel d'Aïn Krorfa par quelque indigène en rapports avec les éléments louches qui fournissaient les légionnaires de Messad.

A présent, il entendait Eric s'exclamer d'une voix étouffée : « Oh ! écoute, mère, qu'est-ce qu'on fait ? Ce Tunner traîne toujours par ici ! » Évidemment, il consultait le registre d'inscription. Elle le reprit en aparté : « Eric ! Espèce d'idiot ! Tais-toi donc ! » Tunner but son café et sortit dans la chaleur suffocante par une porte latérale, avec l'espoir de les éviter et de regagner sa chambre pendant leur déjeuner. La manœuvre réussit. Mais au milieu de sa sieste, on frappa. Il lui fallut quelque temps pour se réveiller. Quand il ouvrit, Abd-el-Kader était devant la porte, avec un sourire d'excuse.

— Est-ce que cela vous dérangerait beaucoup de changer de chambre ?

Il voulut savoir pourquoi.

— Les deux seules chambres actuellement libres sont séparées par la vôtre. Une dame anglaise vient d'arriver avec son fils et elle voudrait l'avoir à côté d'elle. Elle a peur de rester seule.

L'image qu'Abd-el-Kader traçait de Mrs. Lyle ne répondait pas à sa propre conception.

— Très bien, grommela-t-il, toutes les chambres se valent. Envoyez-moi les boys pour le déménagement.

Abd-el-Kader lui tapota l'épaule d'un geste affectueux. Les boys arrivèrent, ouvrirent la porte de communication et se mirent à transporter ses affaires. Le travail était à moitié accompli quand Eric entra dans la chambre que l'on s'occupait à débarrasser. Il s'arrêta court en apercevant Tunner.

— Ha ! s'exclama-t-il, comment ? vous, mon vieux ! Je vous croyais déjà à Tombouctou.

— Bonjour, Lyle, dit Tunner.

Face à face avec Eric, il pouvait à peine se résoudre à le regarder, ou à lui donner la main. Il ne s'était pas encore rendu compte de la répulsion que lui inspirait ce garçon.

— Excusez-nous pour ce ridicule caprice de ma mère. Elle est éreintée par le voyage. C'est un sale parcours de Messad jusqu'ici, et elle est dans un état nerveux terrible.

— J'en suis désolé.

— Vous comprenez pourquoi nous vous avons mis dehors?

— Oui, oui, dit Tunner que cette façon de décrire la situation exaspérait. Quand vous repartirez, je reprendrai ma chambre.

— Oh! bien sûr. Avez-vous eu récemment des nouvelles des Moresby?

Eric, quand il se décidait à regarder ses interlocuteurs en face, avait l'habitude de scruter leurs visages comme s'il avait tenu les mots pour négligeables et voulu au contraire lire entre les lignes du dialogue pour découvrir ce que les autres pensaient réellement. Tunner eut l'impression qu'Eric l'observait ce jour-là avec une attention plus grande encore que de coutume.

— Oui, dit-il avec un effort. Ils vont très bien. Excusez-moi. Je crois que je vais aller finir ma sieste.

Il passa dans l'autre pièce. Quand les boys eurent tout apporté, il poussa le verrou et s'étendit sur le lit, mais il ne put dormir.

« Bon Dieu! quelle lavette! » dit-il tout haut, puis, furieux contre lui-même de sa capitulation, il ajouta : « Pour qui diable se prennent-ils? » Il espérait que les Lyle ne lui poseraient pas d'autres questions sur Kit et Port; il serait obligé de les mettre au courant, et il ne le voulait pas. Il espérait, du moins vis-à-vis d'eux, tenir secrète la tragédie; leur commisération lui serait intolérable.

Un peu plus tard, il traversa le salon. Installés dans sa lumière de cave, les Lyle faisaient cliqueter leurs tasses de thé. Mrs. Lyle avait étalé quelques-unes de ses vieilles photos contre les coussins du cuir raide du divan; elle proposait à Abd-el-Kader d'en choisir une pour l'accrocher à côté de l'antique fusil qui ornait le mur. Elle aperçut Tunner hésitant sur le seuil et elle se leva dans la pénombre pour l'accueillir.

— Mr. Tunner! Quel bonheur! Et quelle surprise de vous voir! Quelle chance vous avez eue de quitter Messad à temps! Ou quel flair! Je ne sais pas. Lorsque nous sommes revenus de notre équipée aux environs, le climat là-bas était positivement affreux! Oh! atroce! Naturellement j'ai été reprise par mon paludisme et il a fallu que je garde le lit. J'ai cru que nous ne pourrions jamais repartir. Et, bien entendu, Eric a encore compliqué les choses par sa sottise.

— C'est un plaisir de vous revoir, dit Tunner.

Il croyait leur avoir fait ses adieux définitifs à Messad et s'apercevait maintenant qu'il avait épuisé alors toutes ses ressources de politesse.

— Nous allons demain voir de très anciennes ruines romantiques. Il faut venir avec nous! Ce sera tout à fait excitant.

— C'est très aimable à vous, Mrs. Lyle.

— Venez prendre le thé! s'écria-t-elle en le tirant par la manche.

Mais il s'excusa et partit vers la palmeraie où il marcha pendant des heures sous les arbres, entre les murs, avec l'impression qu'il n'arriverait jamais à sortir de Bou Noura. Sans aucune raison valable, la probabilité du retour de Kit lui semblait menacée par le retour des Lyle. Le soleil se couchait quand il se décida à rentrer et il faisait nuit noire lorsqu'il atteignit la pension. Un télégramme avait été glissé sous sa porte; le texte, écrit à l'encre violette, était à peu près illisible. Il venait du consul américain de Dakar, en réponse à ses nombreux câbles : AUCUN RENSEIGNEMENT CONCERNANT KATHERINE MORESBY VOUS AVISERAI CAS ÉCHÉANT. Il le jeta dans la corbeille à papiers et s'assit sur le tas de valises de Kit. Certaines avaient appartenu à Port, toutes appartenaient maintenant à Kit, mais elles étaient là dans sa chambre, à attendre.

« Combien de temps cela peut-il encore durer? » se demandat-il. Il se trouvait hors de son élément; l'inaction totale affectait ses nerfs. C'était très joli de faire pour le mieux et d'attendre la réapparition de Kit quelque part dans le Sahara, mais à supposer qu'elle ne réapparût jamais? A supposer — il fallait bien en envisager la possibilité — à supposer qu'elle fût morte? Il faudrait fixer une limite à son attente, et décider qu'un certain jour serait le dernier. Il se vit alors entrant dans l'appartement de Hubert David où il avait rencontré Port et Kit pour la première fois. Tous leurs amis seraient là; certains manifesteraient bruyamment leur sympathie, d'autres se montreraient indignés, d'autres, l'air entendu et méfiant, paraîtraient en penser plus long qu'ils n'en diraient, d'autres enfin considéreraient la chose comme un épisode romantique et glorieux, d'un tragique provisoire. Il ne voulait voir aucun d'eux. Plus il resterait ici, plus l'incident s'effacerait, plus vague serait le blâme qu'il en recevrait, cela, du moins, était certain.

Ce soir-là, il prit moins de plaisir que d'habitude à jouer aux échecs. Abd-el-Kader le vit préoccupé et lui proposa tout à coup d'interrompre la partie. Il se réjouit de cette occasion de se coucher de bonne heure et se surprit à espérer que son nouveau lit serait bon. Il souhaita bonne nuit à Abd-el-Kader et monta lentement l'escalier, avec la certitude de passer tout l'hiver à Bou Noura. La vie n'y était pas coûteuse, son argent durerait bien ce temps-là.

A peine entré, il vit la porte de communication ouverte. Les petites lampes au carbure avaient été allumées dans les deux chambres, mais une lumière plus vive bougeait au pied de son lit. Eric Lyle était debout, une torche électrique à la main. Pendant une seconde, ni l'un ni l'autre ne fit un mouvement. Puis Eric, d'une voix qu'il s'efforçait d'affermir, demanda :

— Oui? Qui est là?

Tunner ferma la porte et s'avança vers le lit. Eric s'adossa au mur. Il projeta la lueur de la torche sur le visage de Tunner.

— Qu'est-ce qui... Est-ce que je me suis trompé de chambre? (Il eut un petit rire dont le son parut lui rendre confiance.) A voir votre tête, je suppose que oui ! C'est effrayant ! Je viens d'entrer, tout me paraissait un peu bizarre. (Tunner se taisait.) Je suis tellement crevé que je ne me rends plus compte de rien.

Tunner croyait volontiers ce qu'on lui racontait; il était peu méfiant de nature et, bien que ses soupçons eussent été éveillés une minute plus tôt, ce pitoyable monologue avait suffi à le convaincre. Il allait donc dire : « Il n'y a pas de mal ! » quand son regard tomba sur le lit. L'une des valises de Port s'y trouvait ouverte, la moitié de son contenu empilée sur la couverture.

Tunner leva lentement les yeux et avança le cou de telle sorte qu'Eric fit : « Oh ! » avec un frisson de terreur. En quatre enjambées, il atteignit le coin où le garçon demeurait cloué.

— Sale petite crapule !

Il l'attrapa de la main gauche par le devant de la chemise et le secoua. Sans le lâcher, il s'écarta d'un pas et, à bonne distance, lui envoya son poing dans la figure, pas trop fort. Eric retomba contre le mur et y demeura appuyé, comme paralysé, son regard brillant fixé sur le visage de Tunner. Lorsqu'il fut évident que le garçon ne réagirait pas davantage, Tunner avança pour le remettre d'aplomb, et peut-être le frapper de nouveau si l'envie lui en revenait. Comme il le saisissait, un sanglot s'éleva de la respiration haletante d'Eric qui, le regard toujours droit et fixe, dit d'une voix basse mais distincte :

— Frappez-moi.

Ces mots rendirent Tunner furieux.

— Avec plaisir, répliqua-t-il.

Et il le fit, plus fort que la première fois, beaucoup plus fort, sembla-t-il, car Eric s'écroula par terre et ne bougea plus. Il regarda avec dégoût le visage blanc et gras, puis il replaça les objets dans la valise, la ferma, et demeura immobile en essayant de mettre de l'ordre dans ses idées. Au bout d'un moment, Eric bougea et gémit. Il le releva, le poussa vers la porte, et, sur le seuil, le précipita brutalement dans l'autre pièce. Il ferma la porte et la verrouilla, légèrement écœuré — toute violence le bouleversait, la sienne plus encore que les autres.

Le lendemain matin, les Lyle étaient partis.

La photo, une étude en sépia d'un porteur d'eau Peulh se détachant sur la fameuse Mosquée Rouge de Djenné, demeura accrochée tout l'hiver au-dessus du divan, dans le salon.

TROISIÈME PARTIE

LE CIEL

Au delà d'un certain point on ne peut plus revenir en arrière. C'est ce point qu'il faut atteindre.

Kafka.

26

En ouvrant les yeux, elle sut immédiatement où elle se trouvait. La lune était basse. Elle drapa son manteau autour de ses jambes et frissonna. Une part de son esprit souffrait, demandait le repos. Il était bon de demeurer là, étendue, à se contenter de vivre, sans se poser de questions. Elle pourrait certainement se rappeler tout ce qui s'était passé, si elle le voulait. Il lui suffirait d'un petit effort. Mais elle se sentit bien ainsi, avec ce rideau opaque qui l'en séparait. Elle n'allait certainement pas le lever pour plonger le regard dans l'abîme de la veille et en souffrir à nouveau la douleur et le remords. Les événements passés étaient vagues, impossibles à identifier. Elle en détourna résolument sa pensée et consacra tous ses efforts à dresser devant eux une barrière infranchissable. Comme un insecte file son cocon pour le rendre plus épais et plus résistant, son esprit travaillait à consolider cette cloison fragile, à protéger ce point menacé de son être.

Elle reposait tranquille, couchée en chien de fusil. Le sable était doux, mais froid à travers ses vêtements. Quand elle fut épuisée de frissons, elle rampa hors de l'abri de feuillage et se mit à faire les cent pas. L'air était immobile, sans un souffle, et le froid augmentait de minute en minute. Elle marchait tout en mâchant un morceau de pain, s'éloignant un peu plus à chaque allée et venue. Quand elle repassait devant le tamaris, la tentation la prenait de se glisser de nouveau sous ses branches pour dormir. Mais aux premières lueurs du jour, elle n'avait plus ni sommeil ni froid.

Le désert n'est jamais plus beau que dans le clair-obscur de l'aube ou du crépuscule. La notion de distance disparaît : une ride toute proche du sable peut être une chaîne de montagnes éloignée, chaque petit détail prend l'importance d'une variation capitale sur le thème répété du paysage. L'apparition du jour promet un changement, mais, lorsqu'il a atteint sa plénitude, l'observateur le soupçonne d'être le même, revenu une fois de plus, ce jour qu'il a vécu et revécu, solitaire, ce jour aveuglant que le temps n'a pas terni. Kit respira profondément, considéra autour d'elle la ligne légère des petites dunes, l'immense et pure clarté qui se levait derrière la bordure minérale de l'hammada, la forêt de palmiers encore plongée dans la nuit, et elle sut que c'était un autre jour. Même dans l'éclat de la lumière, lorsque surgit le soleil énorme et que le sable, les arbres et le ciel eurent peu à peu repris leur aspect quotidien et familier, elle ne douta pas que ce ne fût un jour nouveau, totalement détaché des précédents. Une caravane d'une trentaine de chameaux apparut, descendant l'oued dans sa direction. Quelques hommes, à pied, accompagnaient les bêtes. En arrière suivaient deux Arabes, montés sur de hauts méhara auxquels les rênes tirant sur les anneaux des mors donnaient une expression encore plus dédaigneuse que celle des autres. A la seule vue de ces deux hommes, elle comprit qu'elle allait les suivre, et cette certitude lui apporta un sentiment inattendu de puissance : désormais, au lieu de subir les présages, elle les créerait elle-même, elle les incarnerait. Cette découverte de possibilités futures l'étonna à peine. Elle avança sur le chemin du cortège et appela en agitant les bras. Avant que les animaux ne se fussent arrêtés, elle avait couru vers l'arbuste pour en extirper sa valise. Les deux cavaliers la considérèrent, puis se regardèrent stupéfaits. Ils tirèrent sur les rênes de leurs montures et se penchèrent vers elle avec curiosité.

Comme chacun de ses gestes était empreint d'autorité, exprimait une conviction profonde et ne révélait aucune ombre d'hésitation, il ne leur vint pas à l'esprit de s'interposer lorsqu'elle passa son bagage à l'un des hommes à pied, en lui faisant signe de le fixer sur le dessus des ballots que portait la bête la plus proche. L'Arabe se retourna vers ses maîtres et, comme il ne lut sur leurs visages aucune opposition, il obligea l'animal rétif à s'agenouiller pour recevoir cette charge supplémentaire. Les autres chameliers l'observèrent en silence, tandis qu'elle revenait vers les chefs et, tendant les bras vers le plus jeune, lui demandait en anglais : « Y a-t-il une place pour moi? »

Le méhariste sourit et fit à son tour agenouiller sa monture qui renâclait. Elle s'assit en amazone juste devant le cavalier. Quand l'animal se releva, il dut la retenir en lui passant un bras autour de la taille pour l'empêcher de tomber. Les deux Arabes eurent un rire bref et échangèrent quelques remarques rapides, avant de reprendre leur route le long de l'oued.

Après un certain temps, ils quittèrent la vallée pour traverser un vaste espace aride et caillouteux. Devant eux s'élevaient les dunes jaunes. Sous l'ardeur du soleil, les longues montées vers les crêtes et les descentes tranquilles alternaient sans cesse — et toujours elle sentait autour d'elle la vivante, l'insistante pression de ce bras. Elle ne se posait pas de problème; elle se contentait d'être détendue et de voir se dérouler le doux paysage immuable. A vrai dire, elle s'imagina plusieurs fois que la caravane n'avançait pas, que la dune dont elle longeait le dessin aigu était celle qu'elle avait laissée depuis longtemps derrière elle, qu'il ne pouvait être question d'aller quelque part quand on n'était nulle part. Et cette sensation faisait naître en elle un léger trouble. « Suis-je morte? » se demandait-elle, mais sans angoisse, car elle était certaine du contraire.

Tant qu'elle pouvait se poser la question : « Existe-t-il quoi que ce soit? » et répondre : « Oui », elle ne serait pas morte. Et il y avait le ciel, le soleil, le sable, la cadence lente et monotone du méhari. Elle se dit enfin que, même s'il venait un moment où elle ne pourrait plus répondre, la question en suspens demeurerait devant elle pour lui certifier son existence. Cette pensée la rassura. La joie l'envahit; elle s'appuya contre l'homme et prit conscience alors de l'extrême inconfort de sa position. Ses jambes devaient être engourdies depuis très longtemps. Envahie par une douleur croissante, elle commença à s'agiter dans tous les sens. Elle se secoua, se tortilla. Le méhariste accentua la pression de son bras et dit quelques mots à son compagnon; tous deux se mirent à rire.

A l'heure la plus brûlante du jour, ils arrivèrent en vue d'une oasis. Un terrain presque plat avait succédé aux dunes. Dans un paysage rendu gris par l'excès de lumière, les quelques centaines de palmiers n'apparurent d'abord que comme une ligne d'un gris plus sombre à l'horizon — une ligne qui, sous le regard, variait en épaisseur et se mouvait comme un lent ruissellement; une large bande, une longue falaise grise, plus rien, puis de nouveau le fin tracé de la frontière entre la terre et le ciel. Elle observa sans passion le phénomène, prit son manteau étalé sur la lourde échine du méhari et en tira un morceau de pain. Il était complètement rassis.

— *Stenna, stenna. Chouia, chouia*, dit l'homme.

Bientôt, un objet isolé se détacha de la masse imprécise à l'horizon, et s'éleva dans l'air comme un djinn. Un instant après, il diminua, rapetissa, ne fut plus qu'un palmier au loin, parfaitement immobile en bordure de l'oasis. Ils poursuivirent sans hâte leur route pendant une heure environ avant de se trouver sous les arbres. Le puits était entouré d'un mur bas. Il n'y avait alentour aucun signe de vie. Les palmiers étaient clairsemés; leurs branches, plus grises que vertes, brillaient d'un éclat métallique et ne donnaient presque pas d'ombre. Les chameaux une fois débarrassés de leurs fardeaux s'allongèrent, satisfaits. Les domestiques déballèrent d'énormes couvertures rayées, un service à thé de métal, et des aliments : pain, dattes et viande, enveloppés dans du papier. Ils apportèrent une outre noire en peau de mouton avec un robinet de bois et tous trois y burent; l'eau du puits était considérée comme suffisante pour les bêtes et leurs conducteurs. Kit s'assit au bord de la couverture. Le dos appuyé à un tronc de palmier, elle observa les lents préparatifs du repas. Lorsqu'il fut prêt, elle mangea de bon cœur et trouva tout délicieux; elle ne dévora pourtant pas assez pour satisfaire ses hôtes, qui l'obligèrent à continuer alors qu'elle n'en pouvait plus depuis longtemps.

— *Smitsek? Kuli!* lui disaient-ils, et ils lui présentaient de petits morceaux de nourriture devant la bouche. Le plus jeune essaya de lui introduire des dattes entre les dents, mais elle rit et secoua la tête en les laissant tomber sur la couverture, où l'autre s'empressa de les saisir pour les manger. Avec du bois extrait de l'un des ballots, on fit du feu pour le thé. Quand tout fut terminé — le thé bu, fait une deuxième fois et bu de nouveau — c'était déjà le milieu de l'après-midi. Le soleil brûlait toujours dans le ciel.

Une autre couverture fut étalée entre les deux méhara au repos et Kit invitée par gestes à s'y étendre à l'ombre des bêtes, auprès des deux hommes. Elle obéit et s'allongea à l'endroit même qu'ils lui indiquaient, entre eux. Le plus jeune la saisit aussitôt et la tint fortement embrassée. Elle cria et tenta de s'asseoir, mais il ne voulait pas la lâcher. L'autre dit quelques mots d'un ton sec et désigna les chameliers assis près de la margelle du puits, qui s'efforçaient de dissimuler leur amusement.

— *Luh! Belqassim! Essbar!* souffla-t-il en secouant la tête d'un air désapprobateur tandis qu'il caressait amoureusement sa barbe noire.

Belqassim semblait mécontent mais n'étant lui-même pas encore barbu il dut se rendre aux sages recommandations de son compagnon. Kit se redressa, lissa sa robe, regarda le plus âgé des deux hommes et dit : « Merci. » Puis elle essaya de l'enjamber pour se mettre à l'abri de Belqassim. Il la repoussa brutalement, l'obligea à se rallonger et secoua la tête. « *Nassi,* » dit-il en lui faisant signe de dormir. Elle ferma les yeux. Le thé chaud l'avait rendue somnolente et, puisque Belqassim semblait avoir renoncé à l'importuner, elle se détendit complètement et sombra dans un profond sommeil.

Elle avait froid. Il faisait noir, elle souffrait du dos et des jambes. Elle s'assit, regarda autour d'elle, constata qu'elle se trouvait seule. La lune ne s'était pas encore levée. Non loin, les chameliers faisaient du feu, lançaient des branches de palmiers entières dans les flammes déjà hautes. Elle se recoucha, le visage tourné vers le ciel; les palmiers rougeoyaient à chaque nouvelle branche ajoutée au brasier.

Soudain, le plus âgé des deux hommes se dressa devant elle au bord de la couverture et lui fit signe de se lever. Elle obéit et le suivit non loin jusqu'à une légère dépression du sable, derrière un groupe de jeunes palmiers. Belqassim s'y trouvait accroupi, silhouette sombre sur le tapis blanc, tourné vers le coin du ciel où la lune allait bientôt paraître. Il tendit le bras, saisit sa jupe et, d'un geste brusque, la fit tomber près

de lui. Elle était dans ses bras avant d'avoir pu se relever.
« Non, non, non ! » cria-t-elle, tandis qu'il lui renversait la
tête en arrière et qu'elle voyait les étoiles chavirer dans les
espaces noirs. Mais il l'enveloppait toute entière, avec une force
irrésistible ; elle ne pouvait faire aucun mouvement qui ne
fût commandé par lui. D'abord elle se raidit, haletante de
colère, s'acharnant à lutter, bien que ce ne fut pour elle en
réalité qu'un combat intérieur. Puis elle réalisa son impuissance, s'y résigna et aussitôt ne fut plus consciente que des
lèvres de l'homme et du souffle qui passait entre elles, tendre
et frais comme un matin de printemps des années d'enfance.
Il y avait une sorte d'animalité dans la fermeté de son étreinte,
délicate, sensuelle, entièrement instinctive — douce mais si
volontaire que seule la mort pourrait en venir à bout. Elle
était seule dans un vaste univers inconnu, mais cette impression ne dura pas ; elle prit conscience de cette amicale présence
charnelle, si proche. Peu à peu elle se sentit prise de tendresse
pour lui, pour ses gestes ; les moindres attentions dont il
l'accablait lui étaient bien destinées. Il y avait dans sa façon
d'être un équilibre parfait entre la gentillesse et la violence
qui la comblait de joie. La lune se leva sans qu'elle la vît.

— *Yah, Belqassim* ! cria une voix impatiente.

Elle ouvrit les yeux : l'autre homme se tenait près d'eux et
les regardait. La lune frappait en plein son visage d'aigle.
Une intuition pénible lui fit deviner la suite. Elle s'accrocha
désespérément à Belqassim, couvrit son visage de baisers.
Mais, un instant plus tard, elle avait près d'elle un animal
différent, hérissé et hostile, et ses sanglots passèrent inaperçus.
Elle gardait les yeux ouverts, fixés sur Belqassim, noncha-
lamment adossé à un tronc d'arbre et dont le clair de lune
soulignait les pommettes saillantes. Elle suivait du regard la
ligne de son visage depuis le front jusqu'au cou élancé, scrutait
les orbites profondes pour y chercher les prunelles perdues
dans l'ombre, revenait au front, recommençait. A un moment,
elle poussa un cri, puis pleura parce qu'il était si près et
qu'elle ne pouvait pas le toucher.

Les caresses de l'homme étaient rudes, ses mouvements
brusques, inacceptables. Il se releva enfin.

— *Yah latif! Yah latif!* murmura-t-il en s'éloignant à pas lents.

Belqassim eut un petit rire, s'avança et se laissa tomber près d'elle. Elle s'efforça de prendre un air de reproche, mais elle savait d'avance que c'était inutile, que, même s'ils avaient parlé la même langue, il ne pourrait jamais la comprendre. Elle lui prit la tête entre les mains.

— Pourquoi l'as-tu laissé? dit-elle malgré elle.

— *Habibi*, murmura-t-il en lui caressant tendrement la joue.

De nouveau, elle fut heureuse, flottant à la surface du temps, ne prenant conscience de ses propres gestes d'amour qu'après les avoir accomplis. Chacun d'eux, depuis la création du monde, attendait d'être réalisé, il naissait enfin à la vie. Plus tard, comme la lune ronde semblait décroître en s'élevant dans le ciel, elle entendit le son des flûtes près du feu. L'aîné des marchands revint et, d'un ton maussade, appela Belqassim qui lui répondit avec la même mauvaise humeur.

— *Baraka!* dit l'autre en repartant.

Après quelques instants, Belqassim eut un soupir de regret et s'assit. Elle ne tenta pas de le retenir. Puis elle se leva à son tour et se dirigea vers le feu presque éteint sur lequel rôtissaient des brochettes de viande. Ils mangèrent rapidement sans parler. Les paquets furent bouclés et empilés sur les chameaux. Il était près de minuit quand ils se mirent en route et revinrent sur leurs traces jusqu'aux hautes dunes avant de reprendre la direction de la veille. Elle portait, cette fois, un burnous que Belqassim lui avait lancé au moment du départ. La nuit était froide et miraculeusement claire.

Ils poursuivirent leur chemin jusqu'au milieu de la matinée et s'arrêtèrent en un point où les dunes ne portaient aucune trace de végétation. De nouveau, ils dormirent durant l'après-midi et observèrent le double rite d'amour à quelque distance du camp après la tombée de la nuit.

Ainsi passèrent les jours, chacun imperceptiblement plus chaud que le précédent, dans leur marche vers le sud. Les matinées — voyage harassant sous le soleil intolérable; les après-midi — sommeil léthargique à l'ombre des chameaux;

les soirées — heures douces à côté de Belqassim (elle ne se souciait plus du court intermède avec l'autre puisque Belqassim ne s'éloignait jamais); et les nuits — départ sous la lune, maintenant déclinante, vers d'autres dunes et d'autres plaines toujours plus éloignées des précédentes et pourtant toujours identiques.

Mais si le décor semblait immuable, certains changements se produisaient dans leurs rapports à tous trois : l'aisance, l'absence de tension qui avaient marqué la simplicité des relations commencèrent d'être troublées par le mécontentement visible de l'aîné des deux hommes. Il avait avec Belqassim d'interminables discussions, au long des chauds après-midi, pendant le sommeil des chameliers. Elle aurait bien voulu se reposer, elle aussi, mais ils ne lui permettaient pas de dormir et, bien qu'elle ne pût comprendre un mot de leur conversation, il lui semblait que le plus vieux mettait Belqassim en garde contre une décision dont il ne voulait pas démordre. Dans une véritable débauche d'excitation, il mimait toute une scène où différents personnages exprimaient successivement leur surprise, leur désapprobation indignée, ou leur rage. Belqassim souriait avec indulgence et secouait patiemment la tête pour manifester son désaccord. Son attitude était à la fois si assurée et si intransigeante que l'autre s'en exaspérait; il se levait alors et s'éloignait de quelques pas pour revenir à la charge un instant plus tard. Mais il était clair que Belqassim était bien décidé et qu'aucune menace, aucune prophétie de son compagnon ne parviendrait à l'ébranler. En même temps, il adoptait de plus en plus vis-à-vis de Kit des allures de propriétaire. Il laissait entendre nettement que, seule, sa générosité exceptionnelle lui faisait tolérer le bref plaisir quotidien de son compagnon. Chaque soir, elle s'attendait à voir Belqassim refuser de la céder, et ne pas se lever pour aller s'appuyer à un arbre quand l'autre s'approchait. En fait, le moment venu, il grommelait des objections, mais il n'en laissait pas moins son ami la posséder; elle supposait qu'ils avaient conclu un accord pour la durée du voyage.

Au milieu du jour, ce n'était plus seulement le soleil qui les torturait — le ciel était comme un dôme de métal chauffé à blanc. La lumière implacable les écrasait de toutes parts; le ciel entier n'était plus qu'un soleil. Ils ne voyagèrent désormais que de nuit, prenant la route dès le crépuscule pour s'arrêter aux premiers signes de l'aube. Ils avaient laissé bien loin derrière eux le sable et les grandes plaines caillouteuses et arides. C'était maintenant une végétation grise semblable à un monde d'insectes, une brousse tourmentée faite de coques dures et d'épines raides et velues qui couvraient la terre comme une malédiction. Le paysage de cendres s'étalait autour d'eux aussi plat qu'un plancher. Jour après jour, les plantes se faisaient plus hautes, leurs épines plus vigoureuses, plus cruelles. Certaines, très larges, avec le sommet en parasol, atteignaient maintenant la hauteur d'un arbre, mais un nuage de fumée n'aurait pas été plus efficace contre les morsures du soleil. Les nuits, maintenant sans lune, étaient plus chaudes. Quelquefois, dans la campagne obscure, ils entendaient fuir des bêtes effrayées par leur approche. Kit se demandait ce qu'elle verrait s'il faisait jour, mais elle ne redoutait aucun danger réel. Mis à part son désir insatiable d'être sans cesse près de Belqassim, elle aurait eu de la peine à savoir ce qu'elle éprouvait : il y avait si longtemps qu'elle n'avait canalisé ses pensées en les exprimant tout haut, elle s'était tellement habituée à agir sans avoir conscience de participer à ses actes ! Elle ne faisait que ce qu'elle se surprenait déjà en train de faire.

Une nuit que la caravane avait dû s'arrêter pour lui permettre de se retirer un moment dans les buissons, elle entrevit près d'elle, dans l'ombre, la silhouette d'un gros animal. Elle se mit à crier, et fut immédiatement rejointe par Belqassim qui la rassura, puis l'attira sauvagement sur le sol, où il la prit à l'improviste pendant que la caravane attendait. Malgré les épines qui lui restèrent cruellement enfoncées dans la chair en plusieurs endroits, elle eut l'impression d'un fait tout naturel et supporta tranquillement la douleur le reste de la nuit. Le lendemain, les épines étaient toujours là et les piqûres s'étaient envenimées. Quand Belqassim la dévêtit, il vit les boutons enflammés et se fâcha de voir ainsi déparée la blancheur de la peau, ce qui diminuait grandement l'intensité de son plaisir. Avant toute autre chose, il l'obligea au supplice de se laisser extirper chaque épine. Puis il oignit de beurre son dos et ses jambes.

Maintenant qu'ils faisaient l'amour dans la journée, chaque matin, quand c'était bien fini, il lui abandonnait la couverture et s'écartait à quelques mètres avec une gourba d'eau. Là, debout dans le soleil, il faisait ses ablutions avec soin. A son tour, elle allait chercher une gourba et l'emportait aussi loin que possible, mais elle devait souvent se laver en pleine vue du camp, faute du moindre abri. Pourtant, les chameliers ne lui prêtaient pas plus d'attention, à ces moments-là, que leurs bêtes. Si elle excitait chez eux le plus vif intérêt et demeurait l'objet de discussions constantes, elle n'en était pas moins la propriété exclusive de leurs maîtres, aussi privée et inviolable que les choucaras de cuir souple pleines d'argent que ceux-ci portaient en bandoulière.

Vint enfin une nuit où la caravane déboucha sur une route plus nettement marquée. Au loin brillait un feu; lorsqu'ils furent arrivés à sa hauteur, ils virent deux hommes et des chameaux endormis. Avant l'aube, ils s'arrêtèrent pour manger à l'entrée d'un village. Au petit matin, Belqassim s'y rendit à pied et en rapporta un paquet de tissus. Kit dormait, mais il la réveilla et répandit les vêtements sur la couverture, dans l'ombre indécise des arbustes épineux, en lui faisant comprendre d'avoir à se déshabiller pour les mettre. Elle était contente de quitter ses propres vêtements qui ne ressemblaient plus à rien à force d'être froissés, et ce fut avec une joie croissante qu'elle enfila le large pantalon d'étoffe souple, l'ample veste et la robe flottante. Belqassim l'observait attentivement et, quand elle eut terminé, il la regarda aller et venir. Puis il l'appela, prit un long turban blanc et l'enroula autour de sa tête de façon à dissimuler complètement ses cheveux. Puis il se rassit et la considéra de nouveau. Il fronça les sourcils, l'appela encore et tira une ceinture de laine dont il comprima le haut de son torse en l'appliquant à même la peau sous les bras avant de la nouer par derrière. Elle éprouvait une certaine difficulté à respirer et souhaitait qu'il l'enlevât, mais il secoua la tête. Tout à coup, elle comprit que c'étaient des vêtements masculins et qu'il voulait la faire passer pour un homme. Elle se mit à rire; Belqassim partagea sa gaieté et la fit marcher de long en large plusieurs fois; lorsqu'elle passait devant lui il lui tapotait les fesses avec satisfaction. Ils abandonnèrent ses vieux vêtements dans les broussailles. Une heure plus tard environ, quand Belqassim découvrit que l'un des chameliers se les était appropriés pour les vendre sans doute en traversant le village, il se mit en fureur, les lui arracha des mains, et lui ordonna de creuser un trou et de les enterrer sur-le-champ.

Elle alla vers les chameaux, ouvrit sa valise pour la première fois, se regarda dans le miroir fixé à l'intérieur et constata qu'avec le hâle foncé acquis pendant les semaines précédentes elle ressemblait étonnamment à un jeune Arabe. Cette idée l'amusa. Tandis qu'elle essayait encore de voir l'effet de l'ensemble dans la petite glace, Belqassim s'approcha, la prit dans ses bras et l'emporta sur la couverture où il la couvrit de baisers et de caresses en l'appelant « Ali » au milieu d'éclats de rire ravis.

Le village était une agglomération de huttes de terre rondes à toits de chaume; il semblait étrangement désert. Tous trois abandonnèrent les chameaux et leurs conducteurs et se rendirent à pied au petit marché, où le plus vieux des deux hommes acheta plusieurs paquets d'épices. Il faisait incroyablement chaud; le frottement de la laine rêche sur sa peau et la compression de l'écharpe sur sa poitrine donnaient à Kit la sensation constante qu'elle allait tomber évanouie dans la poussière. Les gens accroupis sur la place étaient très noirs et la plupart avaient de vieux visages sans expression. Comme un homme s'adressait directement à Kit en tendant une paire de sandales usagées (elle était nu-pieds), Belqassim s'avança et répondit à sa place, en expliquant, avec gestes à l'appui, que le jeune garçon qui l'accompagnait n'avait pas toute sa tête et qu'il ne fallait ni le tracasser ni lui parler. Cette explication fut renouvelée plusieurs fois pendant la traversée du village; tout le monde l'accepta sans commentaires. A un moment, une femme âgée dont le visage et les mains étaient rongés de lèpre saisit les vêtements de Kit pour lui demander l'aumône. Kit la regarda, poussa un cri et chercha protection auprès de

Belqassim. Il la repoussa brutalement et la fit retomber sur la mendiante tout en lui jetant un flot d'injures; puis il s'interrompit pour cracher par terre avec fureur. Les spectateurs semblaient se divertir; mais l'autre homme hocha la tête et, plus tard, lorsqu'ils furent sortis du village avec les chameaux, il se mit à gronder Belqassim en désignant d'un air courroucé chaque détail du déguisement de Kit. Belqassim se contenta encore de sourire et de répondre par monosyllabes. Mais, cette fois, il lui fut impossible d'apaiser la colère de son compagnon et Kit eut l'impression que celui-ci lui adressait un dernier avis, tout en le sachant parfaitement vain et que, désormais, l'affaire cessait de l'intéresser. En fait, ni ce jour-là, ni le lendemain il ne tenta de s'approcher d'elle.

Au crépuscule, ils se mirent en route. Plusieurs fois durant la nuit, ils rencontrèrent des processions d'hommes et de bœufs et ils traversèrent deux villages de moindre importance, où des feux brillaient dans les rues. Le jour suivant, tandis qu'ils se reposaient et dormaient, des voyageurs à pied ne cessèrent de défiler. Ce soir-là, ils partirent avant même le coucher du soleil. A l'heure où la lune était déjà haute dans le ciel, ils étaient parvenus au sommet d'un petit promontoire d'où l'on apercevait les lumières et les feux assez proches d'une grande ville étalée dans la plaine. Kit écouta la conversation des hommes dans l'espoir d'apprendre son nom, mais en vain.

Environ une heure plus tard, ils franchissaient l'enceinte. La ville était silencieuse sous la lune, les larges rues désertes. Kit se rendit compte que les feux aperçus auparavant brûlaient hors de la ville, le long des murailles, là où campaient les voyageurs. Mais à l'intérieur, tout était immobile, tout le monde dormait derrière les hautes façades de grandes maisons pareilles à des forteresses. Pourtant, lorsqu'ils tournèrent dans une allée et descendirent de leurs montures, tandis que les méhara grognaient en chœur, elle entendit aussi, non loin, résonner des tambourins.

Une porte était ouverte. Belqassim disparut dans l'ombre et bientôt la vie s'éveilla dans la maison. Des domestiques arrivèrent, chacun portant une lampe au carbure qu'ils dépo-

sèrent au milieu des ballots dont on déchargeait les bêtes.
L'allée prit l'aspect familier d'un camp dans le désert. Elle
s'adossa au mur près de la porte et considéra le va-et-vient.
Soudain, elle vit sa valise parmi les paquets et les couvertures.
Elle s'avança et la prit. L'un des hommes lui jeta un regard
méfiant en lui disant quelques mots. Elle retourna avec la
valise à son poste d'observation. Belqassim ne reparut pas
avant longtemps. Quand il revint enfin, il alla droit vers elle,
lui saisit le bras et la fit entrer dans la maison.

Un peu plus tard, quand elle se retrouva seule dans l'obscurité, elle se rappela un dédale de ruelles, d'escaliers et de
tournants, d'espaces noirs brusquement éclairés par la lampe
de Belqassim, de vastes toits où les chèvres se promenaient sous
la lune, de minuscules cours et d'étroits passages où, même en
se baissant pour passer, elle sentait encore les poutres en bois
de palmier accrocher le turban sur sa tête. Ils avaient monté et
descendu, ils avaient tourné à gauche, à droite, et, croyait-elle,
traversé d'innombrables maisons. Elle avait aperçu deux
femmes en blanc accroupies dans le coin d'une pièce, près d'un
feu qu'un enfant debout et absolument nu activait à coups
de soufflet. La dure pression de Belqassim sur son bras ne
s'était pas un instant relâchée tandis qu'il l'entraînait rapidement et comme s'il avait redouté quelque danger, toujours
plus loin dans l'immense demeure. Elle portait sa valise qui
se heurtait à ses jambes et aux murs. Enfin, après qu'ils
eurent fait quelques pas sur un toit en terrasse et grimpé les
marches inégales d'un petit escalier de terre battue, il avait
ouvert une porte fermée à clef et fait entrer Kit avec lui, en se
courbant, dans une pièce de dimensions exiguës. Là, il avait
posé la lampe sur le sol, s'était retourné sans dire un mot et,
une fois sorti, avait refermé la porte. Elle avait entendu le
bruit décroissant de ses pas et le frottement d'une allumette,
puis plus rien. Profondément troublée, vaguement terrifiée
sans pouvoir en discerner la raison, elle était demeurée longtemps repliée sur elle-même (car le plafond trop bas ne lui
permettait pas de se lever), écoutant le silence s'amasser
alentour. C'était plutôt comme si elle écoutait en elle-même,
comme si elle attendait que se produisît quelque chose en un

lieu qu'elle avait oublié, mais dont elle sentait encore obscurément l'existence proche. Rien ne se produisit; elle ne parvenait même pas à entendre les battements de son cœur. Il n'y avait plus dans ses oreilles que le faible sifflement familier. Quand elle eut le cou fatigué de sa position inconfortable, elle s'assit sur le matelas étalé à ses pieds et commença d'arracher à la couverture de petites touffes de laine. Les murs de boue, que le maçon avait lissé de la paume avaient une douceur qui retint son regard. Elle demeura assise à les contempler, jusqu'au moment où la lumière de la lampe faiblit et se mit à vaciller. Lorsque la petite flamme eut jeté sa dernière lueur, elle attira la couverture et s'allongea, avec un pressentiment pénible. Bientôt, dans la nuit, le chant du coq retentit, proche et lointain, et ce cri la fit frissonner.

27

Limpide, ardent, le ciel qu'elle voyait chaque matin de sa couche, ce ciel chaque jour identique à lui-même, faisait partie d'un mécanisme qui fonctionnait sans liaison avec elle, une force qui n'avait pas cessé de progresser, la laissant loin en arrière. Elle pensait qu'une seule journée nuageuse lui permettrait de rattraper son retard. Mais là-bas, sur la ville, c'était toujours la vaste clarté immuable, impitoyable, immaculée.

Près de son matelas, la minuscule fenêtre carrée était munie de barreaux de fer. Un mur de terre brune, tout proche, ne laissait entrevoir qu'une partie éloignée de la ville. L'amas des bâtiments cubiques aux toits plats semblait se prolonger à l'infini; la poussière et la brume de chaleur empêchaient de discerner où commençait le ciel. Malgré son éclat, le paysage était gris, — aveuglant, mais gris. Au petit matin, pendant un court moment, le soleil d'un jaune d'acier étincelait au loin dans le ciel, dardant sur elle son œil de serpent tandis que, soutenue par les oreillers, elle fixait le petit rectangle d'insoutenable lumière. Lorsqu'elle voulait ensuite regarder ses mains, lourdes des bagues et des bracelets massifs que Belqassim lui avait offerts, elle les distinguait à peine et ses yeux ne se réadaptaient que lentement à la pénombre de la pièce. Parfois, elle apercevait sur un toit de minuscules silhouettes humaines qui se détachaient sur le ciel, et elle se perdait en rêveries, essayant d'imaginer ce qu'ils voyaient au delà des interminables terrasses. Un bruit tout proche la tirait de sa torpeur; elle ôtait rapidement ses bracelets, les laissait tomber dans sa valise, écoutait les pas se rapprocher, la clef tourner dans la serrure.

Une ancienne esclave noire à la peau rugueuse comme le cuir d'un éléphant lui apportait quatre repas par jour. Avant de la voir apparaître avec l'énorme plateau de cuivre, Kit entendait le claquement de ses anneaux de cheville. La négresse entrait, disait solennellement : *Sbalkheir* ou *Msalkheir*, refermait la porte, tendait le plateau à Kit et s'accroupissait dans un coin pendant qu'elle mangeait. Jamais Kit ne lui parlait, car la vieille femme, comme tous les autres occupants de la maison, à l'exception de Belqassim, était persuadée que l'hôte était un jeune homme; et Belqassim lui avait décrit dans une pantomime expressive quelles seraient les réactions des membres féminins de la maisonnée si la vérité était découverte.

Elle n'avait pas encore appris son langage; elle n'envisageait d'ailleurs même pas d'en faire l'effort. Mais elle s'était habituée aux inflexions de sa voix et au son de quelques mots, si bien qu'à force de patience elle réussissait à lui faire comprendre tout ce qui n'était pas trop compliqué. Elle savait, par exemple, que la maison appartenait au père de Belqassim, que la famille venait du nord, de Mécheria, où elle possédait une autre maison, et que Belqassim et ses frères accompagnaient à tour de rôle des caravanes entre l'Algérie et le Soudan. Elle savait aussi que Belqassim, malgré son jeune âge, avait une épouse à Mécheria et trois dans la maison même, et qu'avec celles de son père et de ses frères cela faisait vingt-deux femmes sous ce toit, sans compter les servantes. Il ne fallait pas qu'elles pussent jamais soupçonner en Kit autre chose qu'un jeune et malheureux voyageur, sauvé par Belqassim alors qu'il mourait de soif, et encore mal remis de ses blessures.

Belqassim venait la voir tous les jours au milieu de l'après-midi et restait avec elle jusqu'au crépuscule. Après son départ, demeurée seule, couchée, il arrivait à Kit de penser, en se rappelant l'intensité et l'insistance de son ardeur, que ses trois épouses devaient se sentir considérablement négligées et ne pouvaient manquer d'éprouver déjà des soupçons et de la jalousie vis-à-vis de cet étrange jeune homme qui jouissait depuis si longtemps de l'hospitalité de la maison et de l'amitié de leur mari. Mais puisqu'elle ne vivait plus que pour les quelques heures ardentes passées chaque jour avec Belqassim, elle ne supportait pas l'idée de lui conseiller un amour moins prodigue qui détournât les soupçons. Elle ne pouvait deviner que les trois femmes n'étaient absolument pas négligées et que, si même elles l'eussent été et qu'un garçon en fût la cause, il ne leur serait jamais venu à l'esprit d'être jalouses. Si bien que la curiosité seule les poussait le jour où elles chargèrent le petit Othman d'épier le jeune étranger et de leur rapporter comment il était fait.

Le gamin, un négrillon à face de grenouille qui parcourait souvent la maison, nu comme un ver, s'installa donc dans une niche sous le petit escalier qui menait du toit à la chambre haute. Le premier jour, il vit la vieille esclave apporter et remporter les plateaux; il vit aussi Belqassim entrer dans l'après-midi et ressortir beaucoup plus tard en se rajustant. Aussi fut-il en mesure de dire aux épouses combien de temps leur mari passait avec l'étranger et à quoi il devait s'occuper. Mais ce n'est pas ce qu'elles souhaitaient savoir; elles s'intéressaient à l'étranger lui-même : était-il grand? avait-il la peau claire? L'excitation qu'elles éprouvaient à savoir un jeune homme inconnu dans la maison, et surtout si leur mari couchait avec lui, était plus qu'elles n'en pouvaient supporter. Qu'il fût beau et désirable ne faisait aucun doute à leurs yeux puisque Belqassim le gardait près de lui.

Le lendemain matin, quand la vieille esclave eut redescendu le plateau, Othman rampa hors de sa niche et frappa doucement à la porte. Puis il tourna la clef et se tint debout sur le seuil; son petit visage noir avait une expression savamment composée, à la fois effrontée et attendrissante. Kit éclata de rire : ce petit être complètement nu lui paraissait comique avec son gros ventre et sa tête difforme. Le timbre de sa voix n'échappa pas au petit Othman, qui sourit néanmoins et fit semblant d'être saisi d'une timidité soudaine. Elle se demanda si Belqassim désapprouverait la présence d'un enfant dans la chambre; en même temps, elle se surprit à lui faire signe d'approcher. Il avança lentement, la tête baissée, les doigts dans la bouche, ses gros yeux ronds levés vers les siens. Elle traversa la pièce et ferma la porte derrière lui. Il se mit aussitôt à glousser, à faire la culbute, à chanter et mimer des chansons stupides, à jouer l'idiot pour la distraire. Elle se retenait de parler, mais elle ne pouvait s'empêcher de rire, ce qui l'inquiétait car son instinct avait commencé de lui souffler qu'il y avait quelque chose de factice dans cette gaieté, quelque chose de vaguement rusé dans l'indiscrétion croissante du regard; les façons de l'enfant l'amusaient, mais ses yeux l'effrayaient. Il marchait maintenant sur les mains. Quand il se remit debout, il ploya les bras comme un gymnaste. Sans avertissement, il se jeta près d'elle sur le matelas, lui pinça le biceps sous ses vêtements et dit d'un ton innocent : *Deba, enta,* indiquant par là que le jeune hôte devait à son tour montrer ses talents. Ses soupçons prirent brusquement corps; elle écarta la main qui s'attardait et sentit le petit bras frôler volontairement sa poitrine. Pleine de colère et d'effroi, elle tenta de soutenir son regard et de le déchiffrer; le gamin continuait à rire et à la presser de se lever. Mais la peur était en elle, comme un moteur emballé. Elle observait le visage grimaçant avec une terreur croissante. Elle reconnaissait en elle-même cette agitation comme une impression familière; mais son retour foudroyant la coupait de la réalité. Assise là, glacée jusqu'à la moelle, elle comprenait tout à coup qu'elle ne savait rien — ni où elle était ni ce qu'elle était; un petit déclic l'aurait remise au point, mais il était impossible de le faire jouer.

Peut-être Othman se lassa-t-il de la voir si longtemps en contemplation devant le mur, peut-être, après sa grande découverte, n'éprouvait-il plus la nécessité de la distraire : après quelques bonds décousus, il commença à reculer, les yeux toujours fixés sur les siens, comme si sa méfiance était si grande qu'il la jugeait capable de toutes les trahisons. Il tâtonna doucement derrière lui pour trouver la poignée, sortit rapidement, claqua la porte et la ferma à clef.

L'esclave apporta le repas de midi; Kit ne sembla pas la voir. La vieille femme lui présenta des morceaux de nourriture, essaya de lui en introduire dans la bouche, puis partit à la recherche de Belqassim pour l'avertir que le jeune homme était malade ou ensorcelé, et refusait de manger. Mais Belqassim déjeunait, ce jour-là, chez un marchand de cuir à l'autre bout de la ville et elle ne put le joindre. Décidée à prendre elle-même l'affaire en main, elle se rendit au quartier des servantes près des étables et prépara dans un petit bol un mélange de beurre de chèvre et de fiente de chameau en poudre qu'elle malaxa soigneusement à l'aide d'un pilon. De la moitié de cette mixture, elle fit une boulette qu'elle avala sans la mâcher. Avec le reste, elle oignit les deux longes d'un grand fouet de cuir qu'elle conservait près de son grabat. Le fouet en main, elle retourna à la chambre. Kit n'avait pas changé de position. Quand elle eut refermé la porte la vieille s'arrêta un instant pour rassembler ses forces puis, debout, entonna un chant plaintif et monotone qu'elle accompagnait de lents mouvements de fouet, tout en guettant un signe de conscience dans l'attitude paralysée de Kit. Au bout de quelques minutes, devant l'absence de toute réaction, elle se rapprocha du matelas et brandit le fouet au-dessus de sa tête; en même temps, par un mouvement traînant des pieds, elle faisait sonner les lourds anneaux de cheville au rythme de la mélopée. La sueur coula bientôt dans les sillons de son visage noir, puis sur ses vêtements, et sur le sol de terre battue, où chaque goutte s'étalait en un large cercle. Kit était consciente de sa présence et de son odeur aigre, consciente de la chaleur et du chant dans la pièce, mais toute cette scène lui était étrangère — c'était comme un souvenir lointain et fugace tout à fait extérieur à elle. Soudain, d'un geste vif et léger, la vieille femme lui abattit le fouet sur la figure. Le cuir souple et graissé lui cingla la joue et s'enroula autour de sa tête pendant une fraction de seconde. Elle ne bougea pas. Un instant plus tard, elle porta lentement la main à son visage et poussa un cri, assez faible, mais qui ne pouvait provenir que d'une femme. L'esclave perplexe l'observait avec crainte : le jeune homme était certainement très gravement envoûté. Kit retomba en arrière sur le matelas et s'abandonna à une crise de larmes.

A ce moment, des pas résonnèrent dans l'escalier. Terrifiée à l'idée que Belqassim était de retour et la punirait de son intervention, la vieille laissa tomber le fouet et se tourna vers la porte. L'une après l'autre, les trois épouses de Belqassim avancèrent dans la chambre, courbant légèrement la tête pour éviter de se heurter au plafond. Sans s'occuper de la vieille, elle se ruèrent toutes ensemble vers le matelas, se jetèrent sur le corps prostré et arrachèrent le turban et les vêtements de Kit avec une brutalité telle qu'elle se trouva d'un coup nue jusqu'à la taille. L'attaque avait été si inattendue et si violente que le tout n'avait duré que quelques secondes; Kit ne comprenait pas ce qui se passait. Alors elle sentit le fouet lui cingler les seins. Elle tendit les bras en hurlant et saisit une tête qui s'agitait devant elle. Elle sentit les cheveux et la douceur du visage lisse entre ses doigts crispés. De toutes ses forces, elle attira sa proie vers elle et s'efforça de la mettre en pièces, mais la chose refusa de se laisser déchirer, et devint seulement gluante sous ses doigts. Le fouet lui striait de feu les épaules et le dos. Elle n'était plus seule à hurler dans la pièce et d'autres cris aigus parvenaient de l'extérieur. Le poids d'un corps lui écrasa le visage. Elle mordit dans une chair tendre. « Dieu merci, j'ai de bonnes dents ! » pensa-t-elle et la phrase lui apparut en caractères d'imprimerie tandis qu'elle serrait les mâchoires et sentait ses dents enfoncer dans la chair. C'était une sensation délicieuse. Elle goûta sur la langue le sang salé et chaud et la douleur s'affaiblit. La chambre, maintenant pleine de monde, était submergée de sanglots et de hurlements. Elle entendit la voix furieuse de Belqassim dominer le bruit. Puisqu'il était enfin là, elle desserra les mâchoires et reçut un coup violent en pleine face. Les sons s'éteignirent et elle se trouva un moment seule dans le noir; elle croyait fredonner un petit air que Belqassim lui avait souvent chanté.

Mais n'était-ce pas sa voix, à lui? Reposait-elle, la tête sur ses genoux, les bras levés pour attirer le visage de Belqassim vers le sien? Une nuit paisible s'était-elle écoulée, ou s'en était-il même écoulé plusieurs avant qu'elle se retrouvât assise, jambes croisées, vêtue d'une robe d'or, et entourée de toutes ces créatures maussades, dans une vaste pièce illuminée de bougies? Combien de temps ces femmes allaient-elles continuer à lui verser du thé? Combien de temps allait-elle rester seule en face d'elles toutes? Mais Belqassim était là, les yeux graves. Elle l'observa. Avec l'allure statique d'un personnage de rêve, il enlevait les colliers de chacune de ses trois épouses, en se retournant à chaque fois pour les déposer doucement sur ses genoux. Le brocart d'or pliait sous le poids du lourd métal. Elle regardait les bijoux scintillants, puis les épouses, mais celles-ci tenaient les yeux obstinément baissés. Dans la cour, sous le balcon, le son des voix d'hommes allait en s'amplifiant. Une musique s'éleva et les femmes autour d'elle poussèrent toutes ensemble un cri en son honneur. Tandis que Belqassim assis devant elle lui passait les bijoux au cou ou les fixait à sa poitrine, elle savait que toutes les femmes la haïssaient et qu'il ne pourrait jamais la protéger contre leur haine. Aujourd'hui, il punissait ses épouses en en prenant une nouvelle devant laquelle il les humiliait, mais les autres femmes qui l'entouraient, la mine sombre, et les esclaves qui observaient la scène du balcon, toutes attendraient désormais de savourer l'heure de sa défaite.

Comme Belqassim lui faisait manger un gâteau, elle se mit à sangloter, s'étrangla et lui aspergea le visage de miettes. *G'igherdh ich'ed our illi*, ne cessaient de chanter les musiciens et le rythme des tambourins se transformait, se repliait lentement sur lui-même en un cercle dont elle ne pourrait pas s'échapper. Belqassim la considérait avec un mélange d'inquiétude et de dégoût. Elle toussa longtemps au milieu de ses sanglots. Le khôl de ses yeux lui traçait des sillons sur le visage, ses larmes mouillaient la robe de mariage. Les hommes qui riaient dans la cour ne la sauveraient pas, Belqassim ne la sauverait pas. Déjà, il était en colère contre elle. Elle enfouit son visage dans ses mains et sentit qu'il lui saisissait les poignets. Il lui parlait tout bas et les mots incompréhensibles sifflaient à son oreille. D'un geste violent, il lui écarta les poignets et sa tête tomba en avant. Un jour il la laisserait seule et les trois femmes trouveraient alors l'occasion qu'elles avaient attendue. Déjà, elles se concertaient sans rien dire. Kit pouvait suivre le cours vengeur des pensées qui se déroulaient derrière leurs fronts toujours baissés. Elle cria et voulut se lever, mais Belqassim la repoussa sauvagement. Une énorme négresse traversa la pièce à pas pesants, vint s'asseoir près d'elle et passa un bras massif autour de ses épaules pour la clouer sur la pile de coussins. Elle vit Belqassim quitter la pièce. Sans que la négresse le remarquât, elle détacha aussitôt tous les colliers, toutes les broches qu'elle put. Quand elle en eut suffisamment amassé sur ses genoux, elle les jeta au trio qui lui faisait face. Il y eut dans la chambre un cri de protestation; une esclave sortit en courant chercher Belqassim. L'instant d'après, il rentra le visage noir de fureur. Personne n'avait bougé. (*G'igherdh ich'ed our illi*, répétait tristement le chant.) Elle le vit se baisser et ramasser les bijoux sur le tapis devant les trois épouses puis elle les sentit qui la frappaient en plein visage et roulaient sur sa robe.

Elle avait la lèvre coupée; la vue du sang sur son doigt l'hypnotisait et elle demeura longtemps immobile, n'ayant plus conscience que de la musique. Demeurer immobile semblait le seul moyen d'éviter un surcroît de souffrance. S'il fallait souffrir en tout cas, le seul moyen de vivre consistait à en retarder le plus possible l'instant. Personne maintenant ne lui faisait plus de mal. Les mains noires de la grosse femme la parèrent de nouveau des colliers et des breloques. Quelqu'un lui passa un verre de thé brûlant; un autre lui présenta un plat de gâteaux. La musique continuait, les femmes ponctuaient sa cadence de leurs youyous. Les bougies fondaient; plusieurs s'éteignirent et la pièce s'assombrit progressivement. Elle se mit à somnoler, appuyée contre la négresse.

Beaucoup plus tard, elle grimpa dans l'obscurité les quatre marches qui menaient à l'énorme lit clos qui sentait le clou de girofle dont on avait parfumé les rideaux. Elle entendait derrrière elle la respiration lourde de Belqassim qui lui tenait le bras pour la guider. Maintenant qu'il la possédait complètement, il y avait dans ses façons une sauvagerie nouvelle, une sorte d'abandon furieux. Le lit était une mer démontée, elle était à la merci de sa violence et du chaos des lourdes vagues qui déferlaient sur elle. Pourquoi, au point culminant de la tempête, deux mains qui se noyaient s'accrochèrent-elles de plus en plus fort à sa gorge? De plus en plus fort, au point que l'énorme musique grise de la mer fut recouverte par un bruit plus puissant, plus sombre — le grondement du néant que l'esprit entend quand il s'approche de l'abîme et s'y penche.

Plus tard encore, elle reposait éveillée dans le délicieux silence de la nuit, la respiration légère, tandis qu'il dormait. Elle passa la journée du lendemain dans l'intimité du grand lit, aux rideaux tirés. Elle avait l'impression d'être enfermée dans une grande boîte. Durant la matinée, Belqassim s'habilla et sortit. La grosse femme de la nuit précédente verrouilla la porte après son départ et s'assit sur le plancher, le dos appuyé au battant. Chaque fois que les servantes apportaient de la nourriture, de la boisson ou de l'eau pour se laver, la femme avec une lenteur incroyable se levait en geignant et en haletant pour ouvrir la lourde porte.

La nourriture la dégoûtait, fade et molle avec un goût de suif — toute différente de celle qui lui était apportée dans sa chambre sur le toit. Certains plats semblaient consister principalement en amas de graisse d'agneau mal cuite. Elle mangeait très peu et remarquait la désapprobation des servantes qui venaient enlever les plateaux. Se sachant provisoirement en sûreté elle se sentait presque calme. Elle se fit apporter sa petite valise et, dans l'intimité du lit, la posa sur ses genoux et l'ouvrit. Machinalement, elle se mit de la poudre, du rouge à lèvres, du parfum; les billets de mille francs tombèrent pliés sur le drap. Pendant un long moment, elle considéra les autres objets : les minuscules mouchoirs blancs, les ciseaux à ongle nickelés, un pyjama de soie ocre, des petits pots de crème pour le visage. Elle les manipula distraitement comme les vestiges fascinants et mystérieux d'une civilisation disparue. Elle avait l'impression que chaque objet était le symbole d'une chose oubliée et n'éprouvait même pas de tristesse en ne se rappelant plus sa signification. Elle fit un tas des billets de banque et les plaça dans le fond de la valise, rangea le reste par-dessus et referma le couvercle.

Ce soir-là, Belqassim dîna avec elle et l'obligea à avaler la nourriture grasse après lui avoir démontré par des gestes éloquents qu'elle était fâcheusement maigre. Elle résista; ces horreurs la rendaient malade. Mais comme toujours, il était impossible de ne pas lui obéir. Elle en mangea donc, et en mangea encore le lendemain et les jours qui suivirent. Elle finit par s'y habituer et ne pensa plus à protester. Le jour et la nuit se confondaient dans son esprit, car parfois Belqassim venait se coucher au début de l'après-midi et s'en allait au crépuscule pour revenir au milieu de la nuit, accompagné d'une servante chargée d'un plateau. Elle ne quittait jamais sa chambre sans fenêtre et rarement même son lit, demeurant allongée sur l'amas d'oreillers en désordre, l'esprit uniquement occupé du souvenir ou de l'attente de Belqassim. Quand il montait les marches, ouvrait les rideaux, entrait et s'étendait près d'elle pour lui enlever ses vêtements, de ses gestes lents et rituels, les heures passées dans l'oisiveté prenaient toute leur raison d'être. Et son état délicieux d'épuisement et de satisfaction se prolongeait longtemps encore après qu'il fut parti. A demi sommeillante, elle baignait dans une aura de bonheur insouciant, un état qui lui devint vite naturel et, bientôt, aussi nécessaire qu'une drogue.

Une nuit, il ne vint pas du tout. Elle s'agita et soupira si longtemps et si fort que la négresse sortit et lui rapporta un verre plein d'une mixture chaude, étrange et aigre. Elle s'endormit, mais au matin elle avait la tête lourde et pleine de bourdonnements douloureux. Elle mangea à peine. Cette fois, les servantes la regardèrent avec sympathie.

Il apparut dans la soirée. Comme il entrait et renvoyait la négresse, Kit sauta hors du lit, bondit à travers la chambre et se jeta sur lui comme une folle. Souriant, il la reporta sur le lit et entreprit méthodiquement de lui ôter ses vêtements et ses bijoux. Quand elle fut étendue devant lui, la peau blanche et les yeux voilés, il se pencha sur elle et du bout des dents lui introduisit du sucre candi entre les lèvres. A plusieurs reprises, elle tenta de lui prendre la bouche en même temps que le bonbon, mais il était toujours trop rapide et retirait la tête. Il la taquina longtemps de la sorte jusqu'au moment où, avec un long cri sourd, elle s'immobilisa tout à fait. Les yeux brillants, il jeta le sucre candi et couvrit de baisers son corps inerte. Lorsque Kit revint à elle, la chambre était obscure et il dormait près d'elle, profondément. Par la suite, il lui arriva de rester deux jours absent, si bien qu'en le voyant revenir elle ne se contenait plus. Il la taquinait alors interminablement et elle finissait par crier et le battre à coups de poing. Mais elle continuait d'attendre ces interludes intolérables, rongée par une excitation qui ne laissait place à aucun autre sentiment.

Vint une nuit où, sans raison apparente, la femme lui apporta l'aigre breuvage et l'observa d'un air dur tandis qu'elle le buvait. Kit lui rendit le verre le cœur serré : Belqassim ne paraîtrait pas. Il ne parut pas non plus le lendemain. Cinq nuits de suite elle dut absorber la potion et, à chaque fois, l'aigreur lui en parut plus forte. Ses journées s'écoulaient dans une torpeur fiévreuse; elle ne s'asseyait que pour manger ce qu'on lui apportait.

Il lui semblait parfois entendre des voix sèches de femmes derrière la porte; leur son lui rappelait l'existence de la peur et elle en était obsédée et malheureuse pendant quelques minutes. Mais dès qu'elle ne croyait plus rien entendre, et que la cause de son trouble avait disparu, tout était oublié. La sixième nuit, elle décida soudain que Belqassim ne reviendrait plus jamais. Les yeux secs, elle fixait le baldaquin au-dessus de sa tête, la ligne vague de ses draperies à peine éclairée par la lampe au carbure placée près de la porte, là où veillait la négresse. S'abandonnant à l'imagination, elle le vit entrer, s'approcher du lit, écarter les rideaux, et fut stupéfaite de constater que ce n'était pas Belqassim qui montait les quatre marches pour la rejoindre, mais un jeune homme au visage imaginaire, anonyme. C'est alors seulement qu'elle comprit que tout autre être, ressemblant si peu que ce fût à Belqassim, lui plairait tout autant. Il lui vint pour la première fois à l'esprit qu'au delà des murs de la chambre, quelque part, tout près, dans les rues sinon même dans la maison, il existait des quantités d'êtres de ce genre. Et parmi ces hommes il s'en trouvait certainement d'aussi merveilleux que Belqassim, qui seraient tout aussi capables et aussi désireux de lui donner du plaisir. La pensée que l'un de ses frères pouvait être couché à quelques centimètres de la tête du lit la remplit d'une angoisse épouvantable. Mais son instinct lui souffla de demeurer absolument immobile. Elle se retourna tranquillement et fit semblant de dormir.

Bientôt, une servante frappa à la porte et elle sut qu'on lui apportait son soporifique du soir. Un instant plus tard la négresse ouvrit les rideaux; voyant sa maîtresse endormie, elle posa le verre sur la marche supérieure et s'en fut vers son grabat. Kit ne bougea pas, mais son cœur battait d'une façon inaccoutumée. « C'est du poison », se dit-elle. On l'empoisonnait lentement, voilà pourquoi ils avaient renoncé à la punir. Beaucoup plus tard, comme elle se soulevait doucement sur un coude pour jeter un coup d'œil entre les rideaux, elle aperçut le verre et frissonna. La femme ronflait.

« Il faut que je sorte », pensa-t-elle. Elle se sentait étrangement éveillée. Mais en descendant du lit elle découvrit sa faiblesse. Et, pour la première fois, elle remarqua dans la chambre la sèche odeur de terre. Du coffre de maroquin tout proche elle retira les bijoux que Belqassim lui avait donnés en même temps que ceux qu'il avait repris aux trois épouses et les étala sur le lit. Elle sortit alors sa petite valise et alla sans bruit vers la porte. La femme dormait toujours. « Du poison ! » souffla Kit avec rage en tournant la clef. Avec grand soin, elle parvint à refermer silencieusement la porte derrière elle. Mais, maintenant, elle se trouvait dans l'obscurité complète, tremblante d'épuisement; elle portait la valise et faisait courir le long du mur les doigts de sa main libre.

« Il faut que j'envoie un télégramme, pensa-t-elle. C'est le moyen le plus rapide de les atteindre. Il doit bien y avoir un bureau de poste ici. » Mais il s'agissait d'abord d'atteindre la rue, et la rue était peut-être très loin. Jusque-là, dans l'obscurité qui l'enveloppait, elle risquait de rencontrer Belqassim;

elle ne voulait plus jamais le revoir. « C'est ton mari », murmura-t-elle et elle en demeura une seconde figée d'horreur. Puis elle faillit en rire : ce n'était qu'un détail du jeu grotesque qu'elle avait joué. Mais tant qu'elle n'aurait pas envoyé le télégramme elle continuerait de le jouer. Ses dents commencèrent à claquer. « Tu ne peux donc pas te contenir jusqu'au moment où nous serons dans la rue ? »

Brusquement, le mur de gauche prit fin. Elle fit deux pas prudents et sentit l'arête émoussée du sol sous la pointe de sa babouche. « Encore un de ces fichus escaliers sans rampe », dit-elle. Elle posa la valise avec précaution, fit demi-tour, revint au mur qu'elle suivit en sens inverse jusqu'à la porte de la chambre. Elle l'ouvrit avec précaution et prit la petite lampe de fer. La femme n'avait pas bougé. Elle referma la porte comme la première fois. A la lumière, elle fut étonnée de voir la valise si proche. Elle se trouvait au bord du vide, mais tout près de l'escalier ; elle ne risquait qu'une chute sans gravité. Elle descendit lentement en prenant garde de ne pas se tordre les chevilles sur les marches grossières et se trouva dans un couloir étroit entre des portes closes. Il tournait à droite dans une cour à ciel ouvert au sol couvert de paille. Sous la clarté blanche de la lune en croissant, elle vit en avant d'elle l'énorme porte et les formes étendues le long du mur, éteignit la lampe et la posa sur le sol. Arrivée au portail, elle s'aperçut qu'il lui était impossible d'ébranler le verrou géant.

« Il *faut* que tu y arrives », se dit-elle, mais elle faillit se trouver mal tandis qu'elle pesait sur le métal glacé. Elle souleva la valise, s'en servit comme d'un marteau et crut sentir le verrou céder légèrement. A ce moment, l'une des formes allongées s'agita près d'elle.

— *Echkoun?* fit une voix d'homme.

Elle se baissa aussitôt et rampa derrière une pile de gros sacs.

— *Echkoun?* répéta la voix mécontente. L'homme attendit quelque temps une réponse et se rendormit. Elle voulut recommencer sa tentative, mais elle tremblait trop violemment, son cœur battait trop fort. Elle s'adossa aux ballots et ferma les yeux. Et tout à coup, dans la maison, quelqu'un se mit à battre du tambourin.

Elle sursauta. « Le signal, se dit-elle sans hésiter. Bien sûr. On l'entendait quand je suis arrivée. » Elle ne doutait plus de pouvoir sortir. Elle se reposa quelques minutes, puis se leva et traversa la cour dans la direction du son. Un second tambour s'était joint au premier. Elle franchit une porte et s'enfonça de nouveau dans l'obscurité. A l'extrémité d'un large passage se trouvait une autre cour éclairée par la lune; comme elle en approchait, elle aperçut un rai de lumière jaune sous une porte. Dans la cour, elle s'arrêta pour écouter le rythme saccadé qui provenait de la pièce. Les tambourins avaient réveillé les coqs du voisinage qui commençaient à chanter. Elle frappa légèrement à la porte; les tambourins ne cessèrent pas et une voix de femme aiguë et grêle fit entendre un refrain dolent. Elle attendit longtemps avant d'avoir le courage de frapper de nouveau, mais cette fois-là elle tapa très fort, avec décision. Les tambourins se turent, la porte fut ouverte d'un coup et elle entra dans la pièce, éblouie par la lumière. Par terre, sur des coussins, étaient assises les trois femmes de Belqassim qui la regardaient, stupéfaites, les yeux écarquillés. Elle demeura figée sur place comme si elle s'était trouvée devant un serpent venimeux. La jeune servante referma la porte et s'y appuya. Les trois femmes jetèrent leurs tambourins et se mirent à parler toutes ensemble en montrant le plafond avec de grands gestes. L'une d'elles bondit et vint tâter les longs plis blancs de la robe de Kit, évidemment en quête des bijoux. Elle releva les vastes manches, chercha les bracelets. Les deux autres désignèrent la valise avec agitation. Kit demeurait immobile, attendait la fin du cauchemar. A force de la tirailler, les femmes l'obligèrent à se baisser pour ouvrir la serrure à combinaison dont le mécanisme aurait suffi à les enchanter en d'autres circonstances. Mais elles étaient trop méfiantes, trop impatientes. Quand la valise fut ouverte, elles se précipitèrent pour la vider. Kit ne les quittait pas des yeux. Elle avait peine à croire à sa chance : la valise les intéressait beaucoup plus qu'elle-même. Pendant leur inspection, elle reprit un peu d'assurance et trouva même assez d'audace pour taper sur l'épaule de l'une des femmes et lui faire signe que les bijoux se trouvaient à l'étage au-dessus. Elles levèrent toutes les trois un regard incrédule et la servante reçut l'ordre d'aller vérifier la chose. Mais comme la jeune fille était sur le point de sortir, Kit fut saisie de terreur et essaya de l'en empêcher : elle réveillerait la négresse! Les femmes se dressèrent, furieuses; il y eut une brève mêlée. Après la bagarre, quand elles se retrouvèrent haletantes, Kit fit une grimace de désespoir, porta un doigt à ses lèvres et marcha sur la pointe des pieds avec des précautions exagérées en désignant plusieurs fois la servante. Puis elle gonfla les joues et s'efforça d'imiter une grosse femme. Toutes comprirent aussitôt et hochèrent solennellement la tête; elles saisissaient le sens de la conspiration. Quand la servante eut quitté la pièce elles tentèrent de questionner Kit. «*Ouentimshi?*» demandaient-elles d'une voix qui trahissait plus de curiosité que de colère. Elle ne pouvait répondre et secoua la tête d'un air d'impuissance. Bientôt la jeune fille revint en annonçant de toute évidence que les bijoux étaient sur le lit — et non seulement ceux des trois épouses, mais bien d'autres encore. Les femmes parurent à la fois un peu déroutées et ravies. Lorsque Kit s'agenouilla pour remettre ses affaires dans la valise, l'une d'elles s'accroupit en même temps et lui parla d'une voix qui n'était certainement plus inamicale. Kit n'avait aucune idée de ce qu'elle lui disait; son esprit était obsédé par la vision de la porte verrouillée. « Il faut que je sorte », se répétait-elle sans arrêt. La liasse des billets de banque était posée sur son pyjama. Personne n'y prit garde.

La valise remplie, elle saisit un tube de rouge et une petite glace à main, s'approcha de la lumière et se maquilla ostensiblement. Des cris d'admiration s'élevèrent. Elle passa les accessoires à l'une des femmes et l'invita à en faire autant. Quand elles eurent toutes trois les lèvres luisantes de fard elles se regardèrent enchantées d'elles-mêmes et des autres. Kit leur fit comprendre qu'elle leur laisserait le tube en cadeau, mais qu'elles devaient en échange l'aider à sortir. Un mélange de plaisir et de consternation se peignit sur leurs visages : elles ne demandaient qu'à la voir quitter la maison, mais redoutaient Belqassim. Pendant qu'elles se consultaient, Kit s'assit à terre près de la valise. Elle les observait avec le sentiment que leur discussion ne la concernait pas. La décision se prenait bien au delà de ces femmes, au delà de cette petite pièce invraisemblable où elles bavardaient. Elle cessa de leur prêter attention et demeura impassible, le regard fixé droit devant elle, persuadée, à cause des tambours, qu'elle finirait bien par sortir. Elle n'avait plus qu'à attendre l'instant désigné. Après un long moment, les femmes expédièrent la servante au dehors. Elle revint accompagnée d'un noir rabougri, traînant la patte et si vieux qu'il marchait courbé en avant, la tête plus bas que l'échine. D'une main tremblante il tenait une énorme clef. Il marmonnait des protestations mais il était évident que son concours était déjà assuré. Kit bondit et prit sa valise. Chacune des épouses vint à elle et lui planta un baiser solennel au milieu du front. Elle rejoignit le vieux près de la porte et traversa la cour avec lui. En marchant, il lui dit quelques mots, mais elle ne put lui répondre. Il la conduisit dans une autre partie de la maison et ouvrit une petite porte. Elle était seule dans la rue silencieuse.

28

La mer aveuglante, au-dessous d'elle, scintillait dans la lumière argentée du matin. Allongée sur l'étroite corniche, la tête penchée vers le vide, elle regardait les vagues lentes venir de l'extrême horizon dont la ligne incurvée montait vers le ciel. Ses ongles grattaient le roc; elle tomberait certainement si elle ne se retenait de tous ses muscles. Combien de temps pourrait-elle demeurer ainsi, suspendue entre le ciel et la mer? Son support n'avait cessé de s'étrécir, il lui coupait maintenant la poitrine et gênait sa respiration. Mais n'était-ce pas elle-même qui glissait lentement, et, de temps en temps, se soulevait légèrement sur les coudes pour avancer de quelques millimètres? Elle était maintenant assez penchée pour voir des deux côtés les falaises à pic et, dans leurs entailles prismatiques, les lourds bouquets de cactus gris. Sous ses yeux, les lames se brisaient sans bruit contre le mur de roc. La nuit n'était plus là dans l'air humide, elle s'était retirée sous la surface de l'eau. Pour le moment, son équilibre était parfait; raide comme une planche, elle se maintenait sur le bord de l'abîme. Elle fixa le regard sur une vague qui avançait au loin. Lorsque la vague atteindrait le roc, sa tête aurait basculé en avant, l'équilibre serait rompu. Mais la vague ne bougea pas.

— Réveille-toi! Réveille-toi! cria-t-elle.

Elle se laissa aller.

Ses yeux étaient déjà ouverts. L'aube se levait. Le rocher auquel elle s'appuyait lui blessait le dos. Elle soupira et changea légèrement de position. Parmi les rochers, loin de la ville, tout était tranquille à ce moment du jour. Elle scruta le ciel, vit l'immense espace s'éclaircir toujours plus. Les premiers sons légers qui le traversaient ne semblaient rien de plus que des variations sur le silence fondamental dont ils étaient faits. La silhouette des rochers voisins et les murs plus lointains de la ville s'élevèrent lentement hors du domaine de l'invisible, comme une simple émanation des profondeurs de l'ombre. Le ciel pur, les buissons près d'elle, les cailloux à ses pieds, tout avait été tiré du puits de l'obscurité absolue. De même l'étrange langueur au cœur de sa conscience, ces idées vaporeuses qui se succédaient comme indépendamment de sa volonté, n'étaient que des tentatives fragmentaires de sa propre présence qui se dessinait sur le néant d'un sommeil encore tiède — un sommeil encore assez puissant pour revenir la prendre dans ses bras. Mais elle demeura éveillée, la lumière naissante envahit ses yeux et pourtant nulle vie correspondante ne s'éveilla en elle; elle ne prenait nulle conscience d'elle-même, ou du lieu où elle se trouvait.

Lorsqu'elle eut faim, elle se leva, ramassa sa valise et s'engagea au milieu des rochers sur une espèce de sentier probablement tracé par les chèvres et qui courait parallèlement aux murs de la ville. Le soleil s'était levé; elle en sentait déjà la chaleur sur sa nuque. Elle mit le capuchon de son haïk. Au loin montaient de la ville des voix et des aboiements. Plus tard, elle franchit l'une des portes à voûte plate et se retrouva dans la ville; personne ne la remarqua. Le marché était rempli de femmes noires en vêtements blancs. Elle s'approcha de l'une d'elles et lui prit des mains un pot de petit lait. Après l'avoir bu, elle vit la femme qui attendait d'être payée. Elle fronça les sourcils et se baissa vers sa valise.

D'autres femmes — certaines avec des enfants sur le dos — s'arrêtèrent pour regarder. Elle tira de la liasse un billet de mille francs et le tendit. La femme considéra le billet et fit un geste de refus. Kit continua à le lui tendre. Dès qu'elle eut compris qu'aucun autre argent ne lui serait donné, la marchande poussa un cri et se mit à appeler la police. Les femmes excitées se groupèrent autour d'elle en riant; quelques-unes saisirent le billet et l'examinèrent avec curiosité avant de le rendre à Kit. Elles parlaient une langue douce qui ne lui était pas familière. Un cheval blanc passa au trot, monté par un grand noir en uniforme kaki dont le visage était sillonné de profondes cicatrices, comme un masque de bois sculpté. Kit échappa aux femmes et leva les mains vers lui, s'attendant à être soulevée dans ses bras, mais il la regarda de travers et s'éloigna. Plusieurs hommes s'approchèrent en souriant, mais sans se joindre aux spectatrices. L'un d'eux, repérant le billet, s'avança et commença d'étudier Kit ainsi que la valise avec un intérêt croissant. Comme les autres, il était grand, mince et très noir, et il portait un burnous en loques jeté sur l'épaule, mais son habillement comportait un pantalon blanc sale à l'européenne au lieu du long vêtement indigène. Venant à elle, il lui tapa sur le bras en lui parlant arabe; elle ne comprit pas. Il demanda alors :

— *Toi parles français?*

Elle ne bougea pas, ne sachant que faire.

— *Oui*, répondit-elle enfin.

— *Toi pas Arabe*, conclut-il en étudiant son visage.

Il se retourna triomphalement vers la foule et annonça que la dame était française. Tous reculèrent de quelques pas en le laissant avec Kit au centre du cercle. La femme réclama de nouveau son argent. Le billet toujours à la main Kit n'avait pas bougé.

L'homme tira quelques pièces de sa poche et les jeta à la femme qui continuait à protester; elle les compta et se retira à pas lents. Les autres ne semblaient pas vouloir s'en aller; la vue d'une femme française habillée en vêtements arabes les enchantait. Mais l'homme, mécontent, les invita sur un ton indigné à se disperser. Il prit Kit par le bras et la tira doucement.

— Ici pas bon, dit-il, viens.

Il ramassa la valise. Elle se laissa entraîner à travers le marché, entre les monceaux de légumes et les tas de sel, les acheteurs et les vendeurs bruyants.

Comme ils arrivaient près d'un puits où les femmes remplissaient leurs cruches, elle essaya de s'arracher à lui. Dans une minute il serait douloureux de vivre. Déjà les mots réapparaissaient et sous leur enveloppe se reformaient les pensées latentes. Le soleil brûlant allait les racornir; il fallait les garder dans l'obscurité.

— *Non!* cria-t-elle en dégageant son bras.

— *Madame,* fit l'homme d'un ton de reproche, toi venir t'asseoir.

Elle se laissa de nouveau conduire parmi la cohue. A l'extrémité du marché, ils se trouvèrent sous une arcade; une porte s'ouvrait dans l'ombre. Il faisait frais dans le couloir. Une femme en robe à carreaux s'y tenait au fond, les poings sur les hanches. En les apercevant, elle cria d'une voix aiguë :

— Amar! Qu'est-ce que c'est que cette *saloperie* que tu m'amènes là? Tu sais très bien que je ne permets pas aux femmes indigènes d'entrer dans mon hôtel. Tu es saoul, non? *Allez! Fous-moi le camp!*

Elle avança d'un air menaçant. Un instant dérouté, l'homme lâcha sa prise. Kit pivota comme une automate et prit la direction de la porte, mais il se retourna et lui ressaisit le bras. Elle essaya de se dégager.

— Elle comprend le français! s'exclama la femme surprise. Eh bien, tant mieux! (Elle vit la valise.) Qu'est-ce que c'est que ça?

— Mais c'est à elle, c'est une dame française, expliqua Amar avec une note d'indignation.

— *Pas possible!* murmura la femme qui s'approcha, la dévisagea et dit enfin : *Ah! pardon, madame,* mais avec ces vêtements... (Elle s'interrompit, la méfiance reparut dans sa voix.) Vous savez, c'est un hôtel convenable. *Enfin, entrez si vous voulez,* ajouta-t-elle d'un ton maussade et en haussant les épaules après un moment d'indécision. Et elle s'effaça pour les laisser passer.

Kit, pendant ce temps, faisait des efforts désespérés pour échapper à la poigne d'Amar.

— Non, non, non! Je ne veux pas! criait-elle d'une voix hystérique en s'accrochant à sa main. Puis elle passa son bras libre autour du cou de l'homme et laissa tomber la tête sur son épaule en sanglotant.

La femme la considéra, puis regarda Amar. Son visage se durcit.

— Emmène-moi cette créature hors d'ici, cria-t-elle furieuse. Ramène-la au bordel où tu l'as trouvée! *Et ne viens plus m'emmerder avec tes sales putains! Va! Salaud!*

Dehors, le soleil semblait plus éblouissant que jamais. Les murs de boue et les visages noirs et brillants défilaient à à côté d'eux. Il n'y avait pas de limite à l'intense monotonie du monde.

— Je suis fatiguée, dit-elle.

Ils étaient assis côte à côte dans une pièce sombre, sur un long coussin. Un noir coiffé d'un fez leur tendait à chacun un verre de café.

— Je voudrais que tout cela finisse, déclara-t-elle gravement aux deux hommes.

— *Oui, madame,* dit Amar en lui tapotant l'épaule.

Elle but son café et s'adossa au mur en les regardant entre ses paupières mi-closes. Ils parlaient ensemble interminablement. Elle ne se demanda pas de quoi ils discutaient. Lorsque Amar se leva et sortit avec l'autre, elle attendit un moment que le son de leurs voix se fût éteint, se dressa à son tour et sortit par une porte située de l'autre côté de la pièce. Il y avait là un petit escalier. Sur le toit, il faisait si chaud qu'elle en fut suffoquée. Les criailleries confuses du marché étaient presque étouffées par le bourdonnement des mouches qui l'entouraient. Elle s'assit. Dans un instant, elle allait commencer à fondre. Elle ferma les yeux et les mouches assaillirent son visage; elles y atterrissaient, s'envolaient, atterrissaient de nouveau avec une ardeur frénétique. Elle ouvrit les yeux et vit la ville l'entourer de toutes parts. Des cascades de lumière pétillante se déversaient sur les toits en terrasse.

Peu à peu ses yeux s'habituèrent à ce terrible éblouissement. Elle fixa les objets proches sur le sol de terre battue : les bouts de chiffons; la carcasse séchée d'un étrange lézard gris; les boîtes d'allumettes décolorées et brisées; et les tas de plumes blanches collées entre elles par du sang noir. Elle avait un rendez-vous quelque part; quelqu'un l'attendait. Comment pourrait-elle avertir de son retard? Car la question ne se posait pas — elle arriverait longtemps après l'heure fixée. Elle se rappela alors qu'elle n'avait pas envoyé son télégramme. A cet instant, Amar parut dans la petite porte et vint à elle. Elle se leva avec effort.

— Attends-moi, dit-elle en passant devant lui, et elle rentra dans la maison parce que le soleil la rendait malade.

L'homme considéra le papier, puis Kit.

— Où voulez-vous l'envoyer? répéta-t-il.

Elle secoua la tête sans répondre. Il lui tendit le papier et elle vit, écrit de sa propre main, les mots : IMPOSSIBLE REVENIR. L'homme la regardait fixement.

— Ça ne va pas! cria-t-elle en français. Je veux ajouter quelque chose.

Mais l'homme continuait à la regarder, il n'était pas en colère, il attendait, tout simplement. Il avait une petite moustache et des yeux bleus.

— *Le destinataire, s'il vous plaît*, dit-il de nouveau.

Elle lui rendit le papier. Elle n'arrivait pas à penser aux mots qu'il fallait ajouter et voulait que le message partît immédiatement. Mais déjà elle voyait qu'il ne l'enverrait pas. Elle tendit la main, caressa légèrement sa joue.

— *Je vous en prie, Monsieur*, dit-elle d'un ton implorant.

Il y avait un comptoir entre eux; il fit un pas en arrière et ne se trouva plus à sa portée. Elle se précipita dans la rue. Amar, le noir, était là.

— Vite! cria-t-elle en passant devant lui.

Il la suivit en l'appelant. Elle avait beau courir, il était toujours à côté d'elle et il essayait de la retenir en criant : *Madame!* Mais il ne comprenait pas le danger et elle ne pouvait pas s'arrêter pour le lui expliquer. Elle n'en avait plus le temps. Maintenant qu'elle s'était trahie, qu'elle avait pris contact avec ceux de l'autre bord, il n'y avait plus une minute à perdre. Ils n'épargneraient aucun effort pour la retrouver, ils abattraient son mur de protection et l'obligeraient à regarder ce qu'elle avait enterré là. Elle savait d'après l'expression de l'homme aux yeux bleus qu'elle avait déclenché le mécanisme de sa propre perte. Et il était trop tard pour l'arrêter.

— *Vite! Vite!* répétait-elle haletante.

Amar, en sueur, protestait à ses côtés. Ils se trouvaient maintenant dans une zone découverte près de la route qui descendait au fleuve. Quelques mendiants à demi nus étaient assis çà et là, et chacun d'eux, en les voyant passer, murmurait à leur intention sa brève formule sacrée. Il n'y avait personne d'autre en vue.

Amar parvint enfin à lui saisir l'épaule, mais elle redoubla d'efforts. Bientôt pourtant elle ralentit et il l'immobilisa en la tenant d'une main ferme. Elle tomba à genoux et, du revers de la main, essuya son visage trempé. La terreur hantait toujours son regard. Accroupi près d'elle, il essayait de la rassurer en lui tapotant gauchement le bras.

— Où toi vas comme ça? demanda-t-il. Qu'est-ce qu'il y a? Elle ne répondit pas. Un vent brûlant soufflait. Au loin, sur la route plate qui menait au fleuve, un homme et deux bœufs avançaient lentement. Amar disait :

— Lui. Monsieur Geoffroy. Lui, homme bon. Toi pas avoir peur. Cinq ans lui travailler aux Postes et Télégraphes.

Le son du dernier mot lui fit l'effet d'une aiguille dans sa chair. Elle bondit :

— Non, je ne veux pas! Non, non, non! gémit-elle.

— Et tu sais, poursuivit Amar, argent toi donner pas bon ici. Ça argent algérien. Même à Tessalit, il faut francs A. O. F. Argent algérien contrebande.

— Contrebande, répéta-t-elle. Le mot n'avait aucun sens pour elle.

— *Défendu!* dit-il en riant et il s'efforça de la remettre debout.

Le soleil était douloureux; il transpirait, lui aussi. Elle ne bougerait pas pour le moment, elle était épuisée. Il attendit un peu, l'obligea à se couvrir la tête du haïk, se drapa lui-même dans son burnous. Le vent redoublait. Le sable balayait la terre noire et plate comme un ruissellement d'eau claire.

— Emmène-moi chez toi, dit-elle tout à coup. Là, on ne me trouvera pas.

Il refusa en lui expliquant qu'il manquait de place, qu'il avait une famille nombreuse. Mais il la conduirait à l'endroit où ils s'étaient reposés plus tôt dans la journée.

— C'est un café, protesta-t-elle.

— Atallah avoir beaucoup chambres. Toi pouvoir payer. Même avec argent algérien. Lui pouvoir changer. Toi en avoir d'autre?

— Oui, oui. Dans ma valise. (Elle regarda autour d'elle.) Où est-elle? demanda-t-elle d'un air vague.

— Toi le laisser chez Atallah. Lui te le donner. (Il sourit et cracha.) Maintenant, nous marcher un peu?

Atallah était chez lui. Quelques marchands en turban, venus du nord, causaient dans un coin. Amar et Atallah s'entretinrent un moment sur le seuil. Puis ils la conduisirent dans les quartiers d'habitation, derrière le café. Il faisait très sombre et frais dans les chambres, et en particulier dans la dernière où Atallah posa la valise en montrant sur le sol une couverture où elle pourrait s'étendre. Il avait à peine laissé retomber derrière lui le rideau de l'entrée qu'elle se tourna vers Amar et lui prit le visage entre les mains.

— Il faut que tu me sauves, dit-elle en l'embrassant.

— Oui, répondit-il solennellement.

Il la rassurait autant que Belqassim l'avait bouleversée.

Atallah ne souleva pas le rideau avant le soir, et il les vit alors endormis tous deux sur la couverture. Il posa la lampe sur le seuil avant de s'éloigner.

Elle s'éveilla un peu plus tard. La pièce était tranquille et chaude. Elle s'assit et regarda le long corps noir, inerte et brillant comme une statue. Elle lui mit la main sur la poitrine : le cœur battait à coups sourds et lents. Il remua les jambes, ouvrit les yeux et sa bouche se fendit dans un sourire.

— Moi avoir grand cœur, dit-il en mettant la main sur celle de Kit pour la retenir contre sa poitrine.

— Oui, fit-elle distraite.

— Quand moi bien portant, penser moi homme plus bon du monde. Quand moi malade, détester moi. Moi dire : Toi pas bon du tout, Amar, toi être en boue.

Il rit. Un bruit se fit quelque part dans la maison.

Il la vit tressaillir.

— Pourquoi toi avoir peur? dit-il. Moi savoir. Parce que toi riche. Parce que toi avoir sac plein d'argent. Personnes riches avoir toujours peur.

— Je ne suis pas riche, dit-elle. Puis elle ajouta : C'est ma tête. Elle me fait mal.

Elle libéra sa main et la porta à son front. Il la regarda et rit de nouveau.

— Toi pas penser. *Ça c'est mauvais.* La tête c'est comme le ciel. Ça tourne, ça tourne dedans. Lent, lent. Quand toi penser, toi faire aller trop vite. Alors faire mal.

— Je t'aime, dit-elle en lui frôlant les lèvres d'un doigt, mais elle savait bien qu'il lui échapperait toujours.

— *Moi aussi*, répondit-il en lui mordant légèrement le doigt.

Elle se mit à pleurer. Il l'observait avec curiosité et secouait la tête de temps en temps.

— Non, non, dit-il, toi pleurer un peu, pas trop. Un peu, c'est bon. Trop, c'est mauvais. Toi pas penser aux choses finies. (Ces mots lui faisaient du bien sans qu'elle pût se rappeler ce qui était fini.) Femmes toujours penser aux choses finies. Nous dire ici : la vie comme une falaise. Jamais regarder en arrière si toi montes. Autrement, toi malade.

La voix douce ne se taisait pas; Kit parvint à se rallonger. Elle demeurait pourtant convaincue que c'était la fin, qu'on la découvrirait avant peu. On la placerait devant un grand miroir en lui disant : « Regarde ! » Elle serait obligée de regarder, et tout serait fini. Le songe noir volerait en éclats; la flamme de la terreur ne s'éteindrait plus; un projecteur impitoyable serait dirigé sur elle; la souffrance serait intolérable, interminable. Elle se blottissait contre lui en frissonnant. Il se rapprocha encore d'elle, la prit et la tint serrée dans ses bras. Quand elle rouvrit les yeux, il faisait nuit dans la pièce.

— Jamais possible refuser argent pour acheter lumière, dit Amar.

Il frotta une allumette et l'éleva au-dessus de sa tête.

— Et tu es riche, dit Atallah qui comptait un à un les billets de mille francs.

29

— *Votre nom, Madame*, vous vous rappelez certainement votre nom.

Elle ne lui prêta pas attention; c'était le seul moyen de se débarrasser d'eux.

— *C'est inutile*, vous n'en tirerez jamais rien.

— Vous êtes bien sûr qu'il n'y a pas de marques sur son linge?

— Il n'y en a pas, *mon capitaine*.

— Retourne chez Atallah et cherche encore. Nous savons qu'elle avait de l'argent et une valise.

Une petite cloche fêlée tintait de temps en temps. Un froissement d'étoffe accompagnait la religieuse dans ses mouvements à travers la chambre.

— Katherine Moresby, dit lentement la sœur en écorchant la prononciation. *C'est bien vous, n'est-ce pas?*

— Ils ont tout pris sauf le passeport. Nous avons encore eu de la chance de le retrouver.

— Ouvrez les yeux, madame.

— Buvez. C'est frais. C'est de la limonade. Ça ne vous fera pas de mal.

Une main lui caressa le front.

— Non ! cria-t-elle. Non !

— Calmez-vous.

— Le consul de Dakar nous demande de la renvoyer à Oran. J'attends une réponse d'Alger.

— C'est le matin.

— Non, non, non ! gémissait-elle en mordant son oreiller. Jamais elle ne permettrait rien de tout cela.

— Cela prend du temps de la nourrir, parce qu'elle ne veut pas ouvrir les yeux.

Elle savait que ces remarques répétées à propos de ses yeux n'avaient pour but que de la prendre au piège en la poussant à protester : « J'ai les yeux ouverts. » On lui dirait alors : « Ah, vos yeux sont ouverts, vraiment ? Eh bien... regardez ! » Elle serait prise, sans défense devant l'horrible image d'elle-même, et la souffrance commencerait. Dans son état présent, elle voyait parfois près d'elle le corps noir et brillant d'Amar à la lumière de la lampe posée sur le seuil, et parfois seulement la douce obscurité de la chambre, mais c'était un Amar immobile et une chambre statique ; le temps ne pouvait pas pénétrer ici pour altérer la position de l'homme ou briser en morceaux le silence qui les enveloppait.

— C'est arrangé. Le consul est d'accord pour payer son passage sur la Transafricaine. Demouveau l'emmène demain matin avec Estienne et Fouchet.

— Mais elle a besoin d'une garde.

Il y eut un silence significatif.

— Elle se tiendra tranquille, je vous en réponds.

— Heureusement, je comprends le français, s'entendit-elle leur dire, en français. Merci d'être si clairs.

Une telle phrase sortant de ses propres lèvres lui apparut profondément ridicule et elle se mit à rire. Elle ne voyait pas de raison de s'arrêter : c'était bon. Il y avait au centre d'elle-même un pincement et un chatouillement irrésistibles qui lui plièrent le corps en deux, et ses éclats de rire déferlèrent. Il leur fallut longtemps pour la calmer : l'idée qu'ils voulaient l'empêcher de faire une chose si naturelle et si délicieuse lui paraissait encore plus comique que les mots qu'elle avait prononcés.

Quand ce fut fini et qu'elle se retrouva détendue et près de s'endormir, la sœur dit :

— Vous partirez demain pour un petit voyage. J'espère que vous ne me compliquerez pas la vie en m'obligeant à vous habiller. Je sais que vous pouvez le faire toute seule.

Elle ne répondit pas, car elle ne croyait pas à ce voyage. Elle avait l'intention de demeurer dans la chambre, couchée à côté d'Amar.

La religieuse la fit asseoir et lui passa par-dessus la tête une robe toute raide qui sentait la lessive. Elle lui demandait continuellement : « Regardez ces souliers. Croyez-vous qu'ils vous iront? » ou : « Aimez-vous la couleur de votre nouvelle robe? » Kit ne répondait pas. Un homme lui avait saisi l'épaule et la secouait.

— Voulez-vous me faire le plaisir d'ouvrir les yeux, Madame? dit-il sévèrement.

— *Vous lui faites mal*, dit la sœur.

Elle avançait avec des gens, en lente procession, dans un couloir plein d'échos. La faible cloche de la chapelle tinta et un coq chanta tout près. Elle sentit sur ses joues la brise fraîche. Puis elle respira une odeur d'essence. La voix des hommes se perdait dans l'air immense du matin. Son cœur se mit à battre précipitamment quand elle monta dans la voiture. Quelqu'un lui serrait le bras sans relâche. Le vent pénétrait par les fenêtres ouvertes et remplissait le véhicule de l'âcre parfum de la fumée de bois. Cahotés tout au long de la route, les hommes ne cessèrent de parler, mais elle ne les écoutait pas. Lorsque la voiture stoppa, il y eut un bref silence et elle entendit un chien aboyer. Puis on la fit descendre, les portes claquèrent, et on l'entraîna sur un sol caillouteux. Ses pieds lui faisaient mal : les souliers étaient trop petits. De temps en temps, elle disait à voix basse, comme pour elle-même : « Non. » Mais la main solide ne lâchait jamais son bras. L'odeur d'essence était ici très forte. « Asseyez-vous. » Elle s'assit, et la main continua de la tenir.

Chaque minute la rapprochait de la souffrance; il s'en écoulerait encore beaucoup avant qu'elle ne l'atteignît véritablement, mais ce n'était pas une consolation. Que son approche fût longue ou brève, la fin serait la même. Un instant, elle tenta de s'échapper.

— *Raoul! Ici!* cria son voisin.

Quelqu'un lui saisit l'autre bras. Elle n'en continua pas moins à lutter, se laissant glisser jusqu'au sol entre les deux hommes, et elle s'écorcha le dos sur la ferrure de la caisse d'emballage qui leur servait de siège.

— *Elle est costaude, cette garce!*

Elle renonça à lutter et se laissa rasseoir; puis elle ne bougea plus, la tête renversée en arrière. Le grondement soudain de l'avion derrière elle fracassa les murs de la chambre où elle se trouvait étendue. Le ciel d'un bleu violent était devant ses yeux — rien que le ciel. Elle y plongea le regard, interminablement. Comme un son trop strident, il faisait le vide dans son cerveau, le paralysait. Quelqu'un lui avait dit une fois que le ciel dissimule la nuit, protège ceux qu'il surplombe de l'horreur de l'au-delà. Sans ciller, elle fixait ce néant solide et l'angoisse commença de s'agiter en elle. A tout moment la déchirure pouvait se produire et les lèvres s'ouvrir sur l'énorme gouffre.

— *Allez! en marche!*

Elle était debout, on la fit pivoter et avancer vers le vieux Junker branlant. Quand elle fut installée sur le siège du second pilote, on serra des courroies autour de sa poitrine et de ses bras.

L'opération fut longue; elle les regardait faire, distraitement.

L'avion était lent. Ils atterrirent le soir à Tessalit et passèrent la nuit dans les bâtiments de l'aérodrome. Elle refusa de manger.

Le lendemain, avec le vent debout, ils étaient à Adrar au milieu de l'après-midi. Ils n'allèrent pas plus loin. Elle était devenue tout à fait docile et mangea tout ce qu'on lui donna, mais les hommes ne voulant pas courir de risques, ne lui délièrent pas les bras. La femme du propriétaire de l'hôtel était excédée d'avoir à s'occuper d'elle. Elle avait souillé ses vêtements.

Le troisième jour, ils s'embarquèrent à l'aube et atteignirent la Méditerranée avant le coucher du soleil.

30

Miss Ferry n'était pas contente de la mission qui lui avait été confiée. L'aérodrome était à une bonne distance de la ville et la course en fiacre pénible avec la chaleur et la mauvaise route. Mr. Clarke lui avait dit : « J'ai un petit travail pour vous demain. Cette cinglée qui a été coincée au Soudan. La Transafricaine l'amène. J'essaie de la faire embarquer sur l'*American Trader* lundi. Elle est malade, elle a un choc nerveux ou je ne sais quoi. Il vaut mieux la mettre au Majestic. » Mr. Evans, d'Alger, avait pu enfin, le matin même, entrer en relations avec la famille à Baltimore; tout allait bien. Le soleil commençait à disparaître derrière les bastions de Santa Cruz, au sommet de la montagne, quand la voiture quitta la ville, mais il ne se coucherait pas avant une heure.

« Satanée idiote ! » se disait Miss Ferry. Ce n'était pas la première fois qu'on la chargeait d'une démonstration officielle de charité envers l'une de ses compatriotes en panne, ou souffrante. Cette corvée revenait à peu près une fois par an et elle en avait horreur. « Il y a quelque chose de répugnant chez un Américain sans le sou », avait-elle dit à Mr. Clarke. Elle se demandait quel attrait le centre de l'Afrique, rôti comme il l'était, pouvait bien offrir à des êtres civilisés. Elle avait elle-même passé un week-end à Bou Saada et manqué s'évanouir de chaleur.

Quand elle approcha de l'aérodrome, les montagnes rougeoyaient au soleil couchant. Elle fouilla dans son sac pour y trouver le bout de papier que lui avait remis Mr. Clarke. *Mrs. Katherine Moresby.* Elle le laissa retomber dans le sac.

L'avion était déjà arrivé; il reposait seul sur le terrain. Elle descendit du taxi, dit au chauffeur de patienter et se hâta vers une porte marquée *Salle d'attente*. Sitôt entrée, elle aperçut la femme pitoyablement affalée sur un banc; un mécanicien de la Transafricaine lui tenait le bras. Elle portait une de ces robes informes à carreaux bleus et blancs qu'on voit aux servantes à demi européennes; Aziza, la femme de ménage de Miss Ferry, en achetait elle-même de moins laides dans le quartier juif.

« Elle est vraiment sonnée », pensa Miss Ferry. Elle remarqua en même temps que la femme était beaucoup plus jeune qu'elle ne s'imaginait.

Elle traversa la petite pièce, l'esprit occupé de sa propre toilette achetée à Paris lors d'un récent congé.

— Mrs. Moresby, dit-elle en souriant. Le mécanicien et la femme se levèrent ensemble; il lui tenait toujours le bras. J'appartiens au consulat américain. (Elle tendit la main. La femme eut un sourire vague en lui abandonnant la sienne.) Vous devez être absolument épuisée. Cela fait combien de jours? Trois?

— Oui, dit la femme en la regardant d'un air malheureux.

— Absolument affreux, dit Miss Ferry.

Elle se tourna vers le mécanicien, lui tendit la main et le remercia dans un français à peu près incompréhensible. Il lâcha le bras qu'on lui avait confié pour répondre au salut et le reprit aussitôt. Miss Ferry fronça le sourcil, impatientée : les Français étaient parfois incroyablement gauches. Elle s'empara avec désinvolture de l'autre bras et tous trois se dirigèrent vers la porte.

— *Merci*, dit-elle de nouveau à l'homme d'un ton qu'elle espérait définitif. Puis à la femme : Et vos bagages? En avez-vous fini avec la douane?

— Je n'ai pas de bagages, répondit Mrs. Moresby en la regardant.

— Non ? Elle ne trouvait rien d'autre à dire.

— Tout a disparu, dit Mrs. Moresby à voix basse.

Ils avaient atteint la porte. Le mécanicien l'ouvrit, lâcha le bras et s'effaça pour les laisser passer.

« Enfin ! » pensa Miss Ferry avec satisfaction, et elle se mit à presser le pas vers le taxi.

— Quelle honte ! dit-elle tout haut, c'est vraiment terrible. Mais vous les retrouverez certainement.

Le chauffeur ouvrit la porte; elles montèrent dans la voiture. Resté sur le trottoir, le mécanicien les regardait partir avec inquiétude.

— C'est drôle, poursuivait Miss Ferry, le désert est si grand et pourtant rien ne s'y perd jamais vraiment. (La portière claqua.) Les choses reviennent au bout de quelques mois. Ce n'est pas que cette perspective puisse vous être d'une grande utilité pour le moment, je le reconnais. (Elle considéra les bas de coton noir et les vieux souliers marrons qui bâillaient.) *Au revoir et merci*, cria-t-elle au mécanicien, et le taxi démarra.

Une fois sur la grand-route, la voiture prit de la vitesse. Mrs. Moresby hocha lentement la tête et son regard se fit suppliant.

— *Pas si vite !* cria Miss Ferry au chauffeur. « Ma pauvre petite», eut-elle envie de dire, mais elle craignit que ce ne fût déplacé et se reprit : Je ne vous envie certainement pas pour ce que vous venez de traverser. Ce voyage a dû être horrible.

— Oui, répondit Kit d'une voix presque inaudible.

— Bien sûr, il y a des gens qui ne redoutent pas toute cette chaleur et cette poussière. Quand ils rentrent chez eux, ils ne tarissent pas d'éloges sur ce pays. Moi, il y a plus d'un an que j'essaie de me faire envoyer à Copenhague.

Miss Ferry se tut pour regarder un autobus bondé d'indigènes que le taxi dépassait. Il lui semblait déceler sur la femme à côté d'elle une vague odeur désagréable. « Elle a probablement toutes les maladies connues », songea-t-elle. En la guettant du coin de l'œil, elle demanda enfin :

— Combien de temps êtes-vous restée là-bas?

— Longtemps.

— Et vous avez été mal fichue tout ce temps? (L'autre la regarda.) On a télégraphié que vous étiez malade.

Négligeant de répondre, Mrs. Moresby contempla le paysage qui s'assombrissait. Au loin brillaient les lumières de la ville.

« Cela doit être ça », pensa-t-elle. C'était donc cela : elle avait été malade, et pendant des années probablement. « Mais comment puis-je ne pas le savoir? »

Quand ils roulèrent dans les rues et virent défiler les maisons, les passants et les voitures derrière les glaces, tout lui parut naturel, elle avait même l'impression de reconnaître la ville. Mais, sans aucun doute, quelque chose n'allait pas, sinon elle aurait su avec certitude si oui ou non elle y était déjà venue.

— Nous vous mettons au Majestic. Vous y serez bien mieux. Ce n'est pas extraordinaire, bien entendu, mais c'est certainement supérieur au charmant bled d'où on vous a tiré.

Enchantée de cet euphémisme, Miss Ferry rit, et elle pensa : « Elle a une sacrée chance qu'on fasse tout ce foin autour d'elle. On ne les installe pas toutes au Majestic. »

Comme le taxi s'arrêtait devant l'hôtel et qu'un chasseur sortait pour ouvrir la portière, Miss Ferry dit :

— Oh! à propos, un de vos amis, un Mr. Tunner, nous a bombardés de lettres et de télégrammes depuis des mois. Un véritable tir de barrage qui nous tombait dessus du fond du désert. Il s'est beaucoup tourmenté pour vous.

Miss Ferry regarda le visage tout proche du sien tandis qu'on ouvrait la portière; il était si étrange et si pâle, il exprimait un si tragique conflit d'émotions opposées qu'elle eut l'impression d'avoir fait une gaffe.

— J'espère que vous ne m'en voudrez pas, poursuivit-elle avec un peu moins d'assurance, mais nous avions promis à ce monsieur de l'avertir aussitôt que nous entrerions en contact avec vous, si nous entrions en contact. Et je n'en ai jamais beaucoup douté. Le Sahara est petit, quand on y pense. En somme, les gens n'y disparaissent pas. Ce n'est pas comme ici, dans le quartier indigène... (Elle se sentait de plus en plus mal à l'aise. Mrs. Moresby semblait absolument indifférente au portier qui se tenait là, et à tout le reste.) Enfin, continua-t-elle impatientée, quand nous avons su d'une façon certaine que vous alliez arriver, j'ai télégraphié à ce Mr. Tunner, si bien que je ne serais pas surprise qu'il soit déjà là, et probablement même à cet hôtel. Vous pourriez demander. (Elle leva la main.) Je vais garder ce taxi pour rentrer, si cela ne vous fait rien. Nos services se sont mis en rapport avec la direction et tout est arrangé. Si vous voulez bien venir au consulat demain, dans la matinée...

Sa main était toujours levée; rien ne se produisit. Mrs. Moresby semblait changée en pierre. Son visage, tantôt voilé par les ombres des passants, tantôt éclairé en plein par l'enseigne de l'hôtel, s'était si profondément altéré que Miss Ferry s'affola. Une seconde, elle plongea le regard dans ses yeux dilatés : « Bon Dieu! cette femme est folle! » pensa-t-elle. Puis elle sauta du taxi et courut au bureau de l'hôtel. Il lui fallut un petit moment pour se faire comprendre.

Quelques minutes plus tard, deux hommes se dirigèrent vers le taxi qui attendait. Ils regardèrent à l'intérieur, puis à gauche et à droite sur le trottoir, et ils interrogèrent enfin le chauffeur qui haussa les épaules. A ce moment, passait un tramway bondé, rempli surtout de dockers indigènes en salopettes bleues. A l'intérieur, la lumière clignotait, les voyageurs debout vacillaient. Après avoir tourné le coin à coups de timbre répétés, il grimpa la côte et dépassa le café l'Eckmuhl-Noiseux dont les tentes claquaient à la brise du soir, le Bar Métropole avec sa radio tonitruante, le Café de France étincelant de glaces et de cuivres. Ferraillant à travers la foule qui encombrait la rue, il tourna un autre coin et attaqua la longue montée de l'avenue Gallieni. Vers le bas apparurent les lumières du port, puis leur reflet dansant sur l'eau tranquille. Les maisons se firent plus misérables, les rues plus sombres. A l'entrée du quartier arabe, le tramway toujours bondé décrivit un large arc de cercle et stoppa; c'était le terminus de la ligne.

Bad el Hadid, Fez.
1947-1948.

Ouvrage reproduit
par procédé photomécanique.
Impression S.E.P.C.
à Saint-Amand (Cher), le 18 mai 1989.
Dépôt légal : mai 1989.
Premier dépôt légal : mai 1980.
Numéro d'imprimeur : 1038
ISBN 2-07-021682-9./Imprimé en France.